2024年度版

ラストスパ

マンション管理士 直前予想模試

TACマンション管理士講座 編

TAC出版
TAC PUBLISHING Group

はじめに

TACは、公認会計士試験や簿記検定試験、また、不動産鑑定士試験や宅建士試験などにおいて、長年の実績を誇る「**資格の学校**」です。本書は、こうした実績を支えるTAC講師陣が、積み重ねてきた受験指導を通して培った**合格ノウハウを集結**させ、本試験の出題論点を徹底的に研究・分析して制作した**直前期の学習に最適**な“**実戦型問題集**”です。

本書『**ラストスパート マンション管理士 直前予想模試**』には、本試験と同様の形式で3回分・全150問を収録しました。これらの問題は、**重要ポイントや今年度の出題予想論点**をくまなく網羅しています。

取り外し式で収録された本書の問題に、本試験同様の緊張感をもって取り組み、『**正解・出題項目一覧＆あなたの成績診断**』を活用すれば、ご自分の知識の習得度合いや弱点の確認をしっかり行うことができます。

学習効果を上げるためには、次の①～③をきっちり行うことが大切です。

①　各２時間の「制限時間」を守って問題を解く
②　間違えた問題については解説を熟読する
③　収録されている論点についてはテキスト等でしっかり復習する

これらを数度繰り返せば、合格するために必要な学力が必ず身につきます。自信をもって本試験に臨んでください。

また、巻頭には、今年の試験でポイントとなる情報（法改正情報・重要判例等）をまとめた特集「**マンション管理士　令和６年度本試験・必勝対策**」を掲載しました。これからの直前期に**必ず役に立つ知識**をコンパクトにまとめてあります。是非ご一読ください。

本書を十二分に活用されることで、１人でも多くの受験生の皆さんに**合格の喜び**をつかんでいただきたい。それがTACマンション管理士講座の切なる願いです。

2024年７月
TACマンション管理士講座

＊　本書は，2024年４月現在施行されている法令等に基づいて執筆されています。
法改正等に関する情報冊子『法律改正点レジュメ』を，Web登録で，無料でご提供いたします（2024年９月上旬頃発送予定）。

【登録方法】お手元に本書をご用意の上，インターネットの「情報会員登録ページ」からご登録ください（**要・パスワード**）。

TAC情報会員　**検索**

【登録用パスワード】025-2024-0943-25
【登録期限】2024年11月1日まで

本書の特長とご利用方法

実力診断ができる予想模試!!

本書の特長

●知識を“実戦”で身に付けよう！●

- 本試験と同形式の模擬問題を「**取り外し式**」で３回分・計150問収録しています。**“本番”の臨場感**を、ご自宅で体験できます！
- 近年の試験傾向を徹底分析！　今年**出題される可能性の高い項目を厳選**し、肢ごとに詳しい解説、および「プラスα」の欄で補足説明を行っています。さらに「講師からのアドバイス」の欄では、学習のヒントや解答のコツなど、直前期の学習に有用な情報をふんだんに盛り込んでいます。
- もちろん、**直近の法改正等**もしっかり出題に取り入れていますので、**実戦的に最新の知識を吸収**することができます。
- **巻頭**には、法改正等の必須情報をまとめた「**令和６年度本試験 必勝対策**」を収録!!

ご利用方法

●こうして使えば学習効果バッチリ！●

① 年度によってばらつきのある合格基準点（**合格ライン**）をシミュレーションし、各回の問題の合格ラインや難易度を、次のように３段階のレベルに設定しました。

第１回問題………合格ラインを**38点**に設定
第２回問題………合格ラインを**37点**に設定
第３回問題………合格ラインを**36点**に設定

② 各解説の冒頭には「**正解・出題項目一覧＆あなたの成績診断**」の表を設けました。各問題には、次のように３段階の「**難易度ランク**」を設定しています。

Aランク＝「**やや易**」

……………………　必ず得点！　絶対に落としてはダメ

Bランク＝「**普通**」

……………………　できれば得点したい。合格者は解ける

Cランク＝「**難**」

………………　難しい問題。できなくても気にしないこと！

③ 「**難易度別の成績**」欄を集計することで、ご自分の得点力が把握できます。難易度**A**・**B**の問題の正答数が多ければ、合格可能性が高いといえるでしょう。しかし、逆に「**A**」の問題を多く間違えた場合は、「まだ基礎が固まっていない」と判断できますので、その論点を徹底的に復習するように心がけましょう。

④ 間違えた問題には、必ず「☑」欄にチェックを付けておきましょう。何度も繰り返して、徹底的に知識を自分のものにすることが大切です。

項目別の難易度を
３段階で表示しています

間違えた問題は
必ずチェックしておいて
徹底的に復習しましょう!!

【第１回】
正解・出題項目一覧 ＆ あなたの成績診断

【難易度】 A…やや易 得点すべし!! B…普通 合否の分かれ目 C…難 難問

問	項　目	正解	難易度	☑	問	項　目	正解	難易度	☑
1	区分所有法（共用部分）	3	B	□□	26	標準管理規約（管理等）	2	B	□□
2	区分所有法・民法（先取特権）	3	A	□□	27	標準管理規約（役員の選任等）	1	A	□□
3	区分所有法（集会）	3	A	□□	28	標準管理規約（専有部分の賃借人）	4	A	□□
4	区分所有法・判例（規約）	4	B	□□	29	標準管理規約（駐車場）	1	A	□□
5	区分所有法（管理組合法人）	1	A	□□	30	標準管理規約（総会）	2	A	□□
6	区分所有法・民法（管理者）	2	A	□□	31	標準管理規約（理事会）	4	A	□□
7	区分所有法（敷地）	3	A	□□	32	標準管理規約（長期修繕計画）	3	A	□□
8	区分所有法・判例（義務違反者）	2	B	□□	33	標準管理規約（団地型）	2	B	□□
9	区分所有法（復旧）	2	A	□□	34	管理組合の会計（仕訳）	4	A	□□
10	区分所有法（団地）	4	B	□□	35	管理組合の会計（比較貸借対照表）	2	B	□□
11	被災マンション法（敷地共有者等集会）	4	B	□□	36	長期修繕計画作成ガイドライン	4	A	□□
12	民法（代理）	1	A	□□	37	大規模修繕工事	1	B	□□
13	民法・区分所有法・判例（共有）	3	A	□□	38	劣化現象	1	A	□□
14	民法（連帯債務）	2	B	□□	39	建築構造（耐震等）	3	A	□□
15	民法（請負契約）	3	A	□□	40	マンションの各部の計画	4	B	□□
16	民法・判例（相続）	4	C	□□	41	防水工法	1	A	□□
17	民法・宅建業法（契約不適合責任）	3	B	□□	42	バリアフリー法	3	B	□□
18	不動産登記法	4	C	□□	43	排水設備	2	A	□□
19	建替え等円滑化法（敷地売却組合）	4	C	□□	44	給水設備	4	A	□□
20	都市計画法（地域地区等）	4	A	□□	45	マンションの建築設備	3	A	□□
21	建築基準法（居室等の規制）	1	B	□□	46	管理適正化法（管理士）	1	A	□□
22	水道法（簡易専用水道）	2	A	□□	47	管理適正化基本方針	3	A	□□
23	消防法（防火管理者等）	3	A	□□	48	管理適正化法（総合）	4	B	□□
24	防犯に配慮した共同住宅設計指針	2	B	□□	49	管理適正化法（管理業者の業務）	2	A	□□
25	標準管理規約（修繕等）	3	B	□□	50	管理適正化法（総合）	3	B	□□

■ 難易度別の成績

Aランク…	問／29問中
Bランク…	問／18問中
Cランク…	問／３問中

★A・Bランクの問題はできる限り得点しましょう！

■ 総合成績

合　計
50問中の正解
点

★この回の正答目標は38点です!!

各ランク毎に
得点を集計しましょう。
今のご自分の実力が
把握できます！

【凡　例】

本書の「解説文」中においては、法令名を略称で表記しているものがあります。それぞれの主な略称は、下記のとおりです。

- 「区分所有法」…………………………建物の区分所有等に関する法律
- 「品確法」………………………………住宅の品質確保の促進等に関する法律
- 「建替え等円滑化法」…………………マンションの建替え等の円滑化に関する法律
- 「特定瑕疵担保履行法」………………特定住宅瑕疵担保責任の履行の確保等に関する法律
- 「標準管理委託契約書」………………マンション標準管理委託契約書及びマンション標準管理委託契約書コメント
- 「標準管理規約」………………………マンション標準管理規約及びマンション標準管理規約コメント（単棟型）
- 「バリアフリー法」……………………高齢者、障害者等の移動等の円滑化の促進に関する法律
- 「マンション管理適正化法」…………マンションの管理の適正化の推進に関する法律
- 「マンション管理適正化指針」………マンションの管理の適正化に関する指針

※　本書『2024年度版 ラストスパート マンション管理士 直前予想模試』には、同書の『2023年度版』に収載した問題も一部含まれております。

これらは、本試験の出題傾向等から見て、今年度も出題される可能性が高いと考えられる問題について、必要に応じて法改正等による補正・改題を行ったうえで収載しているものです。

目　次

【解答用マークシートは、「解答・解説」の前にまとめて収録しています】

令和6年度　マンション管理士模擬試験
解答・解説

● 取り外してチャレンジしよう!!　問題は巻末に“別冊式”で収録 ●

令和6年度　マンション管理士模擬試験
問題

マンション管理士・令和６年度本試験

絶対合格!! 必勝対策

マンション管理士試験がだんだん近づいてきましたが、学習の進み具合はいかがでしょうか。マンション管理士試験では、関連分野の重要な法改正がなされると、その内容がすぐにその年の本試験で出題されたり、また、既に出題された近年の改正内容でも、比較的短い間隔で繰り返し出題されたりします。

そこで、この「必勝対策」では、最新の改正内容に加え、近年の主要な改正項目についても確認できるようまとめました。受験生の皆さんの「合格への一助」となれば幸いです。

1 重要な法改正（令和５年度及び近時の主要な法改正）

令和５年度の法改正

■ 不動産登記法の改正～相続登記の義務化～

❶ 改正の背景

不動産の所有者が死亡して相続が生じたにもかかわらず、その相続登記（被相続人が所有していた不動産の名義を相続人の名義へ変更すること）がされないまま放置されているがゆえに、登記簿を見ても実際の所有者が分からない「所有者不明土地」が増加し、周辺の環境悪化や取引・公共事業の阻害といった社会問題が発生しています。

そこで、令和６（2024）年４月１日から**相続登記が義務化**されました。

❷ 制度の概要

所有権の登記名義人について相続の開始があったときは、当該相続により所有権を取得した者は、①**自己のために相続の開始**があったことを**知り**、かつ、②**当該所有権を取得**したことを**知った日から「３年以内」**に、所有権の移転の**登記を申請**しなければなりません。遺贈（相続人に対する遺贈に限る）により所有権を取得した者も同様です。

なお、相続による登記がされた後に遺産の分割があったときは、当該遺産の分割によって当該相続分を超えて所有権を取得した者は、当該遺産の分割の日から３年以内に、所有権の移転の登記を申請しなければなりません。上記の**申請義務に違反**した者は、**10万円以下の過料**に処せられます。

Q 所有権の登記名義人について相続の開始があったときは、当該相続により所有権を取得した者は、自己のために相続の開始があったことを知り、かつ、当該所有権を取得したことを知った日から2年以内に、所有権の移転の登記を申請しなければならない。

A 所有権の登記名義人について相続の開始があったときは、当該相続により所有権を取得した者は、①自己のために相続の開始があったことを知り、かつ、②当該所有権を取得したことを知った日から「3年以内」に、所有権の移転の登記を申請しなければなりません。（×）

■ マンション標準管理委託契約書の改正

❶ 改正の背景

マンション管理を取り巻く環境や社会情勢は、マンション管理適正化法等の改正、担い手確保・働き方改革、居住者の高齢化・感染症のまん延等、近年大きく変動しています。そこで、「マンション標準管理委託契約書」及び「マンション標準管理委託契約書コメント」が改正されました。

ただし、管理業務主任者試験と異なり、マンション管理士試験においては、**マンション標準管理委託契約書の出題頻度は低く、出題数も少ない**です。そのため、**この分野には時間をかけ過ぎないように**注意して下さい。

❷ 改訂の概要

1　書面の電子化及びＩＴ総会・理事会等ＤＸへの対応

ＤＸ（デジタルトランスフォーメーション：デジタル技術の活用を通して生活やビジネスを変革すること）への対応として、**交付すべき書面を電子化**したり、**ＩＴ（ＷＥＢ会議システム等）を用いて説明**を行ったりするための規定等が整備されました。

また、ＷＥＢ会議システム等を活用した理事会・総会を行う場合において、管理組合が管理業者の協力を必要とするときの**機器の調達、貸与及び設置の補助**につき、「**基幹事務以外の事務管理業務**」として、管理業者が行うことが明記されました。

2　担い手確保・働き方改革に関する対応（カスタマーハラスメント、管理員・清掃員の休暇取得等）

近年、管理組合の役員・組合員等からの**カスタマーハラスメント**や、管理員・清掃員の休暇等の**労働条件**が管理組合にとって明確でないことなどを原因として、管理組合の運営支援、建物や設備の維持・管理などを行う「フロント」や、マンションでの受付・清掃・巡回等を行う「管理員・清掃員」などの**担い手が不足**するという問題が生じています。

そこで、これらの問題を解消するための手段として、次のような規定が整備されました。

〈カスタマーハラスメント関連〉

【第８条（管理事務の指示）】

本契約に基づく甲（＝管理組合）の乙（＝管理業者）に対する管理事務に関する**指示**については、**法令の定めに基づく場合を除き**、**甲の管理者等**又は**甲の指定する甲の役員**が乙の使用人その他の従業者（以下「**使用人等**」という。）のうち**乙が指定した者に対して**行うものとする。

【コメント第８条関係】

① 本条は、カスタマーハラスメントを未然に防止する観点から、管理組合が管理業者に対して管理事務に関する指示を行う場合には、**管理組合が指定した者以外から行わない**ことを定めたものであるが、組合員等が管理業者の使用人その他の従業者（以下「使用人等」という。）に対して行う**情報の伝達、相談や要望**（管理業者がカスタマーセンター等を設置している場合に行うものを含む。）を**妨げるものではない**。

② 管理組合又は管理業者は、本条に基づき**指定する者**について、**あらかじめ相手方に書面で通知**することが望ましい。

〈管理員業務関連〉

【コメント別表第２（管理員業務）関係】

③ 管理業者は、管理員の夏期休暇、年末年始休暇の**対象日**、その他**休暇の日数等**（健康診断や研修等で勤務できない日を含む。）について**事前に書面で提示**し、また、それらの休暇の際の対応（精算や他勤務日での時間調整等）を、**あらかじめ具体的に明示**することが望ましい。

④ 管理業者は、管理員が忌引、病気、災害、事故等で**やむを得ず勤務できない場合の対応**（精算や他勤務日での時間調整等）を管理組合との**協議**により、**あらかじめ規定**しておくことが望ましい。

⑤ 管理員に勤務時間外の対応が想定される場合、あらかじめ管理組合との**協議**を行い、必要に応じて、本契約に**条件等を明記**することが望ましい。

3　マンション管理業の事業環境の変化（居住者の高齢化、感染症のまん延等）への対応

マンション内で、**感染症**の流行により組合員等の共同生活に影響を及ぼすおそれがある場合や、組合員等に**認知症**の兆候がみられ、管理事務の適正な遂行等に影響を及ぼすおそれがあると認められる場合があることを踏まえ、次のようなコメントが追加されました。

【コメント第13条（通知義務）関係】

・今後、管理業者が、管理事務の実施に際し、マンション内で初めて、健康の維持に重大な影響を及ぼすとされる**新たな感染症への罹患の事実を知った場合**にも、**協議**の上で、**相手方に通知**しなければならない内容とすることが考えられる。この場合には、行政からの指示や情報を踏まえて対応することが望ましい。
・管理事務の実施に際し、組合員等にひとり歩き等の**認知症**の兆候がみられ、組合員等の共同生活や管理事務の適正な遂行に影響を及ぼすおそれがあると認められる場合にも、**協議**の上で、**相手方に通知**しなければならない内容とすることが考えられる。
・管理業者がこれらの情報を**本契約の範囲内で取得**した場合は、**本人の同意なく**これらの情報を**管理組合に提供でき、管理組合**も**本人の同意なく取得**することができる。ただし、管理業者が通知するこれらの情報については、特定の個人を識別する情報が含まれているため、当該情報の取扱いを適切に行う観点から、あらかじめ管理組合において、その取扱いについて定めておく必要がある。
・専有部分は組合員が管理することになるが、**専有部分**において**犯罪や孤立死（孤独死）**等があり、当該専有部分の組合員の**同意の取得が困難**な場合には、警察等から管理業者に対し、**緊急連絡先の照会等の協力**を求められることがある。

■ 建築基準法の改正

マンション管理士・管理業務主任者試験での出題可能性は高いとはいえませんが、令和５年、建築基準法でも主に次のような改正がなされました。

(1) 耐火建築物に係る主要構造部規制の合理化

耐火建築物で、火災時の損傷によって建築物全体への倒壊・延焼に影響がない主要構造部について、損傷を許容し、耐火構造等とすることが不要とされました。

これにより、例えば、一室が二階層になっているメゾネットタイプのマンションにおいて、メゾネットを囲む空間を強化防火区画とし、通常よりも長時間火災に耐える耐火構造の壁や床、防火設備で区画することを前提として、住戸内を木造の柱や梁、床で作ることが可能となります。

(2) 既存不適格建築物の増築等に係る規制の合理化

既存不適格建築物の増築等の際、現行規定（防火・避難規定、接道規制や道路内建築制限）の遡及適用を緩和することで、増築等による建築物の省エネ化やストックの有効活用が円滑化される仕組みが作られました。

■ 水道法の改正

水道関連の所管が厚生労働省から移管され、①水道整備・管理行政のうち水質又は衛生に関する事務に関する権限は、厚生労働大臣から環境大臣に、また、②水道整備・管理行政のうち①に掲げる事務以外のものに関する権限は、厚生労働大臣から国土交通大臣に移管されました。

試験対策レベルでは、次のような整理をしておきましょう。

- **専用水道の水質検査**に関し、検査施設がない場合は、**地方公共団体の機関又は国土交通大臣及び環境大臣の登録を受けた者**に委託する。
- **簡易専用水道の管理についての検査の受検**に関し、**毎年１回以上、定期**に、**地方公共団体の機関又は国土交通大臣及び環境大臣の登録を受けた者の検査**を受けなければならない。

近時の法改正

■ 民法の改正

❶ 相隣関係の見直し

1　隣地使用権

⑴　隣地使用請求権から隣地使用権へ

隣地の使用に関しては、従来、一定の範囲で「隣地の『**使用を請求**』することができる」（隣地「使用請求」権）という規定でしたが、法改正により、「隣地を『**使用**』することができる」（隣地「使用」権）という規定に変わりました。もっとも、住家については、その居住者の承諾がなければ、立ち入ることはできません。

⑵　隣地使用権の対象の拡大

法改正により、①に加え、②・③**の場合にも**隣地使用権が認められることとなりました。

①　障壁、建物その他の**工作物の築造、収去、修繕**
②　境界標の**調査**・境界に関する**測量**
③　**越境**してきた竹木の**枝の切取り**

⑶ 使用の日時等の選択と通知

隣地を使用するにあたり、その**使用の日時・場所・方法**は、隣地の所有者・隣地を現に使用している者（以下「隣地所有者等」）のために**損害が最も少ないもの**を選ばなければなりません。

また、隣地を使用する者は、急迫の事情があるなど事前通知が難しい場合を除き、**事前**にその目的・日時・場所・方法を隣地所有者等に**通知**しなければなりません。

なお、この隣地使用により、隣地所有者等が**損害**を受けたときは、その**償金**を請求することができます。

2 ライフラインの設備の設置・使用権

他人の土地に導管等の設備を設置したり、他人が所有する導管等の設備を使用したりしなければ、自分の土地で電気・ガス・水道等の継続的な供給を受けられないときは、必要な範囲で、他人の土地に設備を設置（**導管等設置権**）し、又は他人が所有する設備を使用（**導管等使用権**）できます。

3 越境した竹木の枝の切取り

土地の所有者は、隣地の竹木の「**枝**」が境界線を越えるときは、その竹木の所有者に、その枝を**切除させる**ことができます。この場合、竹木が数人の**共有**であるときは、**各共有者**が枝を切除できます。

他方、土地の所有者は、次の場合、必要な範囲で**隣地を使用**して、**自らその枝を切り取る**ことができます。

① 竹木の所有者に枝を切除するよう**催告**したにもかかわらず、竹木の所有者が相当の期間内に**切除しない**とき。
② 竹木の**所有者を知ることができず**、又はその**所在を知ることができない**とき。
③ **急迫の事情**があるとき。

なお、土地の所有者は、隣地の竹木の「**根**」が境界線を越える場合、その根を**自ら切り取る**ことができますが、この場合に隣地使用権は認められていません。

要チェック！ 確認問題

Q 土地の所有者は、隣地の竹木の所有者の所在を知っている場合において、当該竹木の枝が境界線を越えるときは、竹木の所有者に催告をすることなく、その枝を切除することができる。

A 土地の所有者は、原則として、隣地の竹木の枝が境界線を越えるときは、その竹木の所有者に、その枝を「切除させる」ことができます（原則として自ら切除はできません）。ただし、竹木の所有者に枝を切除するよう催告したにもかかわらず、竹木の所有者が相当の期間内に切除しないときなど、一定の場合には、自らその枝を切除することができます。本問では、隣地の竹木の所有者の所在がわかっているので、自ら切除する前提として、隣地の竹木の所有者に催告をする必要があります。 (×)

② 共有関係規定の見直し

1　共有物の利用促進のための改正

(1)　共有物の「変更行為」の細分化

民法上の共有物の「変更行為」が「軽微変更」と「重大変更」という２つの種類に細分化され、その要件等が以下のように再構成されました。

行為の分類	内容	要件
保存	共有物の**現状を維持**する行為 例）•共有物の修繕 •**不法占拠者に対する返還請求**	各共有者が**単独**でできる
管理・軽微変更	共有物の**形状又は効用の著しい変更を伴わず**に、共有物を**利用・改良**する行為 例）•共有物の**管理者の選任・解任** •共有物に関する**下記期間内の賃貸借契約の締結・解除** ①　樹木の栽植・伐採を目的とする山林の賃借権等➡10年以内 ②　①の賃借権等以外の**土地の賃借権等➡５年**以内 ③　**建物の賃借権等➡３年**以内 ④　動産の賃借権等➡６ヵ月以内	各共有者の**持分の価格の過半数**で決する ※共有物を**使用する共有者がいる**場合も**同様**
重大変更・処分	共有物の**形状又は効用の著しい変更を伴う**ものや、共有物**全体の処分** 例）•共有建物の**建替え・増改築** •共有物**全部の売却・抵当権の設定**	共有者**全員の同意**で決する ※共有物の「**共有持分の処分**」については、**各共有者が単独**でできる（**他の共有者の同意は不要**）

なお、例えば、一時使用目的や存続期間が**３年以内の定期建物賃貸借など**を「**除き**」、**借地借家法が適用される建物賃貸借**の場合、期間が満了しても**更新が前提**となるため、約定された期間内での終了が確保されません。そこで、このような**建物賃貸借契約**は、期間が３年以内であっても、原則として**共有者全員の同意がなければ無効**と解されています。

(2)　他の共有者への使用対価償還義務・善管注意義務

共有物を使用する共有者は、別段の合意がある場合を除き、他の共有者に対し、自己の**持分を超える**使用の対価を償還する義務を負います。

また、共有者には、**善良な管理者の注意**をもって共有物を使用する義務が課されます。

(3) 所在等不明共有者・賛否不明共有者がいる場合の管理

所在等が不明の共有者や**賛否が不明**な共有者がいる場合、**裁判**により、それ**以外**の共有者が**管理・変更**をすることが可能となる制度ができています。

	行為	要件
所在等不明共有者がいる場合（※1）	重大変更	**裁判**により、所在等不明共有者「**以外**」の共有者**全員の同意で共有物の重大変更が可能**
	管理行為・軽微変更	**裁判**により、所在等不明共有者「**以外**」の共有者の**持分価格の過半数で共有物の管理事項の決定が可能**
賛否不明共有者がいる場合（※2）	管理行為・軽微変更	**裁判**により、賛否不明共有者「**以外**」の共有者の**持分価格の過半数で共有物の管理事項の決定が可能**

※1：所在等不明共有者が**共有持分を失う行為**（**抵当権設定等**）には**利用不可**。
※2：**重大変更**や賛否不明共有者が**共有持分を失う行為**（**抵当権設定等**）には**利用不可**。

(4) 共有物の管理者

共有者は、**共有者の持分価格の過半数**により、**共有物を管理する者**（**管理者**）を**選任・解任**できる制度ができました。

共有物の管理者は、共有物の**管理に関する行為**（**軽微変更を含む**）をすることができますが、**重大変更**は、**共有者の全員の同意**が必要です。

要チェック！ 確認問題

Q 3人で共有しているマンションの1室（専有部分）について、契約期間を5年とする定期建物賃貸借契約を締結するには、共有者の持分の価格に従い、その過半数で決することができる。

A 期間3年以内の定期建物賃貸借の締結であれば、共有物の管理行為として、共有者の持分の価格に従い、その過半数で決することができます。しかし、本問は契約期間が3年を超えているため、管理行為（及び軽微変更）には該当せず、共有者全員の同意が必要です。 （×）

2 共有関係の解消促進のための法改正

(1) 共有物分割における賠償分割の明文化

改正により、裁判所による共有物の分割方法として、**現物分割・競売分割**のほか、**賠償分割**（**特定の共有者に他の共有者の持分の全部又は一部を取得させ、その者に他の共有者に対する金銭支払債務を負担させる方法**）もできる旨が明文化されました。これにより、裁判所は、「**現物分割**」又は「**賠償分割**」の方法で共有物の分割を命ずることができ、これらの方法で分割できない場合や、分割で共有物の価値が著しく減少するおそれがある場合は、「**競売分割**」を命ずることができます。

(2) 所在等不明共有者の持分の取得・譲渡制度

所在等不明共有者がいる場合における共有物全体の処分や重大変更を可能とするため、**所在等不明共有者の持分**について、次の制度が新設されました。

① **裁判所の決定**を経て、所在等不明共有者の持分を、**それ以外の共有者が取得**する制度
② **裁判所の決定**を経て、所在等不明共有者の持分を、**それ以外の共有者が第三者に譲渡する権限を付与**する制度

※**遺産共有**の場合は、①・②とも相続開始から**10年経過**してはじめて利用できます。

要チェック！ 確認問題

Q 裁判所は、現物分割又は賠償分割の方法で共有物の分割を命ずることができるが、これらの方法で分割できない場合や、分割で共有物の価値が著しく減少するおそれがある場合は、競売分割を命ずることができる。

A 裁判所は、「現物分割」又は「賠償分割」の方法で共有物の分割を命ずることができます。そして、これらの方法で分割できない場合や、分割で共有物の価値が著しく減少するおそれがある場合は、「競売分割」を命ずることができます。 (○)

3 土地・建物の管理制度の見直し

1 所有者不明土地管理制度・所有者不明建物管理制度

調査を尽くしても土地や建物の所有者又はその所在を知ることができない場合に、裁判所が所定の管理人による管理を命ずる、**所有者不明土地管理制度・所有者不明建物管理制度**が創設されました。

ただし、区分所有建物の場合は、管理組合が規約や集会決議により自律的に解決可能であるため、**所有者不明建物管理制度**については、**専有部分及び共用部分に適用されません**。

2 管理不全土地・建物管理制度

管理不全土地・建物について、裁判所が、利害関係人の請求により、管理人による管理を命ずる処分を可能とする「**管理不全土地・建物管理制度**」も創設されました。

ただし、**管理不全建物管理制度**については、**専有部分及び共用部分に適用されません**。

要チェック！ 確認問題

Q 所有者不明建物管理制度及び管理不全建物管理制度は、区分所有建物の専有部分及び共用部分にも適用される。

A 所有者不明建物管理制度及び管理不全建物管理制度は、区分所有建物の専有部分及び共用部分には適用されません。 (×)

❹ 相続制度（遺産分割）の見直し

共同相続の場合において、相続開始後、遺産分割までの間の「**遺産共有**」の状態を**速やかに解消**するため、次のような規定・制度が設けられました。

1　具体的相続分による遺産分割の時的限界を規定

法定相続分・指定相続分ではなく**具体的相続分**による遺産分割に関し、**相続開始から10年以内に限り認める**という**時的限界**が規定されました。

これにより、**10年を経過**すると、遺産分割は（具体的相続分ではなく）**法定相続分・指定相続分による**ことになります。

2　通常共有と遺産共有が併存する場合の分割方法の合理化

共有状態を解消する手段として、**通常共有の解消**は「**共有物分割手続**」、**遺産共有の解消**は「**遺産分割手続**」が用いられます。そのため、例えば、共有者の一人が死亡して、共同相続が生じた場合には、通常共有状態と遺産共有状態が併存する状態となり、これらを解消するためには、共有物分割手続と遺産分割手続の２回の手続きが必要でした。

この点について、法改正により、相続開始時から**10年を経過**したときは、遺産共有関係の解消も**地方裁判所等の共有物分割訴訟において実施することが可能**とされました。なお、この制度によって共有物分割請求訴訟において遺産共有を解消する場合、具体的相続分ではなく、法定相続分又は指定相続分が基準となるため、特別受益や寄与分の主張はできません。

3　相続人の所在等が不明な場合の不動産の遺産共有持分の取得方法等の合理化

前記❷**2**⑵のとおり、共有者は、相続開始時から**10年を経過**したときに限り、**持分取得・譲渡制度**により、**所在等不明相続人との共有関係を解消**できます。

要チェック！　確認問題

Q 共有者の一人が死亡して共同相続が発生し、通常共有と遺産共有とが併存する状態が生じた場合、相続開始時から10年を経過したときは、遺産共有関係の解消も共有物分割訴訟において実施することができる。

A 相続開始時から10年を経過したときは、遺産共有関係の解消も地方裁判所等の共有物分割訴訟において実施することが可能です。　（○）

■ 区分所有法の改正

●民法の改正規定の一部不適用

前述のとおり、「民法264条の８（**所有者不明建物管理命令**）及び264条の14（**管理不全建物管理命令**）の規定は、**専有部分及び共用部分には適用しない。**」という規定が新設されました。

■ マンション標準管理規約の改正

1　マンション標準管理規約（単棟型）の主な改正

(1)　ＩＴを活用した総会・理事会のための規定の整備

ＷＥＢ会議システム等のＩＴを活用した総会・理事会の会議の実施が可能であることが明確化され、留意事項等が記載されました。

① **ＩＴを利用した理事長による総会での事務報告**
理事長が**ＷＥＢ会議システム**等を用いて**総会に出席**し、**報告**を行うことも可能であることが記載されました。
その際、ＷＥＢ会議システム等を**用いない場合と同様**に、各組合員からの**質疑への応答**等について**適切に対応**することが必要とされました。

② **ＩＴを活用した総会・理事会における開催方法の通知**
「ＩＴを活用した総会・理事会」の会議を実施するにあたり、開催方法として、ＷＥＢ会議システム等に**アクセスするためのＵＲＬ**を通知することが記載されました。

③ **ＩＴを活用した議決権行使の取扱い**
ＩＴを活用した議決権の行使は、総会や理事会の会場において**議決権を行使する場合と同様に取り扱う**ことが記載されました。

④ **ＩＴを活用した総会・理事会における、ＷＥＢ会議システム等を用いて出席した者の取り扱い等**
議決権を行使することができる**組合員（・理事）**が**ＷＥＢ会議システム等を用いて総会（・理事会）に出席**した場合については、定足数の算出において**出席組合員（・出席理事）に含まれる**ことが記載されました。

※このＩＴを活用した総会・理事会については、それを可能とすることを明確化する観点から標準管理規約の改正を行っているものであるため、この改正に伴って各管理組合の管理規約を変更しなくとも、ＩＴを活用した総会・理事会の開催は可能です。

(2) マンション内における感染症の感染拡大のおそれが高い場合等の対応

① 共用施設の使用停止等の手段について

感染症の感染拡大のおそれが高いと認められた場合における**共用施設の使用停止**等を、「**使用細則**」で定めることが可能であることが記載されました。

② ＩＴを活用した総会の開催及びやむを得ない場合の招集の延期

感染症の感染拡大の防止等への対応として、「**ＩＴを活用した総会**」を用いて会議を開催することも考えられますが、**やむを得ない場合**には、通常総会を必ずしも「新会計年度開始以後**２ヵ月以内**」に招集する**必要はなく**、これらの**状況が解消された後**、**遅滞なく招集すれば足りる**ことが記載されました。

要チェック！ 確認問題

Q ＷＥＢ会議システムを用いて理事会を開催する場合は、当該理事会における議決権行使の方法等を、規約や細則において定めなければならない。

A ＩＴを活用した総会・理事会については、それを可能とすることを明確化する観点から標準管理規約の改正を行ったものであり、当該改正に伴って各管理組合の管理規約を変更しなくとも（＝規約や細則に定めなくても）、ＩＴを活用した総会・理事会の開催は可能です。（×）

(3) 置き配を認める手段等について

置き配を認める際のルールについて、「**使用細則**」で**定めることができる**旨が明示されました。

ただし、専用使用部分でない共用部分に物品を置くことは原則として認められませんので、宅配ボックスがない場合等、例外的に共用部分への置き配を認める場合には、長期間の放置や大量・乱雑な放置等により避難の支障とならないよう留意する必要があります。

(4) 専有部分の配管に関する清掃・取替え

専有部分である設備のうち共用部分と**構造上一体**となった部分の管理を共用部分の管理と一体として行う必要があるときは、**管理組合**がこれを行うことができます。

この場合、配管の**清掃等**に要する費用については、「共用設備の保守維持費」として**管理費**を充当することが可能ですが、配管の**取替え等**に要する費用のうち**専有部分に係るもの**については、**各区分所有者が実費に応じて負担**すべきものです。

もっとも、共用部分の配管の取替えと専有部分の配管の取替えを**同時に行う**ことにより、専有部分の配管の取替えを単独で行うよりも**費用が軽減**される場合には、これらについて**一体的に工事**を行うこともできるということが示されました。

なお、その場合には、**あらかじめ長期修繕計画において専有部分の配管の取替えについて記載**し、その**工事費用を修繕積立金から拠出することについて規約に規定**するとともに、**先行して工事を行った区分所有者への補償の有無等についても十分留意**することが求められています。

⑸ 長期修繕計画の内容の見直し

長期修繕計画の内容として必要とされるものにつき、**計画期間が30年以上で、「かつ」大規模修繕工事が２回含まれる期間以上**とすることが記載されました。

⑹ 役員の解任に関する規定の整備

従来、**理事・監事の「選任」は総会の決議**で、また、**理事長・副理事長・会計担当理事の「選任」は理事会の決議**で行うことは定められていましたが、それぞれの「解任」については明文がありませんでした。

そこで、選任のみならず「**解任**」についても、**理事・監事の解任**（＝理事・監事の地位を失う）は「**総会の決議**」で、また、**理事長・副理事長・会計担当理事の解任**（＝役職を解かれて平理事になる）は「**理事会の決議**」で行うことができる旨が明示されました。

⑺ 管理計画認定及び要除却認定の申請

総会の議決事項として、改正マンション管理適正化法に基づく「管理計画の認定の申請」及び、マンションの建替え等の円滑化に関する法律に基づく「要除却認定の申請」が追加されました。

2 マンション標準管理規約（団地型）の主な改正（条文は「団地型」）

マンション標準管理規約（単棟型）の改正と**同様の改正**のほか、**マンション標準管理規約（団地型）特有の改正**として、以下の内容の改正が行われました。

⑴ 敷地分割事業が分割請求禁止規定と矛盾しないことを明示

土地又は共用部分等の**分割請求及び単独処分を禁止する規定**があったとしても、**マンション建替え等滑化法に基づく敷地分割決議による敷地分割**は「**禁止されない**」ことが記載されました。

⑵ 団地修繕積立金及び各棟修繕積立金の使途の追加

団地修繕積立金及び各棟修繕積立金の**使途**として、「**敷地分割に係る合意形成に必要となる事項の調査**」が**追加**されました。

⑶ 招集手続における敷地分割決議に関する規定の追加

招集通知の発送期限が会日の２ヵ月前までとされる決議の対象として、建替え承認決議、一括建替え決議の場合に加え、**敷地分割決議**を行うための**団地総会の招集手続（議案の要領の通知事項）**が**追加**されました。

⑷ 敷地分割決議に関する団地総会の会議及び議事の追加

敷地分割決議の決議要件が追加され、敷地分割決議は、**組合員総数の５分の４以上**及び**議決権（団地内敷地の持分の割合による）総数の５分の４以上**で行うものとされました。

⑸ 団地総会の議決事項の追加

団地総会の議決事項として、「**管理計画の認定の申請**」「**除却の必要性に係る認定の申請**」及び「**敷地分割決議**」が**追加**されました。

3　マンション標準管理規約（複合用途型）の主な改正

マンション標準管理規約（単棟型）の改正と**同様の改正**が行われました。

■ マンション管理適正化法の改正

1　マンション管理計画認定制度等の創設

積極的に行政も関与しながらマンションの管理水準を一層維持向上させていく仕組みとして、次の3つの制度が創設されました。

制度	概要
地方公共団体による 管理適正化推進計画の作成	**地方公共団体**は、マンション管理適正化の推進を図るための施策等を含む、**マンション管理の適正化の推進を図るための計画**を作成することができます。
マンション管理計画の 認定制度	**管理適正化推進計画を作成した都道府県等**において、マンションの管理計画が一定の基準を満たす場合に、マンション管理組合は、地方公共団体から**適切な管理計画を持つマンションとして認定**を受けることができます。 このマンション管理計画認定制度では、都道府県等が、地域性を踏まえた指針を定めることにより、国が定める認定基準に加えて独自の基準を設けることなどが可能です。
地方公共団体による 助言・指導等	地方公共団体は、管理適正化のために必要に応じて助言や指導等を行うことができます。

2　管理計画の具体的な認定基準

計画作成都道府県知事等は、**管理計画の認定の申請**があった場合において、その申請に係る管理計画が一定の**基準に適合**すると認めるときは、その**認定**をすることができます。その具体的な認定基準は次のとおりです。

項目	基準
管理組合の運営	①　**管理者等**が定められていること ②　**監事**が選任されていること ③　集会が**年1回以上**開催されていること
管理規約	①　**管理規約**が作成されていること ②　マンションの適切な管理のため、管理規約において**災害等の緊急時や管理上必要なときの専有部の立ち入り、修繕等の履歴情報の管理等**について定められていること ③　マンションの管理状況に係る情報取得の円滑化のため、管理規約において、**管理組合の財務・管理に関する情報の書面の交付**（**又は電磁的方法による提供**）について定められていること

管理組合の経理	①　管理費及び修繕積立金等について**明確に区分して経理**が行われていること ②　**修繕積立金会計から他の会計への充当がされていないこと** ③　直前の事業年度の終了の日時点における**修繕積立金の３ヵ月以上の滞納額が全体の１割以内**であること
長期修繕計画の作成・見直し等	①　長期修繕計画が**「長期修繕計画標準様式」に準拠**し作成され、長期修繕計画の**内容**及びこれに基づき算定された**修繕積立金額**について**集会にて決議**されていること ②　長期修繕計画の**作成又は見直し**が**７年以内**に行われていること ③　長期修繕計画の実効性を確保するため、**計画期間が30年以上**で、**かつ**、残存期間内に**大規模修繕工事が２回以上**含まれるように設定されていること ④　長期修繕計画において**将来の一時的な修繕積立金の徴収を予定していない**こと ⑤　長期修繕計画の計画期間全体での修繕積立金の総額から算定された**修繕積立金の平均額が著しく低額でない**こと ⑥　長期修繕計画の計画期間の**最終年度**において、**借入金の残高のない長期修繕計画**となっていること
その他	①　管理組合がマンションの区分所有者等への平常時における連絡に加え、災害等の緊急時に迅速な対応を行うため、**組合員名簿**、**居住者名簿**を備えているとともに、**１年に１回以上**は**内容の確認**を行っていること ②　**都道府県等マンション管理適正化指針に照らして適切**なものであること

3　重要事項説明書面・契約締結時書面・管理事務報告書面の電子的方法による提供

マンション管理業者に義務付けられている次の**書面の交付**について、**管理組合の区分所有者等又は管理者等の承諾**を得て、当該書面に記載すべき事項を、管理業務主任者による記名に準じる措置を講じた所定の**電子的方法によって提供**することができることになりました。

【電子化が可能となる書面】

- 重要事項説明書面
- 契約締結時書面
- 管理事務報告書

4　重要事項説明の特例措置の拡充

管理業者は、管理組合と**新規**に管理受託契約を締結しようとするときは、**あらかじめ、説明会を開催**し、**区分所有者等・管理者等に**対し、**管理業務主任者をして**、管理受託契約の内容・履行に関する一定の**重要事項について説明**をさせなければならないのが原則です。

しかし、**新たに建設**されたマンションの「**分譲に通常要すると見込まれる期間（１年間）**」**中に契約期間が満了する管理受託契約**については、**重要事項を説明する義務はありません**。これは、管理組合が**実質的に機能**するまでの間に行われる暫定的な契約にかかる重要事項説明を**不要**とする趣旨です。

ここで、「分譲に通常要すると見込まれる期間（**１年間**）」は、「完成売り」の場合と「リノベマンション」とで、次のように起算点が異なります。

① 完成売りマンション（新たに建設されたマンション）
　➡「**最初の購入者**」への引渡し後１年間
② リノベマンション（再分譲前提の既存のマンション）
　➡「**再分譲後の最初の購入者**」への引渡し後１年間

5　暴力団員等の排除改正

登録拒否の要件（法第47条）及び登録取消の要件（法第83条）として、次に該当する者を追加し、**マンション管理業者から暴力団員等を排除する姿勢を明示**しました。

・**暴力団員**又は**元暴力団員**
・**暴力団員等がその事業活動を支配する者**（例えば、事業主の親族が暴力団員である場合など）

6　「マンションの管理の適正化の推進を図るための基本的な方針」の策定

これまでの「マンション管理適正化指針」が廃止され、新たに「**マンションの管理の適正化の推進を図るための基本的な方針**」**が創設**されました。

本方針では、次の内容が定められています。

・マンションの管理の適正化に関する目標の設定に関する事項
・管理組合によるマンションの管理の適正化の推進に関する基本的な指針に関する事項（マンション管理計画認定制度の認定基準を含む）
・マンションの建替えその他の措置に向けたマンションの区分所有者等の合意形成の促進に関する事項
・マンション管理適正化推進計画の策定に関する基本的な事項など

■ 建築基準法の改正

1　採光に関する規制の緩和

住宅等の居室には、採光のための窓等の開口部を設け、採光に有効な部分の面積は、居室の床面積に対して、住宅では原則として**7分の1以上**としなければなりません。

もっとも、**照明設備の設置、有効な採光方法の確保**その他これらに準ずる措置（＝**床面**において**50ルクス以上の照度**を確保することができるよう照明設備を設置すること）が講じられているものにあっては、これを**10分の1まで緩和**することが認められるようになりました。

2　住宅等のうち給湯設備に関する容積率算定からの除外

住宅等に設ける**機械室等の建築物の部分**（一定の基準に適合する**給湯設備等**の建築設備を設置するためのものに限る）で、特定行政庁が交通上、安全上、防火上及び衛生上支障がないと認めるものは、建築物の**容積率の算定**の基礎となる**延べ面積に算入されない**こととされました。

2 本試験でよく出る「重要数字」

マンション管理士本試験の「建築・設備」分野で過去に出題実績のある「重要数字」をまとめました。穴埋め形式のチェックシートで、本試験までに知識の確認、及びその暗記をしておきましょう。

Check ☑		暗記ポイント
□□	建築基準法	① 高さ□mを超える建築物には、周囲の状況によって安全上支障がない場合を除き、有効な避雷設備を設けなければならない。
□□		② 高さ□mを超える建築物には、原則として、非常用昇降機を設置しなければならない。
□□		③ 住宅の居室における換気に有効な部分の面積は、その居室の床面積に対して□分の□以上としなければならない。
□□		④ 敷地内には、屋外への出口から道又は公園、広場その他の空地に通ずる幅員が□m以上の通路を設けなければならない。
□□		⑤ 階段に代わる傾斜路の勾配は、□分の□を超えてはならない。
□□		⑥ 吹付けロックウールで、その含有する石綿の重量が、建築材料の重量の□%を超えるものをあらかじめ添加した建築材料を使用することはできない。
□□		⑦ 共同住宅の２階以上にあるバルコニーの周囲には、安全上必要な高さが□m以上の手すり壁、さく又は金網を設けなければならない。
□□		⑧ 防火地域及び準防火地域外にある共同住宅を増築する場合、その増築に係る部分の床面積の合計が□㎡以内であるときは、建築確認を受ける必要はない。
□□		⑨ 共同住宅の避難階以外の階で、その階から避難階又は地上に通ずる２以上の直通階段を設けなければならないのは、その階の居室の床面積の合計が□㎡超のものであるが、主要構造部が準耐火構造であるか、又は不燃材料で造られている建築物の場合は、□㎡超の場合である。
□□		⑩ 防火地域内にある看板・広告塔・装飾塔その他これらに類する工作物で、建築物の屋上に設けるもの、又は高さ□mを超えるものは、その主要な部分を不燃材料で造り、又は覆わなければならない。

Check ☑		暗記ポイント
□□	水道法・給水設備	⑪ 簡易専用水道は、貯水槽水道のうち、水道事業の用に供する水道から水の供給を受けるために設けられる水槽の有効容量の合計が□㎥を超えるものをいう。
□□		⑫ 給水栓における水の遊離残留塩素濃度は、平時において□mg/ℓ以上でなければならない。
□□		⑬ 給水設備の計画において、居住者1人当たりの1日の使用水量は□～□ℓで計算する。
□□		⑭ 飲料水用受水槽には、6面点検スペースとして、受水槽の上面については□cm以上の距離を、また、受水槽の周囲と下部については□cm以上の距離を、点検スペースとして確保する必要がある。
□□		⑮ 受水槽マンホールは、直径□cm以上とし、周囲から□cm以上立ち上げて設ける。
□□	消防法	⑯ 消防用設備等については、□ヵ月に1回の機器点検と、□年に1回の総合点検を行うが、所轄の消防長又は消防署長に対するこれらの各点検結果の報告は、□年に1回行う。
□□		⑰ 延べ面積が□㎡以上のマンションには、自動火災報知設備を設置しなければならない。
□□		⑱ マンションの□階以上の階には、総務省令で定める部分を除き、スプリンクラー設備を設置しなければならない。
□□		⑲ 高さ□mを超える共同住宅で、その管理について権原が分かれているものの管理権原者は、当該建築物の全体について防火管理上必要な業務を統括する防火管理者を協議して定めなければならない。
□□	電気・ガス	⑳ 一般住宅への配線方式には単相2線式と単相3線式があるが、200Vの電圧供給を可能とするためには、単相□線式を採用する必要がある。
□□		㉑ ガス給湯器の能力表示には「号」が一般に用いられ、1号は流量1ℓ/minの水の温度を□℃上昇させる能力をいう。

解答・解説

【建築基準法】

① 20（m）　② 31（m）　③ 20（分の）1　④ 1.5（m）　⑤ 8（分の）1
⑥ 0.1（%）　⑦ 1.1（m）　⑧ 10（㎡）　⑨ 100（㎡）、200（㎡）　⑩ 3（m）

【水道法・給水設備】

⑪ 10（㎥）　⑫ 0.1（mg/ℓ）　⑬ 200（～）350（ℓ）　⑭ 100（cm）、60（cm）
⑮ 60（cm）、10（cm）

【消防法】 ⑯ 6（ヵ月）、1（年）、3（年）　⑰ 500（㎡）　⑱ 11（階）　⑲ 31（m）

【電気・ガス】 ⑳ 3（線式）　㉑ 25（℃）

3 きっちり押さえておきたい「重要判例」

ここでは、マンション管理士本試験で**出題可能性が高い**、**重要な判例**を紹介します。

■高圧受電方式への変更に伴う個別電力供給契約の解約の義務付け（最判平成31年３月５日）

事例 区分所有建物５棟で構成される総戸数544戸のマンションにおいて、従来、団地建物所有者等は、個別に電力会社との間で、専有部分において使用する電力の供給契約（以下「個別契約」という）を締結し、団地共用部分である電気設備を通じて、各自電力の供給を受けていた。

その後、団地管理組合法人の総会において、専有部分の電気料金を削減するため、団地管理組合法人が一括して電力会社との間で高圧電力の供給契約を締結し、団地建物所有者等が団地管理組合法人との間で専有部分において使用する電力の供給契約を締結して電力の供給を受ける方式（以下「高圧受電方式」という）への変更をする旨の決議がされた。

この高圧受電方式に変更するには、団地建物所有者等全員が個別契約を解約することが必要とされるため、さらに後の総会において、電力の供給に用いられる電気設備に関する団地共用部分につき、区分所有法65条に基づく規約を変更し、その細則として、団地建物所有者等に個別契約の解約申入れを義務付ける「電気供給規則」の決議がなされたが、一部の団地建物所有者等がこれに応じず、個別契約の解約申入れをしなかった。

そこで、他の団地建物所有者等が、電気料金の削減がされないという損害を被ったことを理由に、個別契約の解除に応じない団地建物所有者等に対して、不法行為に基づく損害賠償請求を求める訴訟を提起した。

主な争点

① 団地建物所有者等に個別契約の解約申入れを義務付けるのは、**団地共用部分の変更またはその管理に関する事項**を決するものといえるか。

② 団地建物所有者等に個別契約の解約申入れを義務付ける規約は、区分所有法66条において準用する同法30条１項の「**団地建物所有者相互間の事項**」を定めたものであるといえるか。

③ 個別契約の解約申入れをしなかった一部の団地建物所有者等の行為は、**不法行為**といえるか。

判決の要旨 **一部の団地建物所有者等が個別契約の解約申入れをしないことは、他の団地建物所有者等に対する不法行為とならない。**

① 総会決議で定められた細則のうち、団地建物所有者等に個別契約の解約申入れを義務付ける部分は、専有部分の使用に関する事項を決するものであって、**団地**

共用部分の変更またはその管理に関する事項を決するものではない。したがって、区分所有法66条において準用する同法17条1項または18条1項の「(団地) 共用部分の管理」に関する決議として効力を有するものとはいえない。なお、このことは、本件高圧受電方式への変更をするために個別契約の解約が必要であるとしても異なるものではない。

② 総会決議で定められた細則のうち、団地建物所有者等に**個別契約の解約申入れを義務付ける部分**は、区分所有法66条において準用する同法30条1項の「**区分所有者相互間の事項**」を定めたものではなく、**規約としての効力を有するものとはいえない**。

③ 以上のことから、本件決議に基づき専有部分の電力供給契約の解約申入れを行わないことは、他の団地建物所有者等に対する不法行為とはならず、**不法行為に基づく損害賠償の請求は認められない**。

解説 この判決は、団地管理組合法人が電力会社との間で一括高圧電力契約を締結するために、団地建物所有者等に対し、専有部分において使用する電力につき個別に締結されている供給契約の解約申入れを義務付ける規約等の変更が決議された場合において、一部の区分所有者が個別契約の解約申入れに応じなかったことが、他の団地建物所有者等に対する不法行為にはあたらない、としたものです。

問題となったマンションでは、団地建物所有者等がその専有部分において使用する電力の供給契約を解約するか否かは、それのみでは直ちに他の団地建物所有者等による専有部分の使用または団地共用部分等の管理に影響を及ぼすものではありませんでした。また、高圧受電方式への変更は、専有部分の電気料金を削減しようとするものにすぎず、この変更が行われなくても、専有部分の使用に支障が生じたり、団地共用部分等の適正な管理が妨げられるわけではありませんでした。こうしたことから、団地建物所有者等は、個別契約の解約申入れをする義務を負うものではない、とされました。

■理事の互選により選任された理事長についての理事会による解任(最判平成29年12月18日)

事例 甲マンションには、次のような規約が定められていた。

> ㈠ 管理組合には、役員として理事長・副理事長等を含む理事並びに監事を置く。
> ㈡ 理事及び監事は、組合員のうちから総会で選任し、理事長及び副理事長等は、理事の互選により選任する。
> ㈢ 役員の選任及び解任については、総会の決議を経なければならない。
> ㈣ 理事長は、区分所有法に定める管理者とする。

甲マンションの区分所有者Xは、規約㈡に基づき、臨時総会で理事の1人として選任され、同時に選任された理事の互選により、理事長に選任された。

ところがその後、当該理事長Xが、他の理事から総会の議案とすることを反対されていた案件を諮るため、理事会決議を経ずに理事長として臨時総会の招集通知を発したことから、理事会において、Xの役職を「理事長」から「単なる理事」に変更する旨の決議（理事長の解任決議）が行われた。

主な争点

① 規約には、「理事長」職を理事の互選により「選任」する旨の定めはあるが（上記規約(イ)）、その「解任」に関する定めがない。この場合、「選任」に関する規約の規定を根拠に、**理事長を理事会で「解任」し、単なる理事に変更することは可能か**。

② 規約で、**役員の解任が「総会」の決議事項**とされていること（上記規約(ウ)）は、上記①**の結論に影響を与えるか**。

判決の要旨

本件規約は、理事長を「理事が就く役職の1つ」と位置付けた上、**総会で選任された理事**に対し、原則として、**理事の互選により理事長の職に就く者を定めることを委ねるもの**と解される。そうすると、このような定めは、理事の互選により選任された理事長について**理事の過半数の一致により理事長の職を解き、別の理事を理事長に定めることも、総会で選任された理事に委ねる趣旨**と解するのが、本件規約を定めた区分所有者の合理的意思に合致するというべきである。

なお、本件規約において**役員の解任が総会の決議事項**とされていることは、上記のように解する**妨げにはならない**。

解説 区分所有法上、区分所有者は、「**規約に別段の定めがない限り、集会の決議によって、管理者を選任し、または解任することができる**」とされています。これは、**集会の決議「以外」の方法による管理者の選任・解任の可否、及び認める場合の方法**について、**規約に委ねる趣旨**と解されます。したがって、本件のような定めがある規約を有する管理組合においては、**理事の互選により選任された理事長**につき、本件規約に基づいて、「**理事の過半数の一致により理事長の職を解くことができる**」と解するのが相当と考えられます。

また、この結論は、**理事の互選により理事長を選任する旨の規定の解釈から導かれる**ため、**役員の解任が総会の決議事項**とされていたとしても、**結論に変わりはありません**。

4 本試験当日を迎えるにあたって

最後に、本試験の前日及び当日に必ずやっておきたいことや、注意したいことに関するアドバイスをまとめました。参考にしてください。

① 前日夜には、必ず筆記用具・受験票等持ち物の確認を!!

持ち物の準備は、前日には必ずしておきましょう。特に注意すべきなのが、**時計**です。試験時間の管理は、通常、会場に設置されている壁掛け時計等によって行われますが、会場によってはその時計が見にくかったりする等のおそれがあります。自分のペース配分を確認するためにも、**必ず時計を持参**するようにしましょう。

【持ち物チェックリスト】

- □ 受験票
- □ HBまたはBのエンピツ、シャープペンシル
- □ 消しゴム
- □ 時計・腕時計
- □ お金
- □ めがね・コンタクトレンズの予備
- □ ハンカチ・ティッシュ
- □ 飲み物　　等

② 早めに会場入りする

当日は、早めに会場に入って、**最後の復習**をしましょう。当然ですが、**直前まで見ていたものが一番記憶に残ります**。このせっかくの時間をムダにせずに、最後まで1点でも多く得点できるように心がけましょう。また、万一、急遽何か必要となった場合にも、早めに会場入りをしておけば、コンビニに買いに行く等、スムーズな対応が可能です。

③ 問題・肢へのこだわりを捨て、まずは自分が解ける問題を確実に得点しよう！

本試験は、**総得点での勝負**です。そこでは、すべての問題・肢を「順番に」検討することも、すべての肢を「残さず」検討することも求められていません。

大切なのは、「**難しい問題・肢では勝負しない。自分にとって解きやすい問題・肢で勝負する**」ということです。合否は、難しい問題を解けるかどうかではなく、**基本的な問題を確実に取れるかどうかで決まる**ということを、決して忘れないでください。

合格は、皆さんの手が届くところに必ずあります。
TACマンション管理士講座の講師一同、皆さんの合格を心より祈念しております。

第1回　解答用紙

得点	/50

解　答　欄

問題番号	解	答	番	号
第 1 問	①	②	③	④
第 2 問	①	②	③	④
第 3 問	①	②	③	④
第 4 問	①	②	③	④
第 5 問	①	②	③	④
第 6 問	①	②	③	④
第 7 問	①	②	③	④
第 8 問	①	②	③	④
第 9 問	①	②	③	④
第 10 問	①	②	③	④
第 11 問	①	②	③	④
第 12 問	①	②	③	④
第 13 問	①	②	③	④
第 14 問	①	②	③	④
第 15 問	①	②	③	④
第 16 問	①	②	③	④
第 17 問	①	②	③	④
第 18 問	①	②	③	④
第 19 問	①	②	③	④
第 20 問	①	②	③	④
第 21 問	①	②	③	④
第 22 問	①	②	③	④
第 23 問	①	②	③	④
第 24 問	①	②	③	④
第 25 問	①	②	③	④

問題番号	解	答	番	号
第 26 問	①	②	③	④
第 27 問	①	②	③	④
第 28 問	①	②	③	④
第 29 問	①	②	③	④
第 30 問	①	②	③	④
第 31 問	①	②	③	④
第 32 問	①	②	③	④
第 33 問	①	②	③	④
第 34 問	①	②	③	④
第 35 問	①	②	③	④
第 36 問	①	②	③	④
第 37 問	①	②	③	④
第 38 問	①	②	③	④
第 39 問	①	②	③	④
第 40 問	①	②	③	④
第 41 問	①	②	③	④
第 42 問	①	②	③	④
第 43 問	①	②	③	④
第 44 問	①	②	③	④
第 45 問	①	②	③	④
第 46 問	①	②	③	④
第 47 問	①	②	③	④
第 48 問	①	②	③	④
第 49 問	①	②	③	④
第 50 問	①	②	③	④

（切り取ってご利用ください）

第2回　解答用紙

解　答　欄

得点	/50

問題番号	解	答	番	号
第 1 問	①	②	③	④
第 2 問	①	②	③	④
第 3 問	①	②	③	④
第 4 問	①	②	③	④
第 5 問	①	②	③	④
第 6 問	①	②	③	④
第 7 問	①	②	③	④
第 8 問	①	②	③	④
第 9 問	①	②	③	④
第 10 問	①	②	③	④
第 11 問	①	②	③	④
第 12 問	①	②	③	④
第 13 問	①	②	③	④
第 14 問	①	②	③	④
第 15 問	①	②	③	④
第 16 問	①	②	③	④
第 17 問	①	②	③	④
第 18 問	①	②	③	④
第 19 問	①	②	③	④
第 20 問	①	②	③	④
第 21 問	①	②	③	④
第 22 問	①	②	③	④
第 23 問	①	②	③	④
第 24 問	①	②	③	④
第 25 問	①	②	③	④

問題番号	解	答	番	号
第 26 問	①	②	③	④
第 27 問	①	②	③	④
第 28 問	①	②	③	④
第 29 問	①	②	③	④
第 30 問	①	②	③	④
第 31 問	①	②	③	④
第 32 問	①	②	③	④
第 33 問	①	②	③	④
第 34 問	①	②	③	④
第 35 問	①	②	③	④
第 36 問	①	②	③	④
第 37 問	①	②	③	④
第 38 問	①	②	③	④
第 39 問	①	②	③	④
第 40 問	①	②	③	④
第 41 問	①	②	③	④
第 42 問	①	②	③	④
第 43 問	①	②	③	④
第 44 問	①	②	③	④
第 45 問	①	②	③	④
第 46 問	①	②	③	④
第 47 問	①	②	③	④
第 48 問	①	②	③	④
第 49 問	①	②	③	④
第 50 問	①	②	③	④

（切り取ってご利用ください）

第3回　解答用紙

解　答　欄

得点	／50

問題番号	解	答	番	号
第 1 問	①	②	③	④
第 2 問	①	②	③	④
第 3 問	①	②	③	④
第 4 問	①	②	③	④
第 5 問	①	②	③	④
第 6 問	①	②	③	④
第 7 問	①	②	③	④
第 8 問	①	②	③	④
第 9 問	①	②	③	④
第 10 問	①	②	③	④
第 11 問	①	②	③	④
第 12 問	①	②	③	④
第 13 問	①	②	③	④
第 14 問	①	②	③	④
第 15 問	①	②	③	④
第 16 問	①	②	③	④
第 17 問	①	②	③	④
第 18 問	①	②	③	④
第 19 問	①	②	③	④
第 20 問	①	②	③	④
第 21 問	①	②	③	④
第 22 問	①	②	③	④
第 23 問	①	②	③	④
第 24 問	①	②	③	④
第 25 問	①	②	③	④

問題番号	解	答	番	号
第 26 問	①	②	③	④
第 27 問	①	②	③	④
第 28 問	①	②	③	④
第 29 問	①	②	③	④
第 30 問	①	②	③	④
第 31 問	①	②	③	④
第 32 問	①	②	③	④
第 33 問	①	②	③	④
第 34 問	①	②	③	④
第 35 問	①	②	③	④
第 36 問	①	②	③	④
第 37 問	①	②	③	④
第 38 問	①	②	③	④
第 39 問	①	②	③	④
第 40 問	①	②	③	④
第 41 問	①	②	③	④
第 42 問	①	②	③	④
第 43 問	①	②	③	④
第 44 問	①	②	③	④
第 45 問	①	②	③	④
第 46 問	①	②	③	④
第 47 問	①	②	③	④
第 48 問	①	②	③	④
第 49 問	①	②	③	④
第 50 問	①	②	③	④

（切り取ってご利用ください）

令和6年度マンション管理士模擬試験

解答・解説

合格ライン 38点

レベル

＊正解・出題項目一覧＆あなたの成績診断

＊解答・解説

【第1回】
正解・出題項目一覧 ＆ あなたの成績診断

【難易度】 A…やや易 

B…普通 合否の分かれ目　C…難 難!問

問	項　目	正解	難易度	☑	問	項　目	正解	難易度	☑
1	区分所有法（共用部分）	3	B	□□	26	標準管理規約（管理等）	2	B	□□
2	区分所有法・民法（先取特権）	3	A	□□	27	標準管理規約（役員の選任等）	1	A	□□
3	区分所有法（集会）	3	A	□□	28	標準管理規約（専有部分の賃借人）	4	A	□□
4	区分所有法・判例（規約）	4	B	□□	29	標準管理規約（駐車場）	1	A	□□
5	区分所有法（管理組合法人）	1	A	□□	30	標準管理規約（総会）	2	A	□□
6	区分所有法・民法（管理者）	2	A	□□	31	標準管理規約（理事会）	4	A	□□
7	区分所有法（敷地）	3	A	□□	32	標準管理規約（長期修繕計画）	3	A	□□
8	区分所有法・判例（義務違反者）	2	B	□□	33	標準管理規約（団地型）	2	B	□□
9	区分所有法（復旧）	2	A	□□	34	管理組合の会計（仕訳）	4	A	□□
10	区分所有法（団地）	4	B	□□	35	管理組合の会計（比較貸借対照表）	2	B	□□
11	被災マンション法（敷地共有者等集会）	4	B	□□	36	長期修繕計画作成ガイドライン	4	A	□□
12	民法（代理）	1	A	□□	37	大規模修繕工事	1	B	□□
13	民法・区分所有法・判例（共有）	3	A	□□	38	劣化現象	1	A	□□
14	民法（連帯債務）	2	B	□□	39	建築構造（耐震等）	3	A	□□
15	民法（請負契約）	3	A	□□	40	マンションの各部の計画	4	B	□□
16	民法・判例（相続）	4	C	□□	41	防水工法	1	A	□□
17	民法・宅建業法（契約不適合責任）	3	B	□□	42	バリアフリー法	3	B	□□
18	不動産登記法	4	C	□□	43	排水設備	2	A	□□
19	建替え等円滑化法（敷地売却組合）	4	C	□□	44	給水設備	4	A	□□
20	都市計画法（地域地区等）	4	A	□□	45	マンションの建築設備	3	A	□□
21	建築基準法（居室等の規制）	1	B	□□	46	管理適正化法（管理士）	1	A	□□
22	水道法（簡易専用水道）	2	A	□□	47	管理適正化基本方針	3	A	□□
23	消防法（防火管理者等）	3	A	□□	48	管理適正化法（総合）	4	B	□□
24	防犯に配慮した共同住宅設計指針	2	B	□□	49	管理適正化法（管理業者の業務）	2	A	□□
25	標準管理規約（修繕等）	3	B	□□	50	管理適正化法（総合）	3	B	□□

■ 難易度別の成績

Aランク…	問／29問中
Bランク…	問／18問中
Cランク…	問／3問中

★A・Bランクの問題はできる限り得点しましょう！

■ 総合成績

合　計
50問中の正解 点

★この回の正答目標は**38点**です!!

問1 正解 3 区分所有法（共用部分） 難易度 B

ア ○ 管理所有は、共用部分の管理のために対外的な関係においてのみその者の所有とするだけで、実質的には、**本来の共有関係が存続**しているので、規約によって、共用部分を管理者又は特定の区分所有者の所有とする場合でも、各区分所有者の共有持分権に変動は生じない（区分所有法11条２項、27条１項）。

イ ○ **共有者の持分**は、原則として、その有する**専有部分の処分に従う**（15条１項）。共有者は、**区分所有法に別段の定め**がある場合を除いて、その有する**専有部分と分離して持分を処分することができない**（同２項）。この「区分所有法に別段の定めがある場合」の１つが、規約の設定又は変更によって共有持分の割合を変更する場合（14条４項）である。

区分所有法に定めがあることにより、共有者がその有する専有部分と分離して共有持分を処分できる他の１つは、**規約によって**他の**区分所有者又は管理者**を**共用部分の所有者**とする場合である（11条２項、27条１項）。

ウ ○ 各共有者は、規約に別段の定めがない限りその持分に応じて、共用部分の負担に任じ、**共用部分から生ずる利益を収取する**（19条）。この区分所有法19条の共用部分の負担とは、管理費用や、固定資産税、都市計画税及び下水道負担金などの公租公課の負担をいう。

エ × **「共有持分に応じた使用を定める民法の規定は排除されている」**
共有物の使用に関しては、各共有者は、共有物の全部について、その持分に応じた使用をすることができる、というのが民法の原則である（民法249条）。しかし、共用部分に対する各共有者の使用については、区分所有法は**民法249条の適用を排除**しており（区分所有法12条）、各共有者は、**共用部分をその用方に従って使用**することができる（13条）。

したがって、**正しいもの**は、**ア～ウの三つ**であり、**正解は3**となる。

講師からのアドバイス

共用部分の使用に関しては、**具体的に考えてみる**とわかりやすい。例えば、マンションに設置されたエレベーターの使用が、各区分所有者の共用部分の持分割合によって異なるとすることは妥当ではない。

問2 正解 3 区分所有法・民法（先取特権） 難易度 A

1 × **「集会の決議に基づき他の区分所有者に対して有する債権も含まれる」**

区分所有法７条の先取特権によって担保される債権は、区分所有者が、共用部分、**建物の敷地若しくは共用部分以外の建物の附属施設**につき**他の区分所有者に対して有する債権**又は**規約若しくは集会の決議に基づき他の区分所有者に対して有する債権**である（区分所有法７条１項）。

管理組合が管理者へ報酬を支払うとした場合の**管理者の報酬債権**は、「管理者が**職務又は業務を行うにつき区分所有者に対して有する債権**」には**該当しない**。

2 ✕ 「建物に備え付けた動産に限られる」➡「限られない」

区分所有法７条の先取特権の目的物は、債務者である区分所有者の**区分所有権**（共用部分に関する権利及び敷地利用権を含む）及び**建物に備え付けた動産**である（７条１項）。

3 ○ 区分所有法７条の先取特権は、優先権の順位及び効力については、一般の先取特権の第１順位である**共益費用の先取特権**（民法306条１号、307条）とみなされる（区分所有法７条２項）。

4 ✕ 「規約の定め又は集会の決議がなくても先取特権を行使できる」

区分所有法７条の先取特権を有する者は、**区分所有者、管理者又は管理組合法人**であり、これらの者は、規約の定め又は集会の決議がなくても、この先取特権を行使することができる（７条１項）。

講師からのアドバイス

区分所有法７条の先取特権については、**基本的な事項から出題**されているので、それらをしっかり押さえておこう。

問3　正解 3　区分所有法（集会）

ア ✕ 「規約の定めによらなくても、書面又は代理人によって議決権を行使することができる」

集会における**議決権**は、**書面**で、又は**代理人**によって**行使**することができる（区分所有法39条２項）。区分所有法でこのように規定されているので、**規約の定めは不要**である。

イ ○ **管理者が選任されている場合**には、マンションの適正な管理のために、最低限、**年１回の集会の開催**が義務付けられているが（34条２項）、**管理者が選任されていないときは、年１回の集会の開催は義務付けられていない**。

管理者には、集会において、毎年１回一定の時期に、その**事務の報告**をすることも義務付けられている。

ウ ✕ **「別段の定めをすることはできない」➡「できる」**
集会においては、あらかじめ**通知した事項**についてのみ、**決議をすることができる**（37条１項）。ただし、区分所有法に集会の決議につき**特別の定数が定められている事項**を「**除いて**」は、**規約で別段の定め**をすることを妨げない（同２項）。

エ ✕ **「集会を開くことはできない」➡「できる」**
集会は、**区分所有者全員の同意**があるときは、**招集の手続を経ないで開くことができる**（36条）。したがって、全員の同意を得られたのであれば、招集手続を経ずに、その場で集会を開くことができる。

したがって、**誤っているもの**は、**ア・ウ・エ**の**三つ**であり、**正解**は**3**となる。

講師からのアドバイス

集会における管理者の役割を整理して、覚えておくようにしよう。

問4 正解4 区分所有法・判例（規約） 難易度B

1 ✕ **「設定することはできない」➡「できる」**
規約で定めることができるのは、「建物又はその敷地若しくは附属施設の管理又は使用に関する区分所有者相互間の事項」である（区分所有法30条１項）。本肢の規約は、**建物等の管理に関する事項**といえる。したがって、このような規約を設定することも可能である（判例）。

管理費の負担割合を、**規約又は集会の決議**により、共用部分の持分割合と**異なる割合**とすることもできる。

2 ✕ **「設定することはできない」➡「できる」**
エレベーターのあるマンションにおいて、１階部分の区分所有者とそれ以外の区分所有者については、**エレベーターの利用に差異**があり、本肢の規約は、**建物等の管理又は使用に関する事項**であるといえる。したがって、管理費の額について差異を設けることも可能である。

3 ✕ **「設定することはできない」➡「できる」**
各共有者は、その**持分に応じて**、**共用部分の負担に任ずる**。しかし、この負担については、**規約で別段の定め**をすることができる（19条）。住居部分と店舗部分では建物の使用方法に差異があり、本肢の規約は、**建物等の管理又は使用に関する事項**であるといえる。したがって、管理費の額について差異を設けることも可能である。

4 ○ 建物等の管理に関する事項を規定する規約は、専有部分等の形状、面積、位置関係、使用目的及び利用状況並びに区分所有者が支払った対価その他の事情を総合的に考慮して、**区分所有者間の利害の衡平**が図られるように定めなければならない（30条３項）。管理費等の負担は建物の管理に関する事項であるが、それを規約に定めるにあたっては、居住者が当該マンションの所在する県の出身であるか否かは、建物の管理とは関係がないので、これを考慮することはできない。したがって、**このような規約を定めることはできない**。

講師からのアドバイス

本問は、あまり考えたことのない論点かもしれないが、**具体的なケースをイメージ**しながら、管理費等の負担をどうすべきかを検討するとよいだろう。

問５　正解 １　区分所有法（管理組合法人）　難易度 A

1　○　区分所有法47条10項は、「一般社団法人は、その代表者の行為について損害賠償責任を負う」とする規定を管理組合法人に準用している。したがって、**管理組合法人**は、**代表理事その他の代表者**がその**職務を行うについて第三者に加えた損害を賠償する責任**を負う（区分所有法47条10項、一般社団法人及び一般財団法人に関する法律78条）。

2　×　**「他の理事が議事録に署名する必要はない」**
議事録が**書面**で作成されているときは、**議長**及び**集会に出席した区分所有者のうちの２名がこれに署名**しなければならない（区分所有法42条３項）。管理組合法人の理事が議事録に署名することが求められているわけではない。

議事録に署名する区分所有者２名は、標準管理規約においては、「議長の指名した区分所有者」とされているが（標準管理規約単棟型49条２項）、区分所有法上は集会に出席した**区分所有者であれば誰でもよく**、また、区分所有者の**代理人が出席した場合**には、その出席した**代理人でもよい**。

3　×　**「規約の定めに基づく理事の互選によることはできない」➡「できる」**
理事が数人あるときは、**各理事が管理組合法人を代表**する（49条４項）。そして、**規約**若しくは**集会の決議**によって、管理組合法人を代表すべき理事を定め、若しくは数人の理事が共同して管理組合法人を代表すべきことを定め、又は**規約の定めに基づき理事の互選**によって管理組合法人を代表すべき理事を定めることができる（同５項）。したがって、管理組合法人を代表すべき理事については、規約の定めに基づいて、理事の互選によって定めることもできる。

4　×　**「管理組合法人の理事」➡「管理組合法人」**
管理組合法人は、規約又は集会の決議により、管理組合法人の事務に関し、区分所有者のために、**原告又は被告となることができる**。管理組合法人の理事が原告又は被告となるのではない。

講師からのアドバイス

管理組合法人は「法人」という独立した存在であるため、**成立**には**特別の手続**が必要となる。また、**理事**は**管理組合法人の手足**として行動しているとイメージしてみよう。

問6　正解 2　区分所有法・民法（管理者）　難易度 A

1 ✕ 「いつでも辞任することができる」

管理者は、**いつでも辞任することができる**ため（区分所有法28条、民法651条１項）、やむを得ない事由の有無にかかわらず、区分所有者にとって不利な時期でも辞任することができる。

管理者が、**区分所有者にとって不利な時期**に辞任した場合、やむを得ない事由があったときを除き、区分所有者に対し、その**損害を賠償しなければならない**（区分所有法28条、民法651条２項）。

2 ○ **規約の定め**によって**共用部分の所有者とされた管理者**は、共用部分を**保存又は改良**するため**必要な範囲内**において、他の区分所有者の専有部分又は自己の所有に属しない**共用部分の使用を請求**することができる（区分所有法27条２項、６条２項）。

管理者が**区分所有者ではなく**、**管理所有も認められていなければ**、他の区分所有者の専有部分又は自己の所有に属しない**共用部分の使用請求をすることができない**。

3 ✕ 「連帯して責任を負う」➡「連帯して責任を負うわけではない」

管理者がその**職務の範囲内**において**第三者との間にした行為**については、規約で建物並びにその敷地及び附属施設の管理に要する経費につき負担の割合が定められているときを除き、**区分所有者**が、その有する**共用部分の持分の割合に応じて責任**を負う（29条１項）。管理者及び区分所有者が連帯して責任を負うわけではない。

4 ✕ 「規約の定めは必要ない」

区分所有法において、**管理者**は、**損害保険契約に基づく保険金額**の**請求及び受領**、共用部分等について生じた損害賠償金の請求及び受領、不当利得による返還金の請求及び受領につて、区分所有者を代理すると**規定されている**ので（26条２項）、規約の定めがなくても、区分所有者を代理することができる。

講師からのアドバイス

管理者の**選任・解任の方法**、**管理者の権限**について、整理して押さえておこう。

問7　正解 3　区分所有法（敷地）　難易度

ア　○　区分所有法において「**建物の敷地**」とは、**建物が所在する土地及び区分所有法5条1項の規定により建物の敷地とされた土地**をいう（区分所有法2条5項）。建物が所在する土地（法定敷地）とは、本肢のように、**土地に一棟の区分所有建物が所在する**場合のことをいい、この土地は、区分所有者等の意思にかかわらず**法律上当然に建物の敷地**とされる。

イ　○　建物が所在する土地が建物の一部の**滅失により建物が所在する土地以外の土地**となったときは、その土地は、**規約**で建物の**敷地**と定められたものと**みなされる**（5条2項前段）。

ウ　○　建物が所在する土地の一部が**分割により**建物が所在する土地以外の土地となったときは、その土地は、**規約**で建物の**敷地**と定められたものと**みなされる**（5条2項後段）。

エ　×　**「法律上当然に建物の敷地となる」**
➡「規約により建物の敷地とすることができる」
区分所有者が建物及び建物が所在する**土地と一体として管理又は使用**をする庭、通路その他の土地は、**規約により建物の敷地**とすることができる（5条1項）。

規約敷地となる土地は、区分所有者が建物及び建物が所在する土地と一体として管理又は使用する土地であれば、その**用途は特に問われない**。駐車場、広場、テニスコートなどが考えられる。

したがって、正しいものは、**ア～ウ**の三つであり、正解は**3**となる。

講師からのアドバイス

みなし規約敷地とされる**二つの場合**について、しっかり整理しておこう。

問8　正解 2　区分所有法・判例（義務違反者）　難易度

1　×　**「区分所有者及び議決権の各４分の３以上の多数」**
➡「区分所有者及び議決権の各過半数」
区分所有法57条に基づく**原状回復を求める訴訟の提起**は、**区分所有者及び議決権の各過半数**による集会の決議による（区分所有法57条2項、39条1項）。

規約により、**訴訟の提起の権限**を管理者又は理事その他の機関にあらかめ**授権しておくことはできない**。

2 ○ **各区分所有者**は、単独で、**区分所有権又は共用部分の共有持分権**ないし**人格権**に基づいて、**義務違反者に対し**、その行為を停止し、その行為の結果を除去し、又はその行為を予防するために必要な措置を講ずることを**請求することができる**。この請求は、区分所有者の個別的な請求であり、区分所有法6条、57条以下の規定は、このような各区分所有者の請求を否定するものではない。本肢においては、共用部分の共有持分権に基づく物権的請求権により、土の撤去を請求できる（判例）。

3 ✕ **「出席して議決権を行使することができない」➡「できる」**
各区分所有者は、規約に別段の定めがない限り、共用部分の持分の割合で**議決権が認められており**（区分所有法38条）、集会の決議に**利害関係があるときでも議決権の行使が認められる**。

4 ✕ **「弁明をする機会を与える必要はない」**
義務違反者に対する措置として、区分所有法57条に基づく**訴訟を提起**して、その行為を停止し、その行為の結果を除去し、又はその行為を予防するため必要な措置を執ることを請求する場合、区分所有者及び議決権の各過半数による**集会の決議が必要**であるが（57条2項、39条1項）、**集会において**義務違反者である区分所有者に**弁明する機会を与える必要はない**。

講師からのアドバイス

義務違反者に対する措置については、**各請求の内容**と、その請求の際に**必要な要件**について、しっかり整理しておこう。

問9 正解2 区分所有法（復旧） 難易度A

1 ○ 建物の価格の2分の1以下に相当する部分が滅失したときは、各区分所有者は、滅失した**共用部分**を**単独で復旧**することができる。この場合、他の区分所有者に対し、その共用部分の持分の割合に応じて復旧に要した**費用の償還を請求**することができる（区分所有法61条2項）。

2 ✕ **「記載又は記録しなければならない」➡「記載又は記録する必要はない」**
建物の価格の2分の1を超える部分が滅失した場合の復旧の決議においては、集会の議事録に、各区分所有者の賛否を記載又は記録しなければならないとされているが（61条6項）、**小規模滅失の復旧の決議**では、**賛否の記載又は記録は求められていない**。

3 ○ 滅失した共用部分の**復旧決議の内容が形状又は効用の著しい変更を伴う場合**、当該共用部分の復旧は、規約に別段の定めがない限り、**区分所有者及び議決権の各4分の3以上の多数の集会の決議**によらなければならないが（17条1項）、**それ以外の場合には**、**区分所有者及び議決権の過半数**の**集会の決議**があれば足りる

（61条３項）。

4 ○ 滅失した建物部分のうち**専有部分の復旧**は、建物全体における滅失の程度を問わず当該専有部分の**区分所有者が自己の費用負担**において行う（61条１項）。

共用部分の復旧又は建替えについて決議が存在しても、**専有部分の復旧**については、それに**拘束されない**。

講師からのアドバイス

小規模滅失（建物の価格の２分の１以下に相当する部分が滅失した場合）の復旧については、意外と**手薄になりがち**なので、これを機会に確認しておこう。

問10 正解 4 区分所有法（団地） 難易度 B

1 ○ **一団地内に数棟の建物**があり、その団地内の**土地又は附属施設**（これらに関する権利を含む）がそれらの建物の所有者（専有部分のある建物では、区分所有者）の**共有**に属する場合には、それらの所有者（「団地建物所有者」）は、全員で、その団地内の土地、附属施設及び専有部分のある建物の管理を行うための団体（「**団地管理組合**」）を構成する（区分所有法65条）。そして、団地関係が成立する際の「数棟の建物」は、**区分所有建物**（専有部分のある建物）・**戸建て建物**（専有部分のある建物以外の建物）の**どちらでもよい**。

2 ○ 肢**1**の解説参照。そして、本肢のように**団地管理組合が成立する場合**には、**団地規約を設定**することができる（65条）。

団地建物所有者の団体は、**集会**を開き、**規約**を定め、**管理者**を置くことができる。

3 ○ 団地内建物の**一括建替え決議**の規定が適用され得るのは、**団地内建物の全部が専有部分のある建物**で構成される場合である（70条参照）。

4 × **「適用されない」➡「適用される」**
団地内建物の**建替え承認決議**の規定が適用されるのは、一団地内にある数棟の建物（「団地内建物」）の**全部又は一部が専有部分のある建物**の場合である（69条）。専有部分のある建物が一部のときでも、建替え承認決議の規定は適用される。

講師からのアドバイス

団地については、一団地内に存在する数棟の建物が、**区分所有建物なのか戸建て建物なのか**に着目しよう。その上で、団地の各規定が適用されるか否かを考えるとよい。

問11 正解 4 被災マンション法（敷地共有者等集会） 難易度 B

1 ○ 敷地共有者等は、敷地共有者等集会の決議によって、**管理者を選任し、又は解任することができる**（被災マンション法3条1項、区分所有法25条1項）。

2 ○ 「敷地共有者等集会」では、議決権は**書面又は代理人によって行使**することができる（被災マンション法3条1項、区分所有法39条2項）。

3 ○ 「敷地共有者等集会」を招集する者が敷地共有者等（通知を受けるべき場所を通知した者を除く）の所在を知ることができないときは、「敷地共有者等集会」の招集の通知は、滅失した区分所有建物に係る建物の**敷地内の見やすい場所に掲示**してすることができる（被災マンション法3条2項）。

掲示による招集通知は、**掲示をしたとき**に**到達**したものと**みなされる**が、敷地共有者集会を招集する者が、当該敷地共有者等の所在を知らないことについて過失があったときは、到達の効力が生じない（3条3項）。

4 × **「定めることができる」➡「できない」**
「敷地共有者等集会」は、再建決議や敷地売却決議が行われるまでの暫定的な管理を目的とするものであるから、**規約を定めることはできない**。

講師からのアドバイス

敷地共有者等集会における**決議事項**や、区分所有法のどのような規定が**準用**されているか整理しておこう。

問12 正解 1 民法（代理） 難易度 A

1 ○ **制限行為能力者が代理人としてした行為は、行為能力の制限によっては取り消すことができない**（民法102条本文）。本人があえて制限行為能力者を任意代理人とした場合には、本人がそのリスクを負えばよいといえるからである。

2 × **「Aが追認したとしても、Aに401号室の売買契約の効果が帰属することはない」➡「Aが追認した場合には、Aに401号室の売買契約の効果が帰属する」**
代理人自身が当事者の一方となった上でした行為（**自己契約**）は、本人の利益が不当に害されるおそれがあるため、**無権代理行為**とみなされる（108条1項本文）。ただし、事後的に本人の追認があれば、本人に効果が帰属する（116条本文）。本肢においては、本人Aの追認があるので、Bの代理行為の効果はAに帰属する。

3 × **「過失なく知らなかったとしても、Aに401号室の売買契約の効果が帰属することはない」➡「過失なく知らなかった場合には、Aに401号室の売買契約の効**

果が帰属する」
代理人が自己又は第三者の利益を図る目的で代理権の範囲内の行為をした場合において、**相手方がその目的を知り**、又は**知ることができたとき**は、その行為は、**無権代理行為**とみなされる（107条）。したがって、相手方Cは、Bの目的について過失なく知らなかったので、Bの代理行為は有効な代理行為となるため、Aに効果が帰属する。

4 ✕ 「その選任及び監督について、Aに対して責任を負えば足りる」
➡「選任及び監督の責任に限定されない」
委任による代理人は、本人の**許諾**を得たとき、又は**やむを得ない事由があるとき**でなければ、**復代理人を選任**することができない（104条）。そして、本人の許諾を得て選任した復代理人が、本人に損害を与えた場合には、本人から委託された業務を適正に行っていないことになるため、代理権授与契約の債務不履行として、債務不履行の一般的規律によって処理される。選任及び監督の責任に限定されない。

法定代理の場合、代理人は、**自己の責任**で**復代理人を選任**することができる（105条前段）。法定代理人には辞任の自由がないので、必要に応じて自己の責任で復代理人を選任することが認められる。

講師からのアドバイス

令和２年の改正により、**代理人の権限濫用行為**は、**相手方がその目的を知り**、又は**知ることができたとき**は、**無権代理行為**として扱われることが明文化されたので注意しよう。

問13 正解 3 民法・区分所有法・判例（共有） 難易度 A 得点すべし!!

1 ○ **不法占有者に対する明渡請求**は、**保存行為**（民法252条５項）にあたり、**各共有者は単独**ですることができる（判例）。

2 ○ 共有者の一人が**共有物について他の共有者に対して有する債権**は、各共有者は、その**特定承継人**に対しても**行使することができる**（区分所有法８条、民法254条）。そして、管理の費用の支払請求権は、この「共有物について他の共有者に対して有する債権」にあたる。したがって、A及びCは、Eに対して、この管理の費用の支払いを請求することができる。

3 ✕ 「同意を得なければならない」➡「同意を得る必要はない」
各共有者の持分権は、所有権と同様の性質を有しているので、各共有者は、他の共有者の同意を得なくても、**自由に共有物の自己の持分**を**譲渡**し、**処分**することができる。したがって、Cは、301号室の自己の共有持分にFのために抵当権を設定するには、A及びBの同意を得る必要はない。

4 ○ 共有物を使用する**共有者**は、別段の合意がある場合を除いて、他の共有者に対して、**自己の持分を超える使用の対価**を**償還する義務**を負う（249条２項）。

各共有者は、共有物の全部について、その**持分に応じた使用**をすることができることが基本であり（249条）、それを**超えた場合**は、**使用の対価を償還**すべきことが令和５年施行の改正により、**明文化**された。

講師からのアドバイス

保存行為は**各共有者が単独**ですることができるが、**処分行為・形状又は効用の著しい変更を伴う変更行為**は、**全員の同意**が、**管理行為（形状又は効用の著しい変更を伴わない変更行為を含む）**は、**各共有者の持分の価格の過半数の同意**が必要となる。整理しておこう。

問14 正解 2 民法（連帯債務） 難易度 B

1 ○ **連帯債務者の１人に生じた事由**は、当事者間で別段の意思表示がない限り、原則として**相対的効力**しか有しない（「**相対的効力の原則**」民法441条）。連帯債務者の１人に対する**履行の請求**は、別段の意思表示がない限り、他の連帯債務者に対してその効力を生じない。したがって、ＣがＡに対してのみ履行の請求をしたときは、その効力はＢには及ばないため、Ｂの債務について、時効の完成は猶予されない。

2 × **「500万円を限度として請求することができる」**
➡「支払いを請求することはできない」
連帯債務者の１人と債権者の間に**更改**があったときは、債権は、**すべての連帯債務者の利益のために消滅する**（「**絶対効**」438条）。したがって、ＡとＣとの間に更改があった場合は、別段の意思表示がない限り、連帯債務は全部消滅するため、Ｂは支払義務を免れる。

3 ○ 肢**1**の解説参照。連帯債務者の１人に対する債務の免除は、別段の意思表示がない限り、**他の連帯債務者に対してその効力を生じない**。したがって、Ｂは、債権額1,000万円全額をＣに支払わなければならない。

4 ○ 連帯債務者の１人について法律行為の無効又は**取消しの原因**があっても、他の連帯債務者の債務は、その**効力を妨げられない**（「**相対効**」437条）。したがって、Ａの債務が取り消されたとしても、Ｂの債務は、有効に存続する。

連帯債務については、債務者ごとに**異なる利息**（利率）を定めることもできるし、**異なる条件**を付することもできる。

講師からのアドバイス

連帯債務については、令和２年の民法改正によって大幅な改正がなされ、従来の規定とは異なっている。特に、**絶対効**を生じる事由である**更改・混同・相殺**の**３つ**を覚えておこう。

問15　正解 3　民法（請負契約）

難易度 A

1　✕　「Bの仕事完成義務は消滅する」➡「消滅しない」

目的物が滅失・損傷しても、仕事の**完成が可能**であれば、仕事完成義務が履行不能に至ったとはいえず、請負人の**仕事完成義務は消滅しない**。なお、当事者双方に帰責事由がない場合における仕事完成のための増加費用は、請負人の負担となる。

2　✕　「催告なくして報酬の減額を請求することができる場合がある」

引き渡された目的物が契約の内容に適合しないものであるとき、注文者が相当の期間を定めて履行の追完の催告をし、その期間内に履行の追完がないときは、注文者は、その不適合の程度に応じて**代金の減額**を請求することができる（民法559条、563条１項）。ただし、**履行の追完が不能**であるときや、請負人が履行の**追完を拒絶する意思を明確に表示**したとき等には、**催告なしで、直ちに報酬の減額を請求**することができる（同２項）。

引き渡された目的物が契約の内容に適合しなかったとしても、それが**注文者の責めに帰すべき事由**によるものであるときは、注文者は**報酬減額請求**をすることが**できない**（559条、563条３項）。

3　〇　注文者の責めに帰すことができない事由によって仕事完成が不能となった場合、請負人が既にした仕事の結果のうち**可分な部分の給付**によって**注文者が利益を受ける**ときは、その部分を仕事の完成とみなし、請負人は、**注文者が受ける利益の割合に応じて報酬を請求**することができる（634条１号）。

4　✕　「契約を解除することができる場合がある」

仕事の目的物が「**建物その他の土地の工作物**」である場合であっても、完成した目的物に契約不適合があれば、債務不履行の一般法理により**解除が可能**である（559条、564条、541条、542条）。

講師からのアドバイス

請負契約は有償契約であるので、**売買契約の規定が準用**され、請負人も**契約不適合責任**を負う。また、**請負人の報酬**についても、令和２年度の改正により規定が追加されているので注意しよう。

問16 正解 4 民法・判例（相続） 難易度 C 難!問

1 ○ 本肢のＥは**遺産分割後の第三者**である。共同相続における権利の承継は、民法の規定により算定した**相続分を超える部分**については、**登記**、登録その他の対抗要件を備えなければ、**第三者に対抗することはできない**（民法899条の２第１項）。したがって、Ｂが自己の法定相続分に応じた持分を超える部分の権利取得をＥに対抗するには、Ｂが当該持分を所有する旨の登記が必要である。

相続人は、**法定相続分を超えない部分**については、登記その他の**対抗要件を備えなくても**、その権利の承継を第三者に**対抗できる**。

2 ○ 相続財産である不動産は、遺産分割までは相続人Ｂ、Ｃ及びＤの共有となるので（898条、判例）、Ｂが601号室の共有持分をＦに譲渡したときは、601号室はＦ、Ｃ及びＤの共有となる。したがって、Ｆが、Ｃ、Ｄとの共有関係を解消するためにとるべき法的手続は、**共有物分割の手続**ということになる（256条、258条参照）。**遺産分割手続は相続人間の手続**であるから、第三者Ｆが共有者となったときは、この手続によることはできない。

3 ○ 遺産分割協議が成立した後であっても、相続人は、その**合意**によっていったん成立した**遺産分割を解除することができる**（判例）。

4 × **「相続の承認又は放棄をした後においても」**
➡「相続の承認又は放棄をするまでは」
相続財産である不動産は、遺産分割までは相続人Ｂ、Ｃ及びＤの共有となる（898条）。**通常の共有の場合**には、共有者は「**善良な管理者の注意義務**」を負うが、相続財産の共有の場合には、その注意義務が減軽され、**相続人**は、その**固有財産におけるのと同一の注意**をもって、**相続財産を管理**しなければならない。ただし、**相続の承認又は放棄をしたとき**は、**この限りでない**（918条１項）。

講師からのアドバイス

令和３年の民法改正により、**相続開始から10年以内**に遺産分割をしないと**具体的相続分による分割**を求めることができなくなった。この点も押さえておくようにしよう。

問17 正解 3 民法・宅建業法（契約不適合責任） 難易度 B 合否の分かれ目

1 × **「有効である」➡「無効である」**
宅建業者は、**自ら売主**となり、**宅建業者でないものが買主**となる宅地又は建物の売買契約において、その目的物が種類又は品質に関して契約の内容に適合しない場合におけるその不適合を担保すべき責任に関し、買主の契約不適合に関する通知期間を目的物の引渡しの日から２年以上となる特約をする場合を除き、**民法に規定するものより買主に不利となる特約**は無効となる（宅建業法40条）。そして、民法では契約不適合責任の追及方法として、追完請求（修補請求を含む）、代金減額請求、損害賠償請求及び解除を定めているので（民法562～564条）、売主が損害賠償請求を負わないというのは、民法の規定より買主に不利な特約となるので、無効である（宅建業法40条）。

2 ✕ 「有効である」➡「無効である」

肢１の解説参照。民法の規定より買主に不利な特約をした場合、その特約は無効になり、民法の原則に戻ることになる（40条）。本肢の「担保すべき責任を負う通知期間をマンションの引渡しから１年間」とする特約は、「契約不適合に関する通知期間を目的物の引渡しの日から２年以上となる特約」よりも買主に不利な特約となり、無効である。したがって、買主は、民法の規定により、原則として、契約不適合を**知ったときから**１年以内にその旨を売主に通知しなければならない（民法566条）。

売主が引渡しの時にその**不適合を知り**、又は**重大な過失**によって**知らなかったとき**は、買主が契約不適合を知ったときから１年以内にその旨を売主に**通知しなかったときでも**、売主は**契約不適合責任を負う**。

3 ○ **肢１**の解説参照。本肢では、**買主が宅建業者**であるから、**宅建業法の契約不適合責任の特約の制限に関する規定は適用されず**、民法の規定が適用される。そして、民法では、マンションの種類又は品質に関して契約の内容に適合しない場合におけるその不適合を担保すべき責任を負わないとする特約も原則として有効である。ただし、売主が知りながら告げなかった事実及び自ら第三者のために設定し又は第三者に譲り渡した権利については、その責任を免れることはできない（572条）。

4 ✕ 「契約不適合責任を免れない」➡「免れる」

本肢では、**買主が宅建業者**であるから、宅建業法の契約不適合責任の規定は適用されず、**民法の規定が適用される**（民法562～564条参照）。そして、民法では、契約不適合の発生を「マンションの構造耐力上主要な部分の契約不適合」に制限するような特約も有効である（572条）。

買主にとって**不利な特約になるか**を判断できるように準備しておこう。

問18 正解 4 不動産登記法

難易度 C

1 ✕ 「申請することができる」➡「申請することができない」

建物の合併の登記は、表題部所有者又は所有権登記名義人以外の者は、「申請することができない」(不動産登記法54条1項3号)。

2 ✕ 「相続人のみが」➡「相続人その他の一般承継人」
区分建物である建物を新築した場合において、その所有者について相続その他の一般承継があったときは、**相続人その他の一般承継人**も、**被承継人を表題部所有者とする当該建物についての表題登記を申請することができる**(47条2項)。したがって、相続人だけでなく一般承継人も表題登記の申請が可能である。

3 ✕ 「あらためて申請する必要がある」➡「申請する必要はない」
敷地権付き区分建物についての所有権・担保権に係る権利の登記は、原則として、敷地権である旨の登記をした**土地の敷地権**についてされた登記としての効力を有する(73条1項本文)。したがって、敷地権付き区分建物に相続を原因とする所有権の移転登記をした場合、その登記は敷地権についても移転登記としての効力を有するので、あらためて**敷地権の移転登記をする必要はない**。

敷地権付き区分建物については、**区分建物**と**敷地権は一体として処分される**ので、区分建物になされた登記の効果は、**敷地権にも当然に及ぶことになる**。

4 ○ 敷地権である旨の登記をした土地には、原則として、敷地権の移転登記や敷地権を目的とする担保権(一般の先取特権・質権・抵当権)の設定登記はできない(73条2項本文、1項)。そして、敷地権が地上権である場合には、区分建物との**分離処分が禁止されるのは地上権**であり、底地にあたる**土地の所有権は敷地権ではない**ので**自由に処分**できる。したがって、**敷地権である地上権が設定**された土地について、その土地の所有権を目的として**抵当権設定登記**をすることは**可能**である。

講師からのアドバイス

区分建物に関する登記については、**過去問**を参考にして、登記の目的が「**区分建物のみ**」や「**土地のみ**」のケースを覚えよう。

問19 正解 4 建替え等円滑化法(敷地売却組合) 難易度 C 難!問

1 ○ マンションの1つの**専有部分が数人の共有に属するとき**は、その数人を1人の**組合員とみなされる**(建替え等円滑化法125条2項)。

2 ○ 売却マンションについて、組合員の有する区分所有権又は敷地利用権の全部又は一部を承継した組合員がいる場合、**従前の組合員**がその区分所有権又は敷地利用権の全部又は一部について**組合に対して有していた権利義務**は、その**承継した組合員に移転する**(125条3項、19条)。

3 ○ 組合は、法人税法その他法人税に関する法令の規定の適用については、**公益法人等とみなされる**（139条１項）。

4 × **「各５分の４」➡「各４分の３」**
定款の変更のうち**事業に要する経費の分担に関する事項の変更**は、**組合員の議決権及び敷地利用権の持分の価格の「各４分の３」以上**の多数による総会の議決を経なければならない（建替え等円滑化法130条、施行令30条１号）。

「**５分の４**」以上の多数が必要な決議は、建替組合の**権利変換計画及びその変更**に関する決議、マンション**敷地売却決議**、**敷地分割決議**である。

講師からのアドバイス

決議の成立要件について、これを機会に押さえておいてほしい。

問20 正解 4 都市計画法（地域地区等） 難易度 A

1 × **「第二種住居地域」➡「第一種中高層住居専用地域」**
第二種住居地域は、**主として住居の環境を保護するため定める地域**をいう（都市計画法９条６項）。中高層住宅に係る良好な住居の環境を保護するため定める地域は、第一種中高層住居専用地域である（同条３項）。

2 × **「定めなければならない」➡「定めることはできない」**
準都市計画区域については、市街化区域と市街化調整区域の**区域区分**を**定めることはできない**（８条２項）。

3 × **「用途地域が定められていない土地の区域内」➡「用途地域内」**
高度利用地区は、**「用途地域内」**の市街地における土地の合理的かつ健全な高度利用と都市機能の更新とを図るため、建築物の**容積率の最高限度**及び**最低限度**、建築物の**建蔽率の最高限度**、建築物の**建築面積の最低限度**並びに**壁面の位置の制限**を定める地区である（９条19項）。したがって、「用途地域が定められていない土地の区域（市街化調整区域を除く）内」ではなく、「用途地域内」で定められる。

高度利用地区は、土地を「**高度利用**」するためのエリアをいう。つまり、高層ビル等を建築するエリアなので、容積率の「**最低**」限度や建築面積の「**最低**」限度を定めるのである。

4 ○ **特定街区**は、市街地の整備改善を図るため**街区の整備**又は**造成**が行われる地区について、その街区内における建築物の**容積率**並びに建築物の**高さの最高限度**及び**壁面の位置の制限**を定める街区とする（９条20項）。

講師からのアドバイス

地域地区等からの基本的な論点の出題である。**用途地域「内」**なのか**「外」**なのか、**高さ**を規制するのか、**容積率**等の面積の規制なのかについて、それぞれを正確に覚えよう。

問21 正解 1 建築基準法（居室等の規制） 難易度 B

1 ✕ 「7分の1から20分の1」➡「7分の1から10分の1」

共同住宅の居室には、原則として、**採光**のための窓その他の**開口部**を設け、その採光に有効な部分の面積は、その居室の床面積に対して**7分の1以上**としなければならない（建築基準法28条1項）。そして、**照明設備の設置**等の措置が講じられている場合、7分の1から**10分の1**の範囲内で国土交通大臣が定める割合となる（施行令19条3項ただし書）。

令和5年度の**改正点**である。居室の採光に関して、自然光以外にも一定の**照明設備の設置等**により採光に有効な部分の面積が**緩和**されることになった。

2 ○ 住宅又は老人ホーム等に設ける**機械室**その他これに類する建築物の部分（給湯設備その他の国土交通省令で定める建築設備を設置するためのものであって、市街地の環境を害するおそれがないものとして国土交通省令で定める基準に適合するものに限る）で、特定行政庁が交通上、安全上、防火上及び衛生上支障がないと認めるものの床面積は、建築物の容積率の算定の基礎となる**延べ面積には、算入しない**（建築基準法52条6項3号）。

令和5年度の**改正点**である。**容積率の緩和規程**は、近年のマンション管理士試験ではあまり出題されていないが、改正点なので注意しておこう。

3 ○ **住宅の居室等で地階に設けるものは、壁及び床の防湿の措置**その他の事項について、**からぼり**その他の空地に面する開口部が設けられていること等の**衛生上必要な政令で定める技術的基準に適合するもの**としなければならない（29条、施行令22条の2）。

4 ○ **防火地域内**にある看板、広告塔、装飾塔その他これらに類する工作物で、建築物の**「屋上に設けるもの」**又は**高さ3mを超えるもの**は、その主要な部分を**不燃材料**で造り、又は覆わなければならない（64条）。したがって、屋上に設ける広告塔等については、高さが3m以下であっても、その主要な部分を不燃材料で造り、又は覆わなければならない。

講師からのアドバイス

【正解肢１・肢２について】令和５年度の**改正点**である。まだ本試験で出題されていない論点であるので出題された時は確実に得点できるように注意しておこう。

問22 正解 2 水道法（簡易専用水道） 難易度 A

1 ○ 簡易専用水道の設置者は、当該簡易専用水道の管理について、国土交通省令（簡易専用水道により供給される水の水質の検査に関する事項については、環境省令）の定めるところにより、定期に、地方公共団体の機関又は国土交通大臣及び環境大臣の登録を受けた者の検査を受けなければならない（水道法34条の２第２項）。

本年度の改正点である。厚生労働大臣の登録を受けた者の検査が、**国土交通大臣及び環境大臣の登録**を受けた者の検査に改正されたので注意しよう。

2 × **「残留塩素の検査を行う必要がある」➡「検査をする必要はない」**
簡易専用水道の設置者は、給水栓における水の色、濁り、臭い、味その他の状態により供給する水に**異常を認めたときは、水質基準に関する省令に掲げる事項のうち必要なもの**について**検査を行う必要があるが**、その検査事項の中に**残留塩素は含まれていない**（55条３号、水質基準に関する省令（平成15年厚生労働省令第101号））。

3 ○ 簡易専用水道の設置者は、**水槽の掃除を毎年１回以上**、定期に、行うことが必要である（施行規則55条１号）。

4 ○ 簡易専用水道の設置者は、供給する水が**人の健康を害するおそれがあることを知ったときは、直ちに給水を停止**し、かつ、その水を使用することが危険である旨を**関係者に周知**させる措置を講じなければならない（水道法34条の２第１項、施行規則55条４号）。

講師からのアドバイス

簡易専用水道は、**定期検査**や**水に異常が生じた場合の検査**等が頻出論点である。検査事項等を覚えておこう。特に残留塩素の検査が含まれるかには注意しよう。

問23 正解 3 消防法（防火管理者等） 難易度 A

1 ○ 共同住宅（非特定防火対象物）における収容人員（居住者）が**50人以上**の場合

には、管理権原者は、甲種防火管理講習の課程を修了した者等の政令で定める資格を有する者の中から**防火管理者を選任しなければならない**（消防法8条1項、施行令1条の2第3項1号ハ）。そして、**防火管理者を定めたとき**は、遅滞なくその旨を所轄消防長（消防本部を置かない市町村においては、市町村長）又は消防署長に**届け出なければならない**（消防法8条2項）。防火管理者を**解任**したときも、遅滞なくその旨を**所轄消防長又は消防署長に届け出**なければならない。

2 ○ 肢**1**の解説参照。居住者が**50人**の共同住宅の管理について権原を有する者は、**防火管理者**を選任しなければならない。そして、防火管理者は、防火対象物の位置、構造及び設備の状況並びにその使用状況に応じ、管理権原者の指示を受けて防火管理に係る**消防計画を作成し**、これに基づいて**消火**、**通報及び避難の訓練**を定期的に実施しなければならない（施行規則3条1項）。

防火管理者の業務には、他にも以下のものがある。
①**消防の用に供する設備**、消防用水又は消火活動上必要な施設の**点検**及び**整備**　②**火気の使用**又は**取扱い**に関する**監督**　③**避難**又は防火上必要な**構造**及び**設備**の**維持管理**　④**収容人員**の**管理**　⑤その他防火管理上必要な業務

3 × **「消防長等が認めていない場合であっても」➡「消防長等が認めている場合には」**
共同住宅（マンション）の管理について権原を有する者（管理権原者）が、第三者に防火管理者の業務を委託する場合の要件として、**共同住宅における管理的又は監督的な地位にある者**のいずれもが**遠隔の地に勤務している**ことその他の事由により、**防火管理上必要な業務を適切に遂行することができない**と**消防長等が認めている**必要がある（施行令3条2項）。

4 ○ その管理について**権原が分かれている防火対象物**にあっては、当該防火対象物の防火管理者は、**消防計画**に、当該防火対象物の当該**権原の範囲**を定めなければならない（施行規則3条3項）。

講師からのアドバイス

防火管理者の論点は頻出である。**選任の要件**、**選任・解任の届出義務・防火管理者の業務**等を覚えておこう。

問24 正解 2 防犯に配慮した共同住宅設計指針 難易度 B

適切なものを○、適切でないものを×とする。

ア × **「20ルクス以上」➡「50ルクス以上」**
共用玄関の存する階のエレベーターホールの照明設備は、床面において**50ルクス以上**の平均水平面照度となるように設けなければならない（防犯に配慮した共同住宅に係る設計指針第4－2（4）イ）。

共用玄関の存する階**以外**のエレベーターホールの照明設備は、床面において**20ルクス**以上の平均水平面照度となるように設けなければならない。

イ ○ バルコニー等に面する住戸の窓のうち**侵入が想定される階に存するもの**は、**錠付きクレセント、補助錠の設置等**侵入防止に有効な措置を講じたものとし、避難計画等に支障のない範囲において窓ガラスの材質は、**破壊が困難なもの**とすることが望ましい（第4－3（3）イ）。

ウ ○ エレベーターは、非常時において押しボタン、インターホン等によりかご内から**外部に連絡又は吹鳴する装置が設置されたもの**とする（第4－2（5）イ）。

エ × **「扉『又は』錠を設置したもの」➡「扉『及び』錠を設置したもの」**
住戸の玄関扉等は、工具類等の侵入器具を用いた侵入行為に対して、騒音の発生を可能な限り避ける攻撃方法に対しては**5分以上侵入を防止する性能を有する**防犯建物部品等の**扉「及び」錠**を設置したものとする（共同住宅に係る防犯上の留意事項第2の2（1）ア及び（注4））。扉「又は」錠ではない。

したがって、**適切なものはイ、ウの二つ**であり、**正解は肢2**となる。

講師からのアドバイス

防犯に配慮した共同住宅に係る設計指針は頻出論点である。照明設備の性能や防犯に必要となる設備等について、過去問やテキスト等で確認しておこう。

問25 正解 3 標準管理規約（修繕等） 難易度 B

適切なものを○、適切でないものを×とする。

1 ○ 区分所有者は、理事長の承認を要しない修繕等のうち、**工事業者**の立入り、工事の資機材の搬入、工事の騒音、振動、臭気等工事の実施中における共用部分又は他の専有部分への影響について管理組合が事前に把握する必要があるものを行おうとするときは、あらかじめ、**理事長にその旨を届け出なければならない**（標準管理規約17条7項）。

2 ○ **理事長**又はその指定を受けた者は、専有部分の修繕工事の施工に必要な範囲内において、修繕等の箇所に立ち入り、**必要な調査を行うことができる**（17条5項前段）。この場合において、区分所有者は、**正当な理由**がなければこれを**拒否してはならない**（同5項後段）。

3 × **「届け出る」➡「申請し、書面による承認を受ける」**
区分所有者は、その専有部分について、修繕等を行う場合であって**共用部分又は**

他の専有部分に影響を与えるおそれのあるものを行おうとするときは、あらかじめ、理事長にその旨を申請し、書面による承認を受けなければならない（17条1項）。主要構造部へのエアコンの直接取り付けは、「共用部分又は他の専有部分に影響を与えるおそれのあるもの」といえるので、書面による承認が必要である。

4 ○ 肢3の解説参照。理事長から承認を受けようとする場合において、区分所有者は、設計図、仕様書及び工程表を添付した申請書を理事長に提出しなければならない（17条2項）。

専有部分の間取り変更は「共用部分又は他の専有部分に影響を与えるおそれのあるもの」に当たるので、【肢3】エアコン取り付けと同様、理事長の書面による承認が必要である。

講師からのアドバイス

【正解肢3・肢4について】区分所有者からの申請について、理事長は、**理事会の決議**により、承認又は不承認を決定しなければならない（17条3項）。そして、この承認又は不承認については、**理事の過半数の承諾**があるときには、**書面**又は電磁的方法による**決議**によることができる（17条3項、53条2項、54条1項5号）ことも覚えておこう。

問26 正解 2 標準管理規約（管理等） 難易度 B

適切なものを○、適切でないものを×とする。

ア × **「賃借人等の占有者が納入義務を負う」**
➡「賃借人等の占有者は納入義務を負わない」
区分所有者は、敷地及び共用部分等の管理に要する経費に充てるため、**管理費等**を管理組合に**納入**しなければならない（標準管理規約25条1項）。しかし、賃借人等の**占有者**は組合員ではないので、区分所有者が管理費等を滞納していても、**納入義務はない**。

イ ○ **専有部分である設備のうち共用部分と構造上一体となった部分**の管理を共用部分の管理と一体として行う**必要があるときは、管理組合がこれを行うことができる**（21条2項）。

ウ ○ 区分所有者は、**管理組合が共用部分のうち各住戸に附属する窓枠等の開口部に係る改良工事を速やかに実施できない場合**には、あらかじめ理事長に**申請**して**書面による承認**を受けることにより、当該工事を当該**区分所有者の責任と負担**において**実施**することができる（22条1項）。

エ × **「賃借人」➡「区分所有者」**
同居人や賃借人等による破損については、「通常の使用に伴う」ものとして、当該バルコニー等の専用使用権を有する者がその責任と負担において保存行為を行うものとする（21条１項ただし書、21条関係コメント⑥ただし書）。

その破損が、**第三者による犯罪行為等によることが明らかである**場合の保存行為の実施については、**通常の使用に伴わないもの**であるため、**管理組合がその責任と負担において行う。**

したがって、適切なものは**イ・ウの二つ**であり、**正解は肢２**となる。

講師からのアドバイス

【ア・エについて】専有部分の**占有者（賃借人）の扱い**についてはよく出題されている。**どのようなケースで出題されているか**について、その都度、確認しておこう。

問27　正解 1　標準管理規約（役員の選任等）

難易度 

適切なものを○、適切でないものを✕とする。

1　○　破産者で復権を得ないものは、役員となることができない（標準管理規約36条の２第１号）。したがって、破産者であっても**復権を得れば、５年が経過しなくても役員となることができる。**

①精神の機能の障害により役員の職務を適正に執行するに当たって**必要な認知、判断及び意思疎通を適切に行うことができない者**、②**禁錮以上の刑**に処せられ、その執行を終わり、又はその執行を受けることがなくなった日から**５年を経過しない者**、③**暴力団員等**も役員となることができない。

2　✕　「役員となることができる」➡「役員となることができない」

理事及び監事は、総会の決議によって、**「組合員」のうちから選任**、又は解任する（35条２項）。したがって、組合員ではない賃借人は、**役員となることはできない。**

3　✕　「居住要件を加えることはできない」➡「居住要件を加えることも考えられる」

それぞれのマンションの実態に応じて、「マンションに現に居住する組合員」とするなど、**居住要件を加えることも考えられる**（35条関係コメント①）。

4　✕　「３年」➡「２年」

業務の継続性を重視すれば、**役員は半数改選とするのもよい**。この場合には、**役員の任期は２年**とするとされている（標準管理規約36条関係コメント②）。

【正解肢1について】破産者は**復権**を得れば足り、**5年の経過は不要**である。**【肢4について】役員の任期**は管理組合の実情に応じて1～2年で設定することとされている（36条関係コメント①）ので、「**2年**」という数字については正確に記憶しておこう。

問28 正解 4 標準管理規約（専有部分の賃借人） 難易度  

適切なものを○、適切でないものを×とする。

1 ○ 区分所有者は、その貸与に係る契約にこの規約及び使用細則に定める事項を遵守する旨の条項を定めるとともに、**契約の相手方**にこの規約及び使用細則に定める**事項を遵守する旨の誓約書を管理組合に提出させなければならない**（標準管理規約19条2項）。したがって、賃借人Bが、規約及び使用細則に定める事項を遵守する旨の誓約書を管理組合に提出しなければならない。

2 ○ 組合員が代理人により議決権を行使しようとする場合において、代理人として議決権行使できる者は、①その組合員の**配偶者**（婚姻の届出をしていないが事実上婚姻関係と同様の事情にある者を含む）又は**一親等の親族**、②その組合員の住戸に**同居する親族**、③**他の組合員**である（46条5項1～3号）。したがって、Bは、Aの**親族でなく組合員でもない**ので、Aの代理人になることができない。

3 ○ 区分所有者は、その専有部分を**第三者に貸与している間**（当該専有部分から転出する場合のみならず、転出後さらに転居する場合も含む。）は、**現に居住する住所、電話番号等の連絡先を管理組合に届け出なければならない旨を規約に定める**ことも、区分所有者に連絡がつかない場合を未然に回避する観点から**有効**である（19条関係コメント⑤）。

長期不在にする場合も、届出の規定を設けることが有効である。

4 × **「使用することができる」➡「使用することができない」**
区分所有者がその所有する専有部分を、他の区分所有者又は第三者に**譲渡又は貸与**したときは、その区分所有者の**駐車場使用契約は効力を失う**（15条3項）。したがって、賃借人Bは駐車場を使用することはできない。

講師からのアドバイス

【肢2について】親族を代理人とする場合、**同居**する者はその「**親等を問わず**」代理人となれるが、**同居していない**者は「**一親等**」**に限定して**代理人になれることに注意しよう。

問29　正解 1　標準管理規約（駐車場）　難易度 A

適切なものを○、適切でないものを×とする。

1 ○ **管理費等及び使用料の額並びに賦課徴収方法**については、**総会の決議**を経る必要がある（標準管理規約48条６号）。したがって、駐車場使用料・専用庭使用料のいずれも、総会決議により値上げすることができる。

2 × **「充当することができる」➡「充当することができない」**
駐車場使用料その他の敷地及び共用部分等に係る使用料は、**それらの管理に要する費用**に充てるほか、**修繕積立金**として積み立てる（29条）。したがって、管理費全体の不足額には充当されない。

3 × **「解除までは認められない」➡「解除も認められる」**
駐車場使用細則、駐車場使用契約等に、管理費、修繕積立金の滞納等の規約違反の場合は、契約を**解除**できるか又は次回の選定時の**参加資格をはく奪**することができる旨の規定を定めることもできる（15条関係コメント⑦）。

車両の保管責任については、**管理組合が負わない**旨を駐車場使用契約又は駐車場使用細則に規定することが望ましい（同コメント⑥）。

4 × **「３分の２」➡「４分の３」**
駐車場、駐輪場の増改築工事などで、大規模なものや著しい加工を伴うものは特別多数決議により実施可能である（47条関係コメント⑥カ）。この特別多数決議は、**総組合員の４分の３以上及び総議決権の４分の３以上の決議**で実施する必要がある（47条３項）。

講師からのアドバイス

【肢３について】区分所有者が専有部分を**貸与**した場合には、賃借人は**専用庭やバルコニーであれば使用できる**（14条３項）という点を併せて押さえておこう。

問30　正解 2　標準管理規約（総会）　難易度 A

適切なものを○、適切でないものを×とする。

1 × **「理事会の承認を得て」➡「理事会の承認は不要」**
理事長は、**通常総会**を、毎年１回、新会計年度開始以後**２ヵ月以内**に招集しなければならない（標準管理規約42条３項）。そして、通常総会の招集においては、**理事会の承認は不要**である。

2 ○ 書面又は代理人によって議決権を行使する者は、**出席組合員とみなす**（47条6項）。本肢のように、議決権行使書を提出した組合員は、書面により議決権を行使する者に該当するので、総会の出席者に含まれる。

3 × **「それぞれの持分に応じて行使」➡「あわせて一の組合員とみなす」**
住戸1戸が数人の共有に属する場合、その議決権行使については、**これら共有者をあわせて一の組合員とみなす**（46条2項）。したがって、各々がそれぞれの持分に応じて行使することはできない。

4 × **「2ヵ月前」➡「1ヵ月前」**
建替え決議又はマンション敷地売却決議を目的とする総会を招集する場合、少なくとも会議を開く日の**1か月前**までに、当該招集の際に通知すべき事項について組合員に対し説明を行うための説明会を開催しなければならない（43条7項）。

説明会についても、総会と同様、ＷＥＢ会議システム等を用いて開催することが可能である（43条7項関係コメント）。

講師からのアドバイス

【肢1・4について】肢1の「新会計年度開始以後**2ヵ月**以内」、**肢4**の「会議を開く日の**1ヵ月前**」といった招集に係る数字は正確に記憶しておこう。

問31 正解 4 標準管理規約（理事会） 難易度 A

適切なものを○、適切でないものを×とする。

1 × **「理事会の承認が必要である」➡「理事会の承認は不要である」**
副理事長は、理事長を補佐し、**理事長に事故**があるときは、その**職務を代理**し、理事長が欠けたときは、その**職務を行う**（標準管理規約39条）。したがって、副理事長が一定の場合に理事長の代理等を行うのは**自らの職務**であるため、その際には、**理事会の承認は不要**である。

監事は、このような代理等はできない。

2 × **「監事が有している」➡「理事会が有している」**
理事会は、管理組合の業務執行の決定だけでなく、業務執行の監視・監督機関としての機能を有する（51条2項関係コメント①）。したがって、監事ではなく**理事会が業務執行の監視・監督機関**である。

3 × **「招集することはできない」➡「招集することができる」**
理事が**一定数以上の理事の同意**を得て理事会の招集を請求した場合には、理事長は速やかに**理事会を招集しなければならない**（52条２項）。そして、請求があった日から**一定期日以内**に、その請求があった日から**一定日以内の日を理事会の日**とする理事会の**招集の通知が発せられない場合**には、その請求をした**理事**は、**理事会を招集することができる**（同３項）。

4 ○ 理事会の**会議**（**WＥＢ会議システム等を用いて開催する会議を含む**）は、理事の半数以上が出席しなければ開くことができず、その議事は、出席理事の過半数で決する（53条１項）。したがって、理事会において決議をする場合には、WＥＢ会議システム等を用いて決議することもできる。

講師からのアドバイス

理事会の職務には、①管理組合の業務執行の決定、②理事の職務執行の監督、③理事長や副理事長及び会計担当理事の選任・解任がある（51条２項１～３号）。これらについても、本問と合わせて押さえておこう。

問32 正解 3 標準管理規約（長期修繕計画） 難易度  

適切なものを○、適切でないものを✕とする。

1 ○ **長期修繕計画の作成又は変更に要する経費及び長期修繕計画の作成等のための劣化診断（建物診断）に要する経費**の充当については、管理組合の財産状態等に応じて**管理費又は修繕積立金のどちらからでもできる**（標準管理規約32条関係コメント④）。

修繕工事の前提としての劣化診断（建物診断）に要する経費の充当については、修繕工事の一環としての経費であることから、原則として**修繕積立金**から取り崩す。

2 ○ 長期修繕計画の内容に最低限必要なものとして「**計画期間が30年以上**で、かつ**大規模修繕工事が２回含まれる期間以上とすること**」と規定されている（32条関係コメント②１）。

3 ✕ 「会計担当理事」➡「理事長」
管理組合が管理する書類等として、**長期修繕計画書・設計図書等・修繕等の履歴情報**が挙げられるが、**具体的な保管や閲覧**については、**理事長**の責任により行うこととする（32条関係コメント⑦、64条２項）。

4 ○ 長期修繕計画においては、敷地、建物・設備及び附属施設の概要（規模・形等）、関係者、管理・所有区分、**維持管理の状況**（**法定点検等の実施、調査・診断の実施、計画修繕工事の実施、長期修繕計画の見直し等**）、会計状況、設計図書等の保管状況等の概要について示すことが必要である（長期修繕計画作成ガイドライン３章１節３）。

講師からのアドバイス

近年、「標準管理規約と長期修繕計画作成ガイドラインの融合問題」や「標準管理規約と外部専門家の活用ガイドラインの融合問題」が出題されている。そのため、今年度も、「標準管理規約と長期修繕計画作成ガイドラインの融合問題」が出題される可能性がある。長期修繕計画作成ガイドラインの**出題ポイント**については、**直近2～3年分の過去問**を参考にしよう。

問33 正解 2 標準管理規約（団地型） 難易度 B

適切なものを○、適切でないものを✕とする。

1 ✕ 「棟総会の決議」➡「団地総会の決議」

団地修繕積立金及び**各棟修繕積立金**の**保管**及び**運用方法**は、「**団地**」**総会の決議事項**である（標準管理規約団地型50条7号）。

2 ○ 団地総会における**議決権**については、**土地の共有持分の割合**、あるいはそれを基礎としつつ**賛否を算定しやすい数字**に直した割合によることが適当である（48条関係コメント①）。

3 ✕ 「A棟総会の決議」➡「団地総会の決議」

団地内の建物については、**一定年数の経過ごとに計画的に修繕を行う**場合には、「**団地**」**総会の決議**が必要である（50条10号、28条1項1号）。A棟の補修を一定年数の経過ごとに計画的に修繕する場合はこれにあたり、棟総会ではなく「団地」総会が必要である。

4 ✕ 「B棟総会の決議」➡「団地総会の決議」

「**棟の共用部分の変更**」に当たっては、「**団地**」**総会の決議**が必要である（50条10号、29条1項3号）。階段室部分を改造してエレベーターを新規に設置することは「棟の共用部分の変更」にあたり、棟総会ではなく「団地」総会が必要である。

講師からのアドバイス

【肢1・3・4について】個々の棟の独断による修繕積立金の目減り防止が趣旨である。そのため、各棟の計画修繕や共用部分の変更に伴う**「各棟」修繕積立金の取崩し**も**「団地総会」の議決事項**とされている（50条10号）ことに注意しよう。

問34 正解 4 管理組合の会計（仕訳） 難易度 A

適切なものを○、適切でないものを×とする。

発生主義に基づき、以下、取引内容について検討する。

1 × 本肢の修繕工事は**次期**にあたる**令和６年７月完成予定**であるため、同年３月に支払った着手金20万円は、**前払金**として計上する。また、**残額30万円**は、**次期**（令和６年度）における**工事完了時に支払う予定**なので、**令和５年度においては計上しない**。以上をまとめると、次の仕訳がなされる。

（単位：円）

（借　方）		（貸　方）	
前払金	200,000	現金預金	200,000

したがって、本肢は不適切である。

2 × ３月分の清掃料２万円については、３月の費用として借方に計上する。そして、その支払いは３月中にされているため、現金預金２万円を貸方に計上する。
一方、**損害保険料**３万円については、**４月分の費用**であるが、その**支払いは３月中**にされている。そこで、**３月の時点**においては、**前払金**３万円を**借方**に計上し、**現金預金**３万円を**貸方**に計上する。以上をまとめると、次の仕訳がなされる。

（単位：円）

（借　方）		（貸　方）	
清掃料	20,000	現金預金	50,000
前払金	30,000		

したがって、本肢は不適切である。

3 × **令和４年度**の管理費の**未収分**12万円については、**令和４年度**において次の仕訳がされている。

（単位：円）

（借　方）		（貸　方）	
未収金	120,000	管理費収入	120,000

この**未収金のうち８万円**が**令和５年度**に**入金**されているので、入金された**８万円分の未収金を取り崩して減少させる**。よって、次の仕訳がなされる。

（単位：円）

（借　方）		（貸　方）	
現金預金	80,000	未収金	80,000

したがって、本肢は不適切である。

4 ○ まず、管理組合に**24万円が入金**されているので、**借方に現金預金24万円**を計上する。次に、管理費のうち、**当期分**である**3月**の管理費８万円は、**貸方に管理費収入**として計上する。そして、**4月分及び5月分**の管理費（８万円×２ヵ月分）合計16万円は**次期**（令和６年度）の収入となるため、**令和5年度**においては、**前受金**として**16万円**を**貸方**に計上する。以上をまとめると、次の仕訳となる。

（単位：円）

（借　方）		（貸　方）	
現金預金	240,000	管理費収入	80,000
		前受金	160,000

したがって、**本肢は適切**である。

講師からのアドバイス

近年の本試験においては、**選択肢ごとに別個の仕訳**をさせる問題が出題されている。各選択肢は基本的な仕訳であることが多いので、落ち着いて検討すれば得点できるはずである。

問35 正解 2 管理組合の会計（比較貸借対照表） 難易度 

適切なものを○、適切でないものを×とする。

発生主義に基づき、以下、検討する。

1 ○ 未払金を支払うと、**現金預金が減少**するとともに、すでに計上されていた**未払金も減少**する。この場合の仕訳は、下記の通りである。したがって、未払金の減少は、現金預金の減少の要因の一つである。

（単位：円）

（借　方）		（貸　方）	
未払金	×××	現金預金	×××

2 × **「未収金や前受金の増加は収支報告書に影響しない」**
発生主義によると、管理費の未収があったとしても、**当月**に管理費の**全額**が管理費収入として計上される。また、前受金は、**次月以降**において**該当月**の管理費収入として会計処理される。したがって、管理費に関する未収金の増加や前受金の増加が、収支報告書に影響を与えることはない。

3 ○ 通常、収支報告書の**次期繰越収支差額**は、貸借対照表の**正味財産と一致**する（次期繰越収支差額＝正味財産額）。問題文において、資金の範囲は、「現金預金、未収金、未払金、前受金及び前払金」とされているが、比較貸借対照表上、令和５年度及び令和４年度ともに**資金外の取引はない**。そのため、**令和5年度**の正味財産は、比較貸借対照表に従い、**100万円**、前年度（令和４年度）の正味財産は90万円であり、令和５年度は前年度に対して**10万円のプラス**である。したがって、**令和５年度**収支報告書の**次期繰越収支差額**は**100万円**であり、**当期収支差額**は**10万円のプラス**となる。

次期繰越収支差額と正味財産との関係について理解しておこう。

4 ○ 肢**2**の解説参照。発生主義によると、管理費の未収があったとしても、当月に管理費の全額が管理費収入として計上されるため、**未収金は収支報告書に反映されない**。したがって、未収金の増減は、収支報告書ではわからない。なお、未収金の増減は、貸借対照表で判明する。

講師からのアドバイス

会計担当理事の説明は、その内容を**仕訳に置き換えて**正誤を判断することがポイントである。比較貸借対照表は**次期繰越収支差額**について問われることが多いが、処理手順を知らないと全く対応できないので注意しよう。

問36 正解 4 長期修繕計画作成ガイドライン 難易度

適切なものを**○**、適切でないものを**×**とする。

1 ○ 共用部分の排水管の取替えを行うために、パイプシャフトに面した専有部分の壁を一旦撤去した後に修復することがある。このような**共用部分の修繕工事及び改修工事に伴う専有部分の修繕工事**は、**管理組合が費用を負担する**ので、**長期修繕計画の対象に含む**こととなる（長期修繕計画作成ガイドライン２章１節２一）。

2 ○ 管理組合は、**財務・管理に関する情報**について、**マンションの購入予定者**に対しても**書面で交付する**ことをあらかじめ管理規約において規定しておくことが望まれる（２章３節３）。

3 ○ **１次診断（簡易診断）**は、**建物の劣化の状況を大まかに把握し**、**２次・３次診断（詳細診断）**は、劣化の要因を特定し、**修繕工事の要否や内容等の判断を行う**目的で行う（２章２節４コメント）。

4 × **「空き住戸率、賃貸化率、修繕積立金滞納率を考慮する」➡「考慮しない」**
長期修繕計画は、不確定な事項を含んでいるので、**５年程度ごと**に調査・診断を行い、その結果に基づいて**見直す**ことが必要である（３章１節10）。その不確定な事項として、①建物及び設備の劣化の状況、②社会的環境及び生活様式の変化、③新たな材料、工法等の開発及びそれによる修繕周期、単価等の変動、④修繕積立金の運用益、借入金の金利、物価、工事費価格、消費税率等の変動が挙げられているが、空き住戸率、賃貸化率、修繕積立金滞納率というのは、挙げられていない。

長期修繕計画の見直しは、大規模修繕工事の実施の**直前**又は**直後**に行うほか、大規模修繕工事の実施予定時期までの**中間**の時点に行うことが望ましい。

講師からのアドバイス

長期修繕計画作成ガイドラインのやや細かい論点からの出題である。出題頻度の高い論点なので、細かいところまで目を通しておこう。

問37 正解 1 大規模修繕工事

難易度 B

適切なものを○、適切でないものを✕とする。

1 ✕ **「管理組合、施工会社、工事監理者の三者間」➡「管理組合と施工会社の二者間」**
工事を発注する**管理組合**と工事を請け負う**施工会社**との間の工事請負契約は、これら**二者間で締結される**ものであり、**工事監理者**は契約当事者とならない。

工事監理とは、その者の責任において、**工事を設計図書と照合**し、それが**設計図書のとおりに実施されているかいないかを確認する**ことをいう。

2 ○ **大規模修繕工事のコンサルタント**としては、設計事務所又は管理会社の建築士等が該当すると考えられるが、その能力には、建物等の劣化状況等を把握するための**調査・診断、修繕設計の作成ができること**、施工会社の選定に当たり、客観的な判断に基づき、**適切な助言ができること、長期修繕計画の作成、資金計画、借入金等に関する助言ができること**等が望まれる。

3 ○ 窓のアルミサッシの交換工事において、**工期を短縮する**ために**かぶせ工法**を採用したことは適切である。

かぶせ工法とは、**既存のアルミサッシの枠の上に新規アルミサッシの枠を取り付ける工法**で、カバー工法等がある。

4 ○ 修繕工事の実施にあたっては、**床の積載荷重が大きくなる**場合、**構造上の安全性を確認することが必要**である。

講師からのアドバイス

大規模修繕工事は頻出論点である。大規模修繕工事の進め方等について覚えておこう。

問38　正解 1　劣化現象

難易度 A

適切なものを○、適切でないものを✕とする。

1 ✕　**「剥落を起こすことはない」➡「剥落を起こすことがある」**
コンクリートの中性化により**鉄筋が腐食**し、タイルや表面コンクリートが**剥落を起こす**ことがある。

鉄筋の腐食は、コンクリートの**ひび割れ**の原因でもある。

2 ○　**ポップアウト**とは、**コンクリート表面の小部分が円錐形のくぼみ状に破壊された状態**で、凍害、アルカリシリカ反応等が原因で発生する。

3 ○　外壁塗装の**白亜化**（**チョーキング**）は、熱、紫外線、風、雨等のために外壁塗膜が劣化し、**塗膜表面が次第に粉状になって消耗していく現象**をいう。

4 ○　**エフロレッセンス**とは、**硬化したコンクリートの表面に出た白色の物質**をいい、**セメント中の石灰等**が水に溶けて表面に染み出し、**空気中の炭酸ガス**と化合してできたものが主成分であり、コンクリート中への水の浸透等が原因で発生する。

講師からのアドバイス

劣化現象や劣化診断はほぼ毎年１問出題される。劣化現象の定義や**建物への影響**を覚えておこう。

問39　正解 3　建築構造（耐震等）

難易度 A

適切なものを○、適切でないものを✕とする。

1 ○　**現行の耐震基準**（**新耐震基準**）は、**昭和56年６月１日以降に建築確認**を受けた場合に適用されている。それより前に建築確認を受けたものは、旧耐震基準によっており、耐震性が必ずしも高いとはいえない。

2 ○　**ピロティ**とは、建物の１階などにおいて、**主に柱のみで構成されている壁の少ない部分**をいう。このピロティ形式を採用するのは、１階部分を駐車場として利用するなど、**空間の有効利用が主な目的**であり、**耐震性を高めるように計画されたものではない**。

3 ✕　**「上階ほど小さい」➡「上階ほど大きい」**
建築物の地上部分に作用する地震力を計算する際に使われる**地震層せん断力係数**は、同じ建築物であれば**上階ほど**「**大きい**」。

4 ○ 枠付き鉄骨ブレースにより柱及び梁の補強をする耐震改修工事は、**構造耐力の向上を目的**として行われる。地震力の低減を目的とするのは、建物の免震構造化などである。

ブレースとは、柱等の四角形に組まれた骨組みに**対角線状**に入れた補強材のことをいう。

講師からのアドバイス

耐震補強は頻出論点である。**耐震補強の目的**（地震力を低下させる・靭性を補う等）についても覚えよう。

問40 正解 4 マンションの各部の計画 難易度 B

適切なものを○、適切でないものを×とする。

1 ○ 直上階の居室の**床面積の合計が200㎡を超える**地上階に設ける階段の**けあげは「20」cm以下、踏面は「24」cm以上**でなければならない（建築基準法施行令23条1項）。

2 ○ 移動等円滑化経路を構成する傾斜路の勾配は、**12分の1を超えないこと**、ただし、**高さが16cm以下のものにあっては、8分の1を超えないこと**とされている（バリアフリー法施行令18条2項4号ロ）。本肢では高低差が10cm（100mm）であるから、勾配を「1／8」にしたことは適切である。

「建築基準法」においては、階段に代わる傾斜路の勾配は、**1／8**をこえないこととされている。

3 ○ 共同住宅の住戸の**床面積の合計が100㎡を超える**場合、両側に居室のある共用廊下の幅は、**1.6m以上**としなければならない（建築基準法施行令119条）。

4 × 「80cm」➡「90cm以上」
敷地内には、屋外に設ける避難階段及び屋外への出口から道又は公園、広場その他の空地に通ずる**幅員が1.5m**（**階数が3以下で延べ面積が200㎡未満**の建築物の敷地内にあっては、**90cm**）**以上の通路**を設けなければならない（128条）。

講師からのアドバイス

マンションの各部の計画では、**建築基準法**と**バリアフリー法**の寸法の違い等が問われることがある。バリアフリー法の方が、**高齢者等が使いやすいように設定されている**点をイメージできるようにしよう。

問41 正解 1 防水工法

難易度 A

適切なものを○、適切でないものを×とする。

1 ○ シリコーン系シーリング材は、**耐久性**があり、**トップライトのガラス回り**のシーリング材に使われる。

2 × **「適したシーリング材」➡「適していない」**
ウレタン系シーリング材は、**紫外線劣化が大きい**ため、屋外の金属と金属との接合部の目地に**適していない**。

3 × **「設けてはならない」➡「設ける必要がある」**
アスファルト防水コンクリート押え工法での押えコンクリート部分は、伸縮するので、一定の間隔で**伸縮目地を設ける**必要がある。

押え工法とは、**防水層の上からコンクリートを打設させたもの**で、高い**防水性・耐久性**が備わる。

4 × **「日常的に歩行する場所に採用される」➡「採用されない」**
露出アスファルト防水工法は、夏は軟らかく、冬は硬くなり、ふくれ、しわ、波打ちなどが生じやすいので、メンテナンス等のための**軽歩行には十分耐えられる**が、傷がつきやすく、強度も弱いため、ルーフテラスなど**日常歩行する場所**には**採用されない**。

講師からのアドバイス

本試験では、**シーリング材**や**メンブレン防水**の**特性や使用箇所**が繰り返し問われている。

問42 正解 3 バリアフリー法

難易度 B

1 ○ バリアフリー法に基づく措置は、高齢者、障害者等にとって日常生活又は社会生活を営む上で障壁となるような**社会における事物、制度、慣行、観念その他一切のものの除去**に資すること及び全ての国民が**年齢、障害の有無その他の事情**によって**分け隔てられることなく共生する社会の実現**に資することを旨として、行われなければならない（基本理念：バリアフリー法１条の２）。

2 ○ 車椅子使用者が円滑に利用することができる駐車施設（**車椅子使用者用駐車施設**）の幅は、**350㎝以上**とする（バリアフリー法施行令17条２項１号）。

不特定かつ多数の者が利用し、又は主として高齢者、障害者等が利用する駐車場を設ける場合には、そのうち１以上に、**車椅子使用者用駐車施設**を**１以上**設けなければならない。

3 ✕ **「回り階段とすることができない」➡「回り階段とすることができる」**
不特定かつ多数の者が利用し、又は主として高齢者、障害者等が利用する主たる階段は、回り階段でないこととされている。ただし、回り階段以外の階段を設ける空間を確保することが**困難であるとき**は、**回り階段とすることができる**（12条6号）。

4 ○ 不特定かつ多数の者が利用し、又は主として高齢者、障害者等が利用する階段は、**踏面の端部**とその**周囲の部分**との**色の明度**、**色相**又は**彩度の差が大きいこと**により**段を容易に識別できる**ものとする（12条3号）。

講師からのアドバイス

バリアフリー法は、**細かい数字**が出題されているので覚えておこう。

問43 正解 2 排水設備

難易度 A

適切なものを○、適切でないものを✕とする。

1 ○ 上部から一時的に多量の排水が流れてくると、立て管と排水横枝管の接続部付近で**管内の圧力が上昇**又は**低下**し、**横枝管に接続した器具のトラップが破封する**ことがある。これを**誘導サイホン作用**（はね出し作用又は吸出し作用）という。

2 ✕ **「ねじ式」➡「MD」**
排水用硬質塩化ビニルライニング鋼管（1980年代前半に登場）とは、錆の発生を防止するため、配管用炭素鋼鋼管の内面に、硬質塩化ビニル管をライニングしたものである。その接続には、一般に、**排水鋼管用可とう継手**の**MD継手**を用いる。

3 ○ 敷地雨水管の合流箇所・方向を変える箇所などに用いる**雨水排水ます**に設けなければならない**泥だまりの深さ**は、**15㎝以上**でなければならない。

4 ○ 敷地内において**雨水排水管**と**生活排水用の排水横主管を接続する場合**には、臭気が雨水系統へ逆流しないように、**トラップ機能を有する排水ます**を設置する。

建築物内においては雨水立て管と汚水管・雑排水管とを**接続してはならない**が、敷地内（庭）においては合流式の下水道に雨水・汚水・雑排水を流すため、雨水排水管と汚水管・雑排水管とをトラップ機能を有する排水ますを介して接続することがある。

講師からのアドバイス

排水設備では、**設備の用途・特徴や重要な数字が繰り返し出題**されている。過去問等で出題された論点は確実に解答できるようにしておこう。

問44 正解 4 給水設備

難易度 A

適切なものを○、適切でないものを×とする。

1 ○ 高置水槽方式の給水方式では、一般的に、**高置水槽**の有効容量は、**1日の使用水量の10分の1程度**を目安に計画する。

なお、受水槽の有効容量は、1日の使用水量の**2分の1**程度を目安に計画する。

2 ○ 飲料水用受水槽において、**防虫網**は、**通気管及びオーバーフロー管**の管端開口部**に設ける必要**がある。防虫網がないと、虫等が受水槽内に入り込み、飲料水が汚染される可能性があるからである。これに対し、**水抜き管の管端開口部には設ける必要はない**。水抜き管は、受水槽底部についており、通常バルブが閉じられているためである。

3 ○ 給水設備の計画において、**居住者1人当たりの1日の使用水量**は、**200〜350ℓ**とされており、250ℓとしたことは適切である。

4 × **「0.05mg/ℓ以上」➡「0.1mg/ℓ以上」**
水道水の水質を確保するためには、給水栓における**遊離残留塩素の濃度**が、通常**0.1mg/ℓ以上**必要である。

講師からのアドバイス

給水設備は毎年1問出題されている。同じ論点からの繰り返しが多いので、過去出題された数字等は押さえておこう。

問45 正解 3 マンションの建築設備

難易度 

適切なものを○、適切でないものを×とする。

1 ○ **潜熱回収型ガス給湯機**は、従来捨てていた高温の排気ガス中の**水蒸気の熱（潜熱）を回収し、水をあらかじめ温めてからお湯を作る**給湯機であるが、潜熱回収時に**凝縮水が発生する**ので、それを排出する排水管の設置が必要となる。

2 ○ 住戸内配線については、100Ｖのみ使用できる「単相２線式」と、100Ｖのみならず**200Ｖも使用できる「単相３線式」**がある。したがって、100Ｖ用の照明機器やコンセントのほか200Ｖ用の電磁誘導加熱式調理器（ＩＨクッキングヒーター）に対応するためには、単相３線式とする必要がある。なお、最近のマンションの住戸への電気引込みでは、**単相３線式が主流**となっている。

3 × **「非常用の昇降機を設ける必要はない」➡「設けなければならない」**
高さ31ｍを超える建築物には、原則として、**非常用の昇降機**を設置しなければならない（建築基準法34条２項）。ただし、高さ31ｍを超える部分の**各階の床面積の合計が500㎡以下**の建築物については、非常用の昇降機の**設置をしない**ことができる（建築基準法施行令129条の13の２第２号）。本肢は、床面積の合計が600㎡であるので、非常用の昇降機を設けなければならない。

4 ○ **高さ20ｍ**を超える建築物には、有効に**避雷設備**を設けなければならない（建築基準法33条）。そして、避雷設備は、**受雷部システム、引下げ導線システム**及び**接地システム**からなる。

周囲の状況によって**安全上支障がない場合**においては、避雷設備は不要である。

講師からのアドバイス

電気設備や**ガス設備等**については、本問のように複数の設備との**複合問題**で出題される。過去出題された論点は注意しておこう。

問46 正解 1 管理適正化法（管理士） 難易度 A

ア × **「猶予期間満了の日から２年を経過していなければ、新たな登録はできない」**
➡「猶予期間満了の翌日から、登録できる」
マンション管理士が刑法204条（傷害）の罪により**懲役１年執行猶予２年の刑**に処された場合、刑の執行猶予の言渡しを取り消されることなく**猶予期間を満了**していれば、**刑の言渡しは効力を失い**、刑に処されなかったことになるので（刑法27条）、マンション管理士は、その満了日から２年を経過していなくても、新たな登録を受けることができる（マンション管理適正化法30条１項ただし書１号参照）。

イ ○ **心身の故障**によりマンション管理士の業務を適正に行うことができない者として国土交通省令で定めるものは、マンション管理士の**登録を受けることができない**（30条１項６号）。

なお、「国土交通省令で定めるもの」とは、「精神の機能の障害によりマンション管理士の業務を適正に行うに当たって、必要な認知、判断及び意思疎通を適切に行うことができない者」である（施行規則24条の2）。

ウ ○ **マンション管理士となる資格を有する者**は、国土交通大臣の**登録を受けることが「できる」**（マンション管理適正化法30条1項本文）。したがって、登録は任意であり、義務ではない。

エ ○ マンション管理士となる資格を有する者が、**偽りその他不正の手段により管理業務主任者証の交付**を受け、その**登録を取り消された**場合、取消日から**2年を経過**しなければ、マンション管理士の**登録はできない**（30条1項4号、65条1項3号）。

したがって、**誤っているもの**は**アの一つ**であり、**正解は肢1**となる。

講師からのアドバイス

【ア・イ・エについて】管理士の登録に関する基本論点である。**【ウについて】登録の任意性**に関するもので、**定期的に出題される論点**である。

問47 正解 3 管理適正化基本方針

難易度 A

適切なものを○、適切でないものを×とする。

ア × **「必ず…図らなければならない」➡「図られるよう努める必要がある」**
管理委託契約先が選定されたときは、管理組合の管理者等は、説明会等を通じて区分所有者等に対し、当該契約内容を周知するとともに、**管理業者の行う管理事務の報告等を活用**し、**管理事務の適正化が図られるよう努める**必要がある（「**努力義務**」マンション管理適正化基本方針三4）。

イ ○ マンションが**団地を構成**する場合、**各棟固有の事情**を踏まえつつ、**全棟の連携**をとって、**全体としての適切な管理**がなされるように配慮することが重要である（基本方針三2（8））。

ウ × **「マンションの区分所有者等においても」➡「管理組合においても」**
防災・減災、防犯に加え、日常的なトラブルの防止などの観点からも、マンションにおける**コミュニティ形成は重要**なものであり、「**管理組合**」においても、区分所有法に則り、良好な**コミュニティ**の形成に積極的に取り組むことが重要である（基本方針三2（7））。

エ × **「必ずマンション標準管理規約に従い」**
➡「マンション標準管理規約を参考として」

管理規約は、マンション管理の**最高自治規範**であることから、その作成にあたっては、管理組合は、**区分所有法**に則り、「**マンション標準管理規約を参考として**」、当該マンションの実態及び区分所有者等の意向を踏まえ、適切なものを作成し、**必要に応じて**その**改正を行う**こと、これらを十分周知することが重要である（基本方針三２（２））。

さらに、快適な居住環境を目指し、区分所有者等間のトラブルを未然に防止するために、使用細則等マンションの実態に即した具体的な住まい方のルールを定めておくことも重要である。

したがって、**適切でないものはア・ウ・エ**の三つであり、**正解は肢3**となる。

講師からのアドバイス

【ウについて】良好な**コミュニティの形成**に積極的に取り組むのは、「**管理組合**」である。基本方針は、細かな言い回し等、正確な表現を覚えておこう。

問48 正解4 管理適正化法（総合） 難易度B

ア ✕ 「作成しなければならない」➡「作成できる」

国土交通大臣は、マンションの管理の適正化の推進を図るための基本的な方針（以下「**基本方針**」という）**を定めなければならない**（マンション管理適正化法３条１項）。そして、都道府県（市の区域内にあっては**当該市**、町村であってマンション管理適正化推進行政事務を処理する町村の区域内にあっては**当該町村**。以下「**都道府県等**」という）は、この基本方針に基づき、当該都道府県等の区域内における**マンション管理適正化推進計画**を作成「**できる**」（３条の２第１項）。

イ ✕ 「みなされることはない」➡「みなされる」

管理業者（法人である場合、その役員）**が管理業務主任者**である場合、その者が**自ら主として業務に従事する事務所**については、その者は、その事務所に置かれる成年者である**専任の管理業務主任者**と「**みなされる**」（56条２項）。

ウ ✕ 「…管理組合の会計の収入及び支出の状況に限り、これらを」
➡「これら以外に、管理受託契約の内容に関する事項も」

管理組合に**管理者等が設置**されている場合、報告義務者である**管理業者**が管理事務に関する**報告を行う**ときは、管理事務を委託した管理組合の事業年度終了後、一定の場合を除き、遅滞なく、当該期間における管理受託契約に係るマンションの管理の状況について、次の事項を記載した**管理事務報告書を作成**し、**管理業務主任者**をして、これを**管理者等に交付**して**説明**をさせなければならない（77条１項、施行規則88条１項）。

① **報告の対象となる期間**

② 管理組合の会計の収入及び支出の状況
③ ①②以外に、管理受託契約の内容に関する事項

管理組合に**管理者等が不設置**の場合であれば、「**説明会**」を開催し、「**区分所有者等**」に交付して説明する（マンション管理適正化法77条２項、施行規則89条１項）。

エ ✕ 「**２年以内**」➡「**１年以内**」
管理業者は、管理組合から委託を受けた管理事務のうち**基幹事務**については、これを**一括して他人に委託してはならない**（マンション管理適正化法74条）。管理業者がこの規定に違反したときは、**国土交通大臣**は、当該管理業者に対し、「**１年**」以内の期間を定めて、その**業務の全部又は一部の停止を命ずる**ことができる（82条２号）。

したがって、誤っているものは**ア～エの四つ**であり、正解は肢**4**となる。

講師からのアドバイス

【アについて】基本方針・管理適正化推進計画に関連する論点であり、**【イ・ウについて】管理業者と管理業務主任者**に関連する論点であり、**【エについて】管理業者に対する業務停止命令**に関連する論点である。それぞれ確認し、整理しておこう。

問49 正解 2 管理適正化法（管理業者の業務） 難易度  

1 ✕ 「**法人の代表役員**」➡「**破産管財人**」
管理業者について、**破産手続開始の決定**があった場合、その「**破産管財人**」は、その日から**30日以内**に、その旨を**国土交通大臣に届け出**なければならない（マンション管理適正化法50条１項３号）。

国土交通大臣は、管理業者の登録がその**効力を失ったとき**は、その**登録を消除しなければならない**（51条）。

2 ○ 管理業者は、**管理者等が不設置**の場合、管理組合から委託を受けた管理事務に関する報告の説明会を開催する日の「**１週間前**」までに、開催日時・場所について、**区分所有者等の見やすい場所に掲示**しなければならない（施行規則89条３項）。本肢では、10日前に掲示しているので、法に違反しない。

3 ✕ 「**遅滞なく**」➡「**30日以内に**」
管理業者は、45条１項に掲げるその**商号に変更があった**ときは、その日から「**30日以内**」に、その旨を**国土交通大臣に届け出**なければならない（マンション管理適正化法48条１項）。この**届出をせず、又は虚偽の届出をした**ときは、**30万円以**

下の**罰金**に処される（109条1項4号）。

4 ✕ 「10年間」➡「5年間」
管理業者は、管理事務について、**帳簿を作成**し、**保存**しなければならない（75条）。この帳簿（ファイル又は磁気ディスク等を含む）は、各事業年度の末日をもって閉鎖するものとし、閉鎖後**「5年間」保存**しなければならない（施行規則86条3項）。

講師からのアドバイス

【肢1・3について】管理業者の届出に関する基本論点であり、**【正解肢2について】**管理者等が不設置の場合の**説明会開催の掲示期間**に関する基本論点であり、**【肢4について】帳簿**に関する基本論点である。

問50 正解 3 管理適正化法（総合） 難易度 B

ア ✕ 「証明書の代わりに管理業務主任者証を提示することで足りる」
➡「管理業務主任者証で代用することはできない」
管理業者の使用人その他の**従業者**は、マンションの管理に関する事務を行うに際し、区分所有者等その他の**関係者から請求**があったときは、**従業者であることを証する書面の提示**が**義務**付けられている（マンション管理適正化法88条2項）。

イ ✕ 「従業者でなくなった後2年を経過するまで」➡「2年という期限の定めはない」
管理業者の使用人その他の**従業者**は、正当な理由がなく、マンションの管理に関する事務を行ったことに関して知り得た秘密を、他に漏らしてはならない。管理業者の使用人その他の**従業者でなくなった「後」**でも、**秘密を漏らしてはならない**（87条）。

ウ ✕ 「管理事務の一部を行う行為も該当…管理業といえる」
➡「管理事務の一部を行う行為は該当しない…管理業とはいえない」
管理事務とは、マンションの管理に関する事務であって、**基幹事務**（管理組合の会計の収入及び支出の調定及び出納並びにマンション（専有部分を除く）の維持又は修繕に関する企画又は実施の調整をいう）**を含む**ものをいう（2条6号）。しかし、管理事務の**一部を行う**場合は、管理事務に**該当しない**ので、業として行うものでも、マンション**管理業とはいえない**。

エ ○ **国土交通大臣**は、管理業者登録簿閲覧所（以下「閲覧所」という）を設け、「管理業者登録簿」や「登録の申請・登録事項の変更の届出に係る書類」を**一般の閲覧に供する**必要がある（49条、施行規則58条）。

国土交通大臣は、管理業者登録簿その他の書類を一般の閲覧に供するため**閲覧所を設けなければならない**（57条1項）。

したがって、誤っているものは**ア～ウ**の三つであり、正解は肢**3**となる。

講師からのアドバイス

【ウについて】管理事務の一部を行う場合には、業として行うものでも**マンション管理業**であるとは**いえない**ので、確認しよう。**【エについて】**出題頻度はそれ程高くはないが、解答は困難ではないと思われる。

令和6年度マンション管理士模擬試験

解答・解説

合格ライン **37**点

レベル 標準

＊正解・出題項目一覧＆あなたの成績診断

＊解答・解説

【第2回】
正解・出題項目一覧 & あなたの成績診断

【難易度】 A…やや易 

B…普通 合否の分かれ目　C…難 難!問

問	項　目	正解	難易度	☑	問	項　目	正解	難易度	☑
1	区分所有法・判例（専有部分）	2	A	□□	26	標準管理規約（管理組合）	1	A	□□
2	区分所有法（一部共用部分）	4	A	□□	27	標準管理規約（WEB会議システム等による総会）	4	A	□□
3	区分所有法（集会に関する電磁的方法）	3	A	□□	28	標準管理規約（総会決議）	1	A	□□
4	区分所有法（規約）	1	B	□□	29	標準管理規約（理事会）	3	A	□□
5	区分所有法・民法（管理者）	1	B	□□	30	標準管理規約（理事長）	1	A	□□
6	区分所有法（管理組合法人）	2	B	□□	31	標準管理規約（監事）	4	B	□□
7	区分所有法・民法・標準管理規約（敷地等の持分）	4	C	□□	32	標準管理規約（会計）	3	B	□□
8	区分所有法（義務違反者）	3	A	□□	33	標準管理規約（複合用途型）	3	B	□□
9	区分所有法（建替え）	4	A	□□	34	管理組合の会計（仕訳）	3	A	□□
10	区分所有法（団地）	1	B	□□	35	管理組合の会計（税務）	3	B	□□
11	被災マンション法（建物敷地売却決議）	1	C	□□	36	長期修繕計画作成ガイドライン	3	A	□□
12	民法（時効）	3	A	□□	37	長期修繕計画作成ガイドライン	4	B	□□
13	民法（抵当権）	4	A	□□	38	調査・診断	2	A	□□
14	民法・判例（連帯債務・連帯保証）	3	A	□□	39	大規模修繕工事	1	A	□□
15	民法（解除）	4	A	□□	40	マンションの構造	3	A	□□
16	民法・判例（委任）	2	C	□□	41	マンション各部の計画	4	A	□□
17	民法（相続）	3	A	□□	42	室内環境	2	B	□□
18	不動産登記法	2	C	□□	43	給水設備	1	A	□□
19	建替え等円滑化法（建替組合）	3	C	□□	44	排水設備	1	A	□□
20	都市計画法（地域地区等）	1	A	□□	45	マンションの建築設備	2	A	□□
21	建築基準法（避難等の規制）	3	B	□□	46	管理適正化法（管理士）	2	A	□□
22	水道法（専用水道・簡易専用水道）	4	A	□□	47	管理適正化基本方針	3	A	□□
23	消防法（消防用設備等）	2	B	□□	48	管理適正化法（定義）	1	A	□□
24	警備業法	3	C	□□	49	管理適正化法（管理業者の業務）	3	B	□□
25	標準管理規約（管理等）	1	A	□□	50	管理適正化法（総合）	4	B	□□

■ 難易度別の成績

ランク	
Aランク…	問／30問中
Bランク…	問／14問中
Cランク…	問／6問中

★A・Bランクの問題はできる限り得点しましょう！

■ 総合成績

合　計
50問中の正解　　点

★この回の正答目標は**37点**です!!

問1　正解 2　区分所有法・判例（専有部分）　難易度

1 ○ 専有部分とは、区分所有権の目的たる建物の部分をいう（区分所有法２条３項）。そして、一棟の建物に構造上区分された数個の部分で独立して「住居、店舗、事務所又は倉庫その他**建物としての用途に供することができる**もの」があるときは、その各部分は、区分所有法の定めるところにより、それぞれ区分所有権の目的とすることができる（１条）。

2 × **「目的となり得ない」➡「なり得る」**
一棟の建物に構造上区分された数個の部分（**構造上の独立性**）で、**独立して**住居、店舗、事務所又は倉庫その他**建物としての用途に供することができるもの（利用上の独立性）**があるときは、その各部分は、区分所有権の目的とすることができる（１条）。そして、構造上区分され、用途上独立性を有する倉庫は、たとえ共用設備が存在しても、①共用設備が**小部分を占めるにとどまり**、②当該建物部分の**排他的使用が可能**であり、③その排他的使用が**共用設備の保存・利用に影響を及ぼさない**のであれば、例外的に**「利用上の独立性」が認められ**（判例）、区分所有権の目的になり得る。

3 ○ 専有部分としての利用上の独立性が認められるには、**独立の出入口を有して直接に外部に通じていること**が必要である。廊下・階段室・エレベーター室などの共用部分を通ることによって外部に通じるのであればよいが、**他の専有部分を通らなければ外部に通じることができない**ものには、**利用上の「独立性」は認められない**（判例）。

4 ○ 「構造上の独立性」とは、壁・床・天井等によって、他の部分と遮断されていることをいうが、**区分された範囲が明確**であれば、**必ずしも周囲全てが完全に遮断されていることを要しない**（判例）。

巻上げ式のシャッターのように**遮蔽が可能な何らかの設備であればよく**、常時、遮蔽状態を作り出していることは必要とされていない。

講師からのアドバイス

「構造上の独立性」と**「利用上の独立性」**に関する重要判例からの出題である。それぞれの**意義及び具体例**の帰結をきちんと押さえておこう。

問2　正解 4　区分所有法（一部共用部分）　難易度

1 ○ **一部共用部分**には、**法律上当然に共用部分**とされる部分と**規約により共用部分**とされるものとがあり（区分所有法２条４項、４条２項）、いずれも床面積を有す

るものと**床面積を有しないもの**がある（14条２項参照）。

2 ○ 一部共用部分とは、一部の区分所有者のみの共用に供されるべきことが明らかな共用部分である（３条後段）。そして、**法律上当然に共用部分**とされる部分については、その旨の登記をすることはできず、第三者に対抗するために**登記は不要**である。なお、規約による共用部分については、その旨の登記をしなければ、第三者に対抗することができない（４条２項後段）。

3 ○ 一部共用部分の管理のうち、**区分所有者全員の利害に関係するもの**又は**区分所有者全員の規約に定めがあるもの**は**区分所有者全員**で、**その他のもの**はこれを**共用すべき区分所有者のみ**で行う（16条）。

一部共用部分の「**管理**」には、共用部分の管理のほか、**共用部分の変更も含まれる。**

4 × **「全員の承諾を得る必要がある」➡「全員の承諾は必要ない」**
一部共用部分に関する事項で区分所有者全員の利害に関係しないものについての**区分所有者全員の規約**の設定、**変更**又は**廃止**は、**当該一部共用部分を共用すべき区分所有者**の**４分の１を超える者**又はその**議決権の４分の１を超える議決権を有する者**が**反対したときは、することができない**が（31条２項）、当該一部共用部分を共用すべき区分所有者**全員の承諾を得る必要はない**。

講師からのアドバイス

一部共用部分に関する規約の設定等で、**当該一部の区分所有者の反対の意思**（当該一部共用部分を共用すべき区分所有者の４分の１を超える者又はその議決権の４分の１を超える議決権を有する者の反対）**が考慮される**のは、「**一部共用部分に関する事項で区分所有者全員の利害に関係しないもの**」について、「**区分所有者全員の規約で定める場合**」であることを確認しておこう。

問3　正解 3　区分所有法（集会に関する電磁的方法）　難易度 

1 ○ 区分所有者は、**規約**又は**集会の決議**により、書面による議決権の行使に代えて、**電磁的方法**によって**議決権を行使**することができる（区分所有法39条３項）。規約だけでなく、集会の決議によっても、書面ではなく電磁的方法による議決権の行使を認めることができる。

書面又は**電磁的方法による決議**は、**集会を開かないで決議があったものとみなす**ものであり、集会が開かれることを前提として、議決権を書面で行使する書面投票、及び書面投票に代わる電子投票の制度とは区別される。

2 ○ 区分所有法又は規約により集会において決議すべきものとされた事項についての

書面又は電磁的方法による決議は、集会の決議と同一の効力を有する（45条3項）。

3 × 「区分所有者の4分の3以上の承諾」➡「区分所有者全員の承諾」
区分所有法又は規約により**集会において決議をすべき場合**において、区分所有者**全員の承諾**があるときは、**書面又は電磁的方法による決議**をすることができる（45条1項）。

4 ○ 区分所有法又は規約により集会において決議すべきものとされた事項については、**区分所有者全員**の**書面又は電磁的方法による合意**があったときは、書面又は電磁的方法による**決議があったものとみなされる**（45条2項）。

講師からのアドバイス

区分所有者全員の「**承諾**」「**合意**」という区分所有法45条の**文言に着目**して、どのような場面の規定なのかをイメージしておこう。また、本問を通じて、電磁的方法に関する理解をまとめておくとよいだろう。

問4　正解 1　区分所有法（規約）

難易度 B

ア × 「規約保管場所を建物内に限る旨の規定はない」
規約は、管理者が保管し、その**保管場所を建物内の見やすい場所に掲示**しなければならないが（区分所有法33条3項）、規約の保管場所を**建物内に限るとする規定はない**。

イ × 「閲覧は、正当な理由ある場合には拒むことができ、謄写については規定がない」
規約を保管する者は、利害関係人の請求があったときは、**正当な理由がある場合を除き**、規約の**閲覧を拒むことはできない**とされており（33条2項）、正当な理由があれば拒むことができる。また、**規約の謄写の請求**については、**区分所有法上の規定は存在しない**。

ウ × 「保管させることができる」➡「できない」
管理者が置かれている場合には、規約は、**管理者が保管**しなければならず（33条1項）、**規約で別段の定めをすることはできない**。

エ ○ 管理組合に**管理者がいないときは、建物を使用している区分所有者又はその代理人で規約又は集会の決議で定めるものが保管**しなければならない（33条1項ただし書）。

管理組合法人にあっては、**理事が保管**する（47条12項）。

したがって、正しいものは**エの一つ**であり、**正解は1**となる。

規約の保管・閲覧は、**議事録の保管・閲覧とセットで整理**しておく必要がある。

問5　正解 1　区分所有法・民法（管理者）　難易度 B

ア ○ 管理者の権利義務は、区分所有法及び規約に定めるもののほか、**委任に関する規定に従う**（区分所有法28条）。Ｂは、受任者として、**善管注意義務**を負う（28条、民法644条）。

イ × **「報酬を請求することはできない」➡「既にした履行の割合に応じて請求できる」**
報酬を支払う旨の特約がある場合において、委任者の責めに帰することができない事由によって委任事務を履行することができなくなったときは、受任者は、**既にした履行の割合に応じて報酬を請求することができる**（区分所有法28条、民法648条３項１号）。

ウ ○ 受任者は、**委任事務を処理**するに当たって受け取った金銭その他の物を**委任者に引き渡さなければならない**（区分所有法28条、民法646条１項）。また、委任者のために自己の名で取得した権利も委任者に移転しなければならない（同２項）。

民法の委任の規定に基づく**管理者の権利・義務**として、他に、①**報告義務**、②**受け取った金銭の消費についての責任**、③**費用の前払い請求権**などがある。

エ ○ 受任者は、**委任事務を処理するのに必要と認められる費用を支出**したときは、委任者に対し、**その費用及び支出の日以後におけるその利息の償還**を請求することができる（区分所有法28条、民法650条１項）。

したがって、**誤っているものはイの一つ**であり、**正解は肢１**となる。

講師からのアドバイス

管理者は本試験における**頻出のテーマ**であり、**過去問が多くある**ので、論点別の過去問集でまとめて検討しておくと知識が整理しやすくなる。

問6　正解 2　区分所有法（管理組合法人）　難易度 B

ア × **「兼ねることができる」➡「できない」**
監事は、理事又は管理組合法人の使用人と兼ねてはならない（区分所有法50条２項）。監事は、理事の業務の執行の状況を監査することから（同３項２号）、職務

の独立性を確保するために、理事又は理事の監督下にある使用人との兼任が禁止されている。

イ ✕ **「解任の議案を提出することは要求されていない」**
監事は、財産の状況又は業務の執行について、**法令若しくは規約に違反**し、又は**著しく不当な事項があると認めるとき**は、**集会に報告をすること**と、報告をするため必要があるときは、**集会を招集すること**は**要求されているが**（50条3項3号・4号）、**理事の解任の議案の提出**までは**要求されていない**。

ウ ○ 監事は、規約に別段の定めがない限り**集会の決議**によって**選任**され、又は**解任**される（50条1項、25条1項）。

エ ○ **監事が欠けた場合**又は規約で定めた監事の**員数が欠けた場合**には、**任期の満了**又は**辞任**により**退任した監事**は、**新たに選任された監事が就任するまで**、なおその**職務を行う**（50条4項、49条7項）。

監事は、理事と同様、管理組合法人の**必須の機関**である。人数に制限はなく、監事が数人いる場合、各自が独立して職務を行う。

したがって、**誤っているもの**は、**アとイの二つ**であり、**正解は肢2**となる。

講師からのアドバイス

監事については、**理事の規定が準用**されている場合と、**監事についてのみ規定**されている場合とを意識して知識を整理しよう。

問7 正解 4 区分所有法・民法・標準管理規約（敷地等の持分） 難易度

適切なものを○、不適切なものを✕とする。

ア ✕ **「壁その他の区画の内側線で囲まれた部分の水平投影面積による」**
➡「界壁の中心線で囲まれた部分の面積による」
共用部分の共有持分の割合を算定する基準となる専有部分の床面積は、**区分所有法**では、**壁その他の区画の内側線で囲まれた部分の水平投影面積**によるとされているが（区分所有法14条3項）、**標準管理規約**では、**壁心計算**（**界壁の中心線で囲まれた部分の面積**を算出する方法）による（標準管理規約10条関係コメント①）。

イ ✕ **「民法の規定に従い、各自の持分を平等としなければならない」**
➡「敷地の共有持分は、分譲契約等によって定まる」
敷地の共有持分は、民法の規定に従うものではなく、**分譲契約等によって定まる**ものであり、公正証書によりその割合が定まっている場合、それに合わせる必要がある（10条関係コメント①②）。

民法の規定によれば各共有者の**持分割合**は**相等しい**ものと**推定される**（民法250条）。

ウ ✕ 「各区分所有者の数に応じて均等に配分」
➡「各区分所有者の専有部分の床面積の割合により配分」
共用部分の共有持分の割合を算定する場合、一部共用部分（附属の建物であるものを除く）で床面積を有するものがあるときは、その**一部共用部分の床面積**は、**これを共用すべき各区分所有者の専有部分の床面積の割合により配分**して、それぞれその区分所有者の**専有部分の床面積に算入**される（区分所有法14条２項）。

エ ✕ 「規約で建物の敷地と定められたものとみなされるので、持分の自由な処分はできない」
建物が所在する土地が**建物の一部の滅失**により**建物が所在する土地以外の土地となったとき**は、その土地は、**規約で建物の敷地と定められたものとみなされる**ので（５条２項）、各区分所有者は、その土地に対する共有持分を自由に処分することはできない。

したがって、不適切なものは、**ア～エ**の四つであり、正解は肢**4**となる。

講師からのアドバイス

共用部分の持分の割合の算定基準は、**区分所有法**と**標準管理規約**で**異なっている**ので注意する必要がある。これを機会に確認しておこう。

問8　正解 3　区分所有法（義務違反者）　難易度 A

1 ✕ 「議決権を行使することはできない」➡「できる」
被告となる立場の共同利益違反行為者自身も、**区分所有者として自己の議決権を行使**することができると解されている。

2 ✕ 「必要に応じて～与えれば足りる」➡「あらかじめ与えなければならない」
競売請求訴訟の提起を決定する集会の決議をするには、あらかじめ、共同利益違反行為をする区分所有者に対し、**弁明する機会を与えなければならない**（区分所有法59条２項、58条３項）。つまり、「必ず与えなければならない」（必須）のであって、必要に応じて与えるのではない。

3 ○ 区分所有権の競売請求においても、共同の利益に反する行為の停止等の請求におけると同様に、**集会の決議**によって、管理者又はそのために指定された区分所有者に訴訟の提起及びその追行を**委ねることができる**（59条２項、57条３項）。

4 ✕ 「買受けの申出をすることができる」➡「できない」

本訴訟の判決に基づく競売においては、**競売を申し立てられた区分所有者**又はその者の計算において買い受けようとする者は、**買受けの申出をすることができない**（59条４項）。

「**その者の計算において**」とは、第三者が買受けの申し出をするのが、もっぱら当該区分所有者のためである場合、例えば、買受代金を当該区分所有者から提供されていたり、当該区分所有者とあらかじめ転売の約束をしている等、**実質的な買受人が当該区分所有者である場合**をいう。

講師からのアドバイス

義務違反区分所有者に対する**競売請求**に関する基本問題である。競売請求のほか、**行為の停止等の請求・使用禁止請求・契約の解除・引渡し請求**についても整理しておこう。

問９　正解４　区分所有法（建替え）

1　○　**建替え決議の日から２年以内**に建物の取壊しの**工事に着手しない場合には、売渡請求権の行使により区分所有権又は敷地利用権を売り渡した者**は、この期間の満了の日から**６月以内**に、買主が**支払った代金に相当する金銭**をその区分所有権又は敷地利用権を現在有する者に**提供**して、これらの権利を**売り渡すべきことを請求することができる**。ただし、建物の取壊しの工事に着手しなかったことにつき正当な理由があるときは、請求することができない（区分所有法63条７項）。

2　○　建替え決議をする場合、**建替え後の建物の敷地**は、①当該建物の**敷地と同一の土地**、②当該建物の**敷地の一部の土地**、③当該建物の**敷地の全部を含む土地**、④当該建物の**敷地の一部を含む土地**でなければならない（62条１項）。したがって、必ずしも、当該建物の敷地と同一の土地である必要はない。

3　○　**建替え決議**のための**集会の招集通知**は、当該集会の**会日より少なくとも２ヵ月前までに発しなければならない**（62条４項）。また、当該**集会の会日より少なくとも１ヵ月前**までに区分所有者に対する**説明会を開催**しなければならない（同６項）。そして、これらの期間は規約により**伸長することができる**（同７項）。

集会の招集通知は、会日より少なくとも１週間前に発信しなければならないが、この期間は規約による「**伸縮**が認められている（35条１項但し書）。**建替え決議**を目的とする集会の**招集通知**は、建替えという重大な事項について判断するために必要な期間を保障するためであり、この趣旨から、規約により「**伸長**」することの**のみ**が認められている（62条４項但し書）。

4　×　**「売渡請求権を行使した側に、その代金の支払について期限を許与をする規定はない」**
売渡請求権の行使があった場合において、**建替えに参加しない旨を回答した区分**

所有者に対し、一定の条件の下、裁判所は、その者の請求により、**建物の明渡しについて相当の期限を許与**することができるが（63条６項）、売渡請求権を行使した買受指定者に代金の支払について期限を許与する規定は存在しない。

建替え決議の**要件**と**手続の流れ**を、しっかり押さえておこう。

問10　正解１　区分所有法（団地）　難易度A

団地総会の議案にできるものを○、議案にできないものを✕とする。

ア　✕　義務違反者に対する措置（行為の停止等の請求、使用禁止請求、競売請求、占有者に対する契約解除及び引渡し請求）については、団地総会の**議案にできない**（区分所有法66条参照。以下同じ）。

イ　✕　**各棟の規約共用部分・規約敷地**については、団地総会の**議案にできない**。

ウ　✕　**各棟の共用部分の管理所有**については、団地総会の**議案にできない**。

団地総会の議案にすることができないものは、団地全体ではなく**各棟**（区分所有建物）**で決定すべきもの**である。すなわち、①敷地利用権、②共用部分の管理所有、③共用部分の持分割合、④義務違反者に対する措置、⑤復旧・建替え決議、⑥規約共用部分・規約敷地に関するものである。

エ　○　**各棟の建替え承認決議**は、団地総会の**議案にできる**。

したがって、**団地総会の議案にできるものはエの一つ**であり、**正解は肢１**となる。

講師からのアドバイス

一棟の区分所有建物における管理組合と**団地管理組合**は**重畳的に存在**しており、一棟の区分所有建物における管理組合にその決定を委ねた方が適切であると考えられるものと、団地の団体的拘束に服することが適切と考えられるものという観点から整理してみよう。

問11　正解１　被災マンション法（建物敷地売却決議）　難易度C　難!問

１　✕　**「区分所有建物の全部滅失に該当し、敷地売却決議をすることができる」**
政令指定災害により区分所有建物の一部が滅失した場合において、当該区分所有建物が被災マンション法11条１項の取壊し決議又は区分所有者全員の同意に基づき取り壊された場合は、政令指定災害による建物の**全部滅失の場合に含まれる**とされているので（２条かっこ書)、この場合にも敷地売却決議（被災マンション法５条１項）をすることができる。

2 ○ 敷地共有者等の集会の招集には区分所有法の規定が準用されているが（３条１項)、規約により、**通知を発する期間を伸縮することができる**とする区分所有法35条１項ただし書は**準用されていない**。

3 ○ **敷地共有者等の集会**の**招集通知**には、区分所有法35条３項が準用されており（３条１項)、同条項によれば、区分所有者が管理者に対して**通知を受けるべき場所を通知したときは**、集会の招集通知は、**その場所にあてすれば足りる**としている。なお、災害が発生した時以後に管理者に対して通知を受けるべき場所を通知したときは、その場所に宛てすれば足りるとするとする区分所有建物の一部が滅失した場合における区分所有者集会の招集の通知に関する特例（８条２項）と混同しないように注意。

4 ○ 政令で定める災害により全部が滅失した区分所有建物に係る敷地共有者等は、民法の規定にかかわらず、その**政令の施行の日から起算して１ヵ月を経過する日の翌日以後、当該施行の日から起算して３年を経過する日までの間**は、敷地共有持分等に係る土地又はこれに関する権利について、**分割の請求**をすることができない。ただし、**５分の１を超える議決権を有する敷地共有者等**は、この期間内であっても**分割の請求**をすることが**できる**（６条１項)。

「政令の施行の日から起算して１ヵ月を経過する日の翌日以後」と**猶予期間を設定**することにより、敷地共有者等が**熟慮の上**、**選択できる**ようにしている。

講師からのアドバイス

被災マンション法においては、**区分所有法の規定が準用されている場合**と、**変容されている場合**があるので、その点を意識しながら被災マンション法の仕組みを理解していくようにしよう。

問12　正解 3　民法（時効）

難易度 A

1 ✕ **「Aが権利を行使することができることを知った時から５年間、又は、Aが権利を行使することができる時から10年間」**
債権は、債権者が**権利を行使することができることを知った時から５年間**、**権利を行使することができる時から10年間**、権利を行使しないと、時効によって消滅する（民法166条１項)。

2 ✕ **「再度の催告は、時効の完成をさらに遅らせることができる」**
➡ **「時効の完成をさらに遅らせることはできない」**

催告があったときは、その時から6ヵ月を経過するまでの間は、時効は完成しない（150条1項）。しかし、催告によって**時効の完成が猶予されている間**にされた**再度の催告**は、**時効の完成猶予の効力を有しない**（同2項）。したがって、完成猶予期間中に再度の催告をしても、当初の6ヵ月の完成猶予期間は延長されない。

3 ○ 裁判上の請求により、時効の完成が猶予される（147条1項1号）。そして、裁判上の請求について、**訴えの却下又は取下げ**があった場合、これは「**確定判決又は確定判決と同一の効力を有するものによって権利が確定することなくその事由が終了した場合**」に該当するので、その時から**6ヵ月**を経過するまでの間、**時効の完成が猶予**される（同1項かっこ書）。

裁判上の請求、支払督促の申立て、和解や調停の申立て、破産手続参加等において、それらの**事由が継続する間**は、**時効の完成**が**猶予**される（147条1項）。また、権利が確定判決又は確定判決と同一の効力を有するものによって確定したときは、時効が更新される（同2項）。

4 × **「さらに…猶予されることはない」**
➡「さらに一定の期間時効の完成が猶予される」
協議を行う旨の合意があり、それが「**書面又は電磁的記録**」でされている場合には、一定期間**時効の完成が猶予される**（151条1項）。さらに、この猶予期間中に、**再度**この**合意**がなされた**場合**には、さらにその時から一定期間**時効の完成が猶予される**（同2項）。

講師からのアドバイス

時効における令和2年の**改正点**を問う問題である。本問を通じて、改正があった点を理解しよう。

問13 正解4 民法（抵当権） 難易度A

1 × **「Bの承諾を得る必要はない」**
抵当権は、抵当権設定者が占有を移転しないで債務の担保に供した不動産について、抵当権者が他の債権者に先立って自己の債権の弁済を受ける権利であり（民法369条1項）、抵当権設定者は、抵当権者の**承諾を得なくても**、**抵当不動産**を自由に**使用・収益・処分**することができる。

2 × **「行使することはできない」➡「行使できる」**
抵当権は、抵当目的物の賃貸によって債務者が受けるべき**賃料債権**に対しても、その**効力が及ぶ**。ただし、その払渡しの前に**差押え**が必要となる（372条、304条）。

抵当権に基づく物上代位が認められるのは、抵当目的物の売却代金、賃料・用益物権の地代、滅失・損傷による損害賠償請求権のほか、判例は、**保険金請求権**への物上代位を認めている。

3 ✕「Bの承諾を得る必要はない」

抵当権設定者は、抵当権者の**承諾を得なくても**、抵当不動産について**後順位の抵当権を設定**することができる。

4 ○ **抵当権実行**の際に、債務者に**あらかじめ通知**をしなければならないとする**規定はない**。

講師からのアドバイス

抵当権者が**物上代位**する場合には、その**払渡しの前に差押え**をしなければならない点を押さえておこう。

問14 正解 3 民法・判例（連帯債務・連帯保証） 難易度 

最も適切なものを○、適切でないものを✕とする。

1 ✕「Eは、C及びDに対して、連帯保証債務の履行を請求できない」
➡「請求できる」

保証債務は、明文の規定はないが、担保としての性質上、被担保債権の譲渡に**随伴**して移転する（随伴性）。また、債務者に対する対抗要件としての債権譲渡の通知は確定日付がなくてもその効力が生ずる。そのため、債権の譲受人は、譲渡人が主たる債務者に対して**債権譲渡の通知**をすれば、保証人に対する通知がされなくても、保証人に対して**保証債権の譲受けを対抗**することが**できる**（判例）。したがって、Eは、C及びDに対して、連帯保証債務の履行を請求できる。

2 ✕「Fの負担部分について、G及びHは履行を拒絶することができる」

連帯債務者の1人が債権者に対して債権を有する場合、当該連帯債務者が**相殺を援用しない**間は、その連帯債務者の**負担部分の限度**において、他の連帯債務者は債務の**履行を拒絶**することができる（民法439条2項）。したがって、G及びHは、Fの負担部分について、債務の履行を拒絶することができる。

連帯保証人は、あくまで**保証人**であり、連帯債務者ではないので、その**負担部分**は「**ゼロ**」である。

3 ○ **連帯債務者の1人に対する履行の請求**は、**他の連帯債務者に対して、その効力を生じない**（「**相対的効力の原則**」441条）。例外的に絶対的効力が認められる事由もあるが、履行の請求については絶対的効力が認められていない。したがって、

Ｆに対して履行の請求がされたとしても、Ｇ及びＨについては履行の請求の効果が及ばないため、Ｇ及びＨの債務の時効の完成は猶予されない。

4 ✕ 「ＡのＢに対する代金債権は消滅しない」➡「消滅する」
債権者Ａと連帯保証人Ｃとの間でなされた**更改は絶対的効力**を有する（458条、438条）。したがって、ＡのＢに対する代金債権は、ＡＣ間で更改がなされることによって消滅する。

保証債務において**保証人に生じた事由**の主たる債務者への影響、**主たる債務者に生じた事由**の保証人への影響とともに、**連帯債務**の**相対効**と**絶対効**について復習しておこう。

問15 正解 4 民法（解除）

難易度 A

1 ○ 契約又は法律の規定により当事者の一方が解除権を有するときは、その解除は、**相手方に対する意思表示**によってする（民法540条１項）。そして、その意思表示は、**撤回することができない**（同２項）。

2 ○ 解除権を有する者が自己の行為によって**契約の目的物を著しく損傷したときは、解除権は消滅**する（548条１項）。

3 ○ 当事者の一方が数人ある場合において、解除権が当事者の**１人について消滅**したときは、**他の者についても当然に消滅**する（544条２項）。複数人が解除権を有する場合には、解除の効果を全員について画一的に発生させなければ、法律関係が複雑化するからである。

4 ✕ 「催告をしなければ…できない」➡「催告をすることなく、直ちに解除できる」
債務の履行の**一部が不能**となった場合において、**残存する部分のみでは契約をした目的を達することができないときは**、債権者は履行の催告をすることなく、**直ちに契約の解除**をすることができる（542条１項３号）。

債務者がその債務の一部の履行を拒絶する意思を明確に表示した場合において、**残存する部分のみでは契約をした目的を達することができないとき**にも、債権者は履行の催告をすることなく、**直ちに**契約の**解除**をすることができる。

講師からのアドバイス

解除については、令和２年の民法の改正により**帰責事由を必要とすることなく**、一定の要件を満たせば解除できることとなったので、その要件を確認しておこう。

問16 正解 2 民法・判例（委任） 難易度 C

1 ○ 受任者が**委任事務処理に必要な費用を支出**したときは、委任者に対してその**費用及び支出の日以後の利息の償還**を請求することができる（民法650条１項）。また、特約がなくても、**受任者が請求**した場合には、委任者は委任事務処理に**必要な費用の前払**をしなければならない（649条）。

2 × **「相殺することができる」➡「できない」**
受任者は、**委任事務を処理するのに必要**と認められる**債務を負担したときは、委任者**に対し、**自己に代わってその弁済**をすることを**請求**することができる（代弁済請求権・650条２項）。**委任者**は、この**代弁済請求権**を受働債権、自らが有する**受任者に対する金銭債権**を自働債権として**相殺することはできない**（判例）。受任者が自己の資金により委任事務処理のための費用の立替払いを強制されることになるからである。

3 ○ 受任者は、委任事務処理するにあたって受け取った金銭その他の物を委任者に引き渡さなければならない（646条１項）。そして、受任者が**委任者に引き渡すべき金額**又はその利益のために用いるべき金額を**自己のために消費したときは**、その**消費した日以降の利息**を支払う義務を負い、なお**損害があれば**これを賠償する**責任**を負う（647条）。

金銭債務の遅滞による損害賠償の額は、**実際に生じた損害額にかかわらず**、債務者が遅滞の責任を負った最初の時点における**約定利率又は法定利率によって計算**するのが原則であるが（金銭債務の特則）、**受任者が消費した金銭**については、例外として、**約定又は法定利率以上の損害が生じたことを証明**すれば、**その損害についても賠償が認められている。**

4 ○ **委任が終了**しても、その旨を**相手方に通知**するかまたは**相手方**がこれを**知っている場合**でなければ、**委任の終了**を相手方に**主張できない**（655条）。したがって、有償委任において、委任者が受任者へ終了の通知をせず、かつ、受任者も委任の終了を知らずに、受任者が委任事務を継続したときは、受任者は、委任関係がなお存続するものとして費用の償還請求（650条１項）や報酬の請求（648条１項）をすることができる。

講師からのアドバイス

受任者の権利義務は、区分所有法の**管理者に準用**されているので（区分所有法28条）、しっかりと押さえておこう。

問17 正解 3 民法（相続） 難易度 A

1 ×「代襲して、相続人となる」

被相続人の子が、**相続の開始以前に死亡**したときは、**その者の子**がこれを**代襲して相続人となる**（民法887条2項本文）。したがって、Aが死亡する前にCがすでに死亡していた場合、Cの子が、Cを代襲してAの相続人となる。

2 ×「兄弟姉妹以外の相続人には遺留分が認められる」

兄弟姉妹以外の相続人（配偶者、子、直系尊属）には、直系尊属のみが相続人であるときは被相続人の財産の3分の1、これ以外のときは被相続人の財産の2分の1に相当する額について、**遺留分が認められている**（1042条1項）。したがって、Aの配偶者であるBには遺留分があり、また、Aの子であるCにも遺留分がある。

3 ○ 相続人は、相続開始の時から、被相続人の財産に属した一切の権利義務を承継する（896条本文）。そして、**相続人**は、**自己のために相続の開始があったことを知った時から3ヵ月以内**に、相続について、**単純**若しくは**限定**の**承認**又は**放棄**をしなければならず（915条1項）、その**期間内に限定承認又は相続の放棄をしなかったとき**は、**単純承認**をしたものとみなされ（921条2号）、相続人は、無限に被相続人の権利義務を承継する（920条）。したがって、Aが管理費を滞納したまま死亡した場合、B及びCが、自己に相続の開始があったことを知ったときから3ヵ月以内に、限定承認又は相続の放棄をしなかったときは、滞納管理費に係る債務は、B及びCに承継されることになる。

滞納された管理費債務は、金銭債務として、相続分に応じて分割され、**各相続人**に**帰属**する。

4 ×「賃貸借契約は、賃貸人の死亡により終了しない」

賃貸人が死亡した場合、**賃貸借契約**は当然には終了せず、その**相続人**が、**賃貸人たる地位を承継**し、賃借人に目的物を使用・収益させる義務（民法601条）を負う（896条本文）。したがって、Aが死亡する前にAが101号室をEに賃貸していた場合、Aの死亡によってEとの賃貸借契約は当然に終了せず、相続人であるB及びCが賃貸人たる地位を承継することになる。

講師からのアドバイス

相続の承認、**放棄**は、**自己のために相続の開始があったこと**を「**知った時から3ヵ月以内**」にしなければならない。この点は、「相続の開始があった時から3ヵ月以内」というようにひっかけ問題として出題される。気をつけよう。

問18 正解 2 不動産登記法 難易度 C

1 × 「申請することはできない」➡「申請することができる」
表題登記がある区分建物でない建物に接続して区分建物が新築された場合における当該区分建物についての表題登記の申請は、当該表題登記がある建物についての表題部の変更の登記の申請と併せてしなければならない（不動産登記法48条3項）。この場合、当該**区分建物の所有者**は、当該**表題登記がある建物の表題部所有者**若しくは所有権の登記名義人又はこれらの者の相続人その他の一般承継人に**代わって**、当該**表題登記がある建物**についての**表題部の変更の登記**を申請することが**できる**（同4項）。

2 ○ 表題部所有者の**氏名若しくは名称又は住所**についての**変更の登記又は更正の登記**は、原則として、**表題部所有者以外の者**は、申請することが**できない**（31条）。しかし、例外的に、当該表題部所有者又は登記名義人について**相続その他の一般承継**があったときは、**相続人その他の一般承継人**は、当該表示に関する登記を申請することが**できる**（30条）。

3 × 「表題部の変更登記」➡「表題登記」
共用部分である旨の登記がある建物について**共用部分である旨を定めた規約を廃止した場合**には、当該建物の所有者は、当該規約の廃止の日から1ヵ月以内に、当該建物の「**表題登記**」を申請しなければならない（58条6項）。

（規約）共用部分である旨の登記をする場合、登記官の**職権**により、建物の**表題部所有者の登記は抹消**されるので（58条4項）、共用部分である旨を定めた**規約を廃止**した場合には、建物の所有者は、**あらためて**その建物の**表題登記を申請**することになる。

4 × 「抵当権者も申請することができる」➡「抵当権者は申請できない」
建物の**分割**の登記は、**表題部所有者又は所有権の登記名義人「以外の者」**は、「申請することが**できない**」（54条1項1号）。したがって、当該区分建物の抵当権者は申請することができない。

講師からのアドバイス

区分建物の表題部に関する問題について確認しておこう。**【肢3について】**この場合に申請すべき**登記の種類**は、何度も**繰り返し**出題されている。

問19 正解 3 建替え等円滑化法（建替組合） 難易度 C

難!問

1 ○ 建替組合設立の認可を申請しようとする者は、建替組合の設立について、建替え合意者の**4分の3以上**の同意を得なければならない（建替え等円滑化法9条2項）。

2 ○ 建替え合意者は、5人以上共同して、定款・事業計画を定め、都道府県知事（市の区域内においては当該市の長）の認可を受けて、建替組合を設立できる（9条1項、13条）。

3 × **「権利変換期日後であっても」➡「権利変換期日前に限り」**
建替組合は、①設立についての認可の取消し、②総会の議決、③事業の完成又はその完成の不能のいずれかによって解散する（38条1項）。ただし、②の議決は、**権利変換期日前に限り**行うことができる（同2項）。

4 ○ 建替組合は、その事業に要する経費に充てるため、**賦課金**として「**参加組合員以外の組合員**」に対して金銭を賦課徴収することができる（35条1項）。つまり、参加組合員に対して賦課金を徴収することはできない。

組合員は、**賦課金の納付**について、**相殺**をもって組合に**対抗することができない**（同3項）。

講師からのアドバイス

「建替組合」は理解しにくいところであるが、**設立に必要な手続**と**組合員に関する事項**については、正確に押さえておこう。

問20 正解 1 都市計画法（地域地区等） 難易度 A

1 × **「市街化調整区域については…定めることができる」➡「定めることができない」**
特定用途制限地域は、**用途地域が定められていない土地の区域**（市街化調整区域を「**除く**」。）内において定めることができる（都市計画法9条15項）。したがって、市街化調整区域に特定用途制限地域を定めることはできない。

市街化調整区域は、建築物の建築等について**厳しい規制**が課せられているので、特定用途制限地域を定めて規制をする必要性が低いからである。

2 ○ **市街化区域**については、**少なくとも用途地域を定める**ものとし、**市街化調整区域**については、原則として**用途地域を定めない**ものとする（13条1項7号）。

3 ○ **用途地域**においては、**建築物の容積率**を定めなければならない（8条3項2号イ）。

4 ○ **特例容積率適用地区**は、**第一種中高層住居専用地域、第二種中高層住居専用地域**、第一種住居地域、第二種住居地域、準住居地域、近隣商業地域、商業地域、準工業地域又は工業地域内において**定められる**（9条16項）。

講師からのアドバイス

都市計画法は**区域区分**（市街化区域・市街化調整区域）や**地域地区の内容**、準都市計画区域内で定めることができる規定等の過去出題論点が繰り返し出題されている。しっかり解答できるようにしておこう。

問21　正解 3　建築基準法（避難等の規制）　難易度 B

1 ×　「建築確認を受ける必要がない」➡「建築確認が必要である」

防火地域及び準防火地域「外」において建築物を**増築**し、**改築**し、又は**移転**しようとする場合で、その**増築**、**改築**又は**移転**に係る部分の床面積の合計が**10㎡以内**であるときについては、**建築確認を受ける必要はない**。防火地域及び準防火地域「内」であれば、改築部分が10㎡以内でも建築確認が必要である（6条2項）。

2 ×　「2以上の直通階段を設けなければならない」➡「不要である」

共同住宅の用途に供する階でその階における居室の床面積の合計が**100㎡を超えるもの**については、その階から避難階又は地上に通ずる**2以上の直通階段を設けなければならない**（施行令121条1項5号）。ただし、主要構造部が**準耐火構造**であるか、又は**不燃材料**で造られている建築物については、**200㎡を超えるもの**について**2以上の直通階段を設ける必要がある**。したがって、床面積の合計が200㎡を超えていない本肢では、2以上の直通階段は不要である（同2項）。

避難階とは、**直接地上に通ずる**出入口のある階をいう。

3 ○　建築物が**防火地域及び準防火地域にわたる**場合において、建築物が防火地域外において**防火壁で区画されている場合**においては、その防火壁外の部分については、**準防火地域内の建築物に関する規定を適用する**（建築基準法65条2項）。

4 ×　「耐火建築物には防火壁・防火床を設ける必要はない」

耐火建築物又は**準耐火建築物「以外」**で、延べ面積が**1,000㎡を超える建築物**は、防火上有効な構造の**防火壁**又は**防火床**によって有効に**区画**し、かつ、各区画の床面積の合計をそれぞれ**1,000㎡以内**としなければならない（建築基準法26条1号）。本肢は、耐火建築物なので、この規定は適用されない。

講師からのアドバイス

防火地域の内外や**耐火建築物・準耐火建築物か否か**で**建築基準法の規定の適用が変わる**ことがある。本試験でもよく問われるので注意しよう。

問22 正解 4 水道法（専用水道・簡易専用水道） 難易度 A

1 ○ **簡易専用水道**の設置者には、**水道技術管理者を置く義務はない**（水道法34条の4）。

専用水道の設置者は、水道技術管理者を１人置かなければならない。

2 ○ 水道事業者が定めなければならない**供給規程**には、**貯水槽水道の設置者の責任に関する事項**として「**貯水槽水道の管理責任及び管理の基準**」に関する事項が必要であるとされる（水道法施行規則12条の５）。

3 ○ 貯水槽水道は、規模により、①簡易専用水道（10㎥超）、②それ以外の貯水槽水道（10㎥以下）に分類される。そして、水道事業者から供給を受ける水のみを水源としている貯水槽水道の設置者は、その水槽の有効容量の合計が10㎥以下でも、当該水道事業者の定める供給規程に基づき、**水槽の管理責任を負う**（水道法14条２項５号・３項、施行規則12条の５第２号）。

簡易専用水道は、「**貯水槽水道の一部**」という構造を理解しよう。そこから、貯水槽水道と簡易専用水道は、どちらも上水道のみが水源となり、地下水は水源とならないことも、まとめて押さえておこう。

4 ✕ 「80人」➡「100人」
専用水道とは、寄宿舎、社宅、療養所等における**自家用の水道**その他水道事業の用に供する水道以外の水道であって、**100人を超える者**にその居住に必要な水を供給するもの又はその水道施設の**一日最大給水量が政令で定める基準を超える**ものをいう（水道法３条６項１号）。

講師からのアドバイス

貯水槽水道、**簡易専用水道、専用水道の定義や管理基準の違い**に注意しよう。

問23 正解 2 消防法（消防用設備等） 難易度 B

1 ○ 消防長又は消防署長は、防火対象物における**消防用設備等が設備等技術基準に従って設置され、又は維持されていない**と認めるときは、当該防火対象物の関係者で権原を有するものに対し、当該設備等技術基準に従ってこれを設置すべきこと、又はその維持のため**必要な措置をなすべきことを命ずる**ことができる（消防法17条の４第１項）。

2 ✕ 「1,500㎡以上」➡「3,000㎡以上」

屋外消火栓設備は、共同住宅においては、床面積（地階を除く階数が１であるものにあっては１階の床面積、地階を除く階数が２以上であるものにあっては１階及び２階の部分の床面積の合計）が、**耐火建築物**にあっては**9,000㎡以上**、**準耐火建築物**にあっては**6,000㎡以上**、**その他**の建築物にあっては**3,000㎡以上**のものについて設置するものとされている（施行令19条１項）。

屋外消火栓は、主に建物の**１階か２階**で火災が発生した際に、隣接する建物への延焼を防ぐことが目的で、屋外からの消火活動に用いられる。

3 ○ 共同住宅で、**150㎡以上**のものは、**消火器具**（消火器又は簡易消火用具）を、階ごとに、共同住宅の各部分から、一の消火器具に至る歩行距離が**20m以下**となるように配置しなければならない（施行令10条１項２号、施行規則６条６項）。

4 ○ 共同住宅（マンション）には、**携帯用拡声器、手動式サイレン**その他の**非常警報器具を設置する必要はない**（施行令24条１項）。

講師からのアドバイス

消防用設備等の設置基準や消防用設備等の仕組みは、消火器やスプリンクラー設備等、過去問で同じ論点が繰り返し問われている。**重要数字や内容**を覚えておこう。

問24　正解 3　警備業法　難易度 C

1 ✕ 「認定を受けている者に名義を貸すことは禁止されない」➡「禁止される」

警備業者は、自己の名義をもって、他人に警備業を営ませてはならないが、これは**認定を受けていない者に名義を貸すこと**のみならず、**認定を受けている者**に**名義を貸すこと**をも**禁じられる**（警備業法13条、解釈運用基準第11）。

2 ✕ 「含まれない」➡「含まれる」

警備業者は、常に、その行う警備業務について、依頼者等からの**苦情の適切な解決**に努めなければならないが、この依頼者には警備業務実施場所の**周辺住民**、**通行者等**も**含まれる**（警備業法20条、解釈運用基準第18）。

3 ○ 警備業務の依頼者に対して交付する契約の概要について記載した書面（**契約前書面**）及び警備業務の依頼者に対して交付する契約の内容を明らかにする書面（**契約後書面**）は、それぞれ一の書面であることを要せず、**契約書**、**警備計画書**、**パンフレット等複数の書面によることは差し支えない**（警備業法19条、解釈運用基準第17）。

4 ✕ 「賃借人との契約に基づいて事故の発生を警戒し、防止する業務は、警備業務に該当する」

貸ビル業者が通常必要とされる範囲で自己の所有建物においてその**建物自体の保全管理**を行う業務は**警備業務に該当しない**が、賃借人との契約に基づいて**事故の発生を警戒**し、**防止する業務**は、**警備業務に該当する**（警備業法２条１項、解釈運用基準第２）。

「**警備業務**」とは、他人の需要に応じて、**人の生命**、**身体**、**財産**等に対する侵害の発生を警戒し、防止する業務である。

講師からのアドバイス

警備業法については、**解釈運用基準**から細かい論点が出題されている。ある程度は**常識で解ける問題**なので、慌てずに解答しよう。

問25 正解 1 標準管理規約（管理等） 難易度 A

適切なものを○、適切でないものを✕とする。

1 ✕ 「管理組合が区分所有者を代理する」➡「理事長が区分所有者を代理する」
理事長は、火災保険、地震保険その他の損害保険の契約に基づく**保険金額の請求及び受領**について、区分所有者を**代理する**（標準管理規約24条２項）。したがって、管理組合に区分所有者を代理しない。

2 ○ 管理組合が**管理費等について有する債権**は、**区分所有者の特定承継人**に対しても行うことが**できる**（26条）。

3 ○ 住宅宿泊事業を可能とする場合（若しくは禁止する場合）、区分所有者は、その**専有部分を専ら住宅として使用**するものとし、**他の用途に供してはならない**（12条１項）。

住宅としての使用は、**専ら居住者の生活の本拠**があるか否かによって判断する。したがって利用方法は、生活の本拠であるために必要な平穏さを有することを要する（12条関係コメント①）。

4 ○ 理事全員分の機材一括購入費用は備品費に該当するところ、**備品費・通信費その他の事務費**は**管理費から充当する**ことになる（27条４号）。

講師からのアドバイス

【正解肢１について】区分所有法と同様である（区分所有法26条２項）。**理事長**は管理組合の**代表者**であり、区分所有法に定める**管理者**である（標準管理規約38条１項・２項）。**【肢２について】**区分所有法と同様である（区分所有法８条、７条１項）。なお、**包括承継人**が債務を承継するのは**当然**である（標準管理規約26条関係コメント）。このような区分所有法と同様の規定については、確実に得点しよう。

問26 正解 1 標準管理規約（管理組合）

難易度 

適切なものを○、適切でないものを✕とする。

1 ○ 組合員の資格は、区分所有者となったときに取得し、区分所有者でなくなったときに喪失する（標準管理規約30条）。したがって、**マンションに居住しているかどうかは組合員の資格に影響しない**。

2 ✕ **「代理出席を認めるべきである」➡「認めるべきではない」**
理事の代理出席（議決権の代理行使）については、規約において認める旨の明文の規定がない場合に認めることは適当でない（53条関係コメント②）。特に、外部専門家など当人の**個人的資質や能力等に着目**して選任されている**理事**については、**代理出席を認めることは適当でない**（同コメント③）。

理事がやむを得ず欠席する場合には、代理出席によるのではなく、事前に**議決権行使書**又は**意見を記載した書面**を出せるようにすることが考えられる（同コメント④）。

3 ✕ **「４種類」➡「監事も含めた５種類」**
管理組合に設置すべき役員としては、理事長・副理事長・会計担当理事・理事・監事の５種類が規定されている（35条１項）。

4 ✕ **「修繕積立金として積み立てる」➡「管理費に充当する」**
管理組合は、組合員が期日までに納付すべき金額を納付しない場合には、その未払金額について、**年利○%の遅延損害金**と、**違約金としての弁護士費用**並びに**督促及び徴収の諸費用**を加算して、その組合員に対して請求することができる（60条２項）。そして、請求した**遅延損害金**、**弁護士費用**並びに**督促及び徴収の諸費用**に相当する収納金は、**管理費**に充当する（同５項）。

講師からのアドバイス

【肢２について】理事会に出席できない理事は、**ＷＥＢ会議システム等**を用いて出席することもできる（同コメント⑤）。**理事会での議論を活性化**させる観点から、様々な方策が用意されていることを意識しよう。

問27 正解 4 標準管理規約（ＷＥＢ会議システム等による総会）

難易度  

適切なものを○、適切でないものを✕とする。

1 ○ ＷＥＢ会議システム等を用いて会議を開催する場合における通知事項のうち、「開催方法」については、当該ＷＥＢ会議システム等にアクセスするためのＵＲＬが考えられ、これに合わせて、なりすまし防止のため、ＷＥＢ会議システム等を用いて**出席を予定する組合員**に対しては**個別にＩＤ及びパスワードを送付すること**が考えられる（標準管理規約43条１項関係コメント）。

2 ○ 第三者が組合員に**なりすました**場合やサイバー攻撃や大規模障害等による**通信手段の不具合**が発生した場合等には、総会の決議が**無効となるおそれがある**などの課題に留意する必要がある（46条関係コメント⑧）。

3 ○ 議決権を**行使することができる組合員**がＷＥＢ会議システム等を用いて**出席**した場合については、定足数の算出において**出席組合員に含まれる**と考えられる。これに対し、議決権を**行使することができない傍聴人**としてＷＥＢ会議システム等を用いて議事を**傍聴する組合員**については、出席組合員には**含まれない**と考えられる（47条関係コメント①）。

4 × **「定めておかなければならない」➡「定める必要はない」**
ＷＥＢ会議システム等を用いて総会に出席している組合員が議決権を行使する場合の取扱いは、**ＷＥＢ会議システム等を用いずに**総会に出席している組合員が議決権を行使する場合と**同様**であり、別途、**規約の定めや集会の決議は不要**である（46条関係コメント⑧本文）。

講師からのアドバイス

本問のテーマである**ＷＥＢ会議システム**については、**近年連続して出題**されている。**【肢１～３について】**ＷＥＢ会議システムを用いた場合における**特有の問題**をチェックしておこう。

問28　正解 1　標準管理規約（総会の決議）　難易度 A

適切なものを○、適切でないものを×とする。

ア × **「議決権を行使することができる」➡「できない」**
区分所有者の承諾を得て専有部分を**占有する者**は、会議の目的につき利害関係を有する場合には、総会に出席して**意見を述べる**ことができる。この場合において、総会に出席して意見を述べようとする者は、**あらかじめ理事長**にその旨を**通知**しなければならない（標準管理規約45条２項）。この場合、占有者には、総会における意見陳述権だけが認められているが、議決権を行使することは認められていない。

イ × **「組合員本人」➡「組合員又は代理人のいずれか」**
組合員又は代理人は、代理権を証する書面（委任状）を理事長に提出しなければならない（46条６項）。したがって、委任状を理事長に提出するのは、組合員又は代理人のいずれかであればよい。

ウ ○ 総会においては、総会の招集通知により**あらかじめ通知した事項についてのみ、決議**することができる（47条10項）。したがって、総会において出席組合員の過半数の同意があったとしても、あらかじめ通知した事項以外については、決議することができない。

エ × **「普通決議」➡「特別多数決議」**
バリアフリー化の工事に関し、建物の基本的構造部分を取り壊す等の加工を伴わずに階段にスロープを併設し、手すりを追加する工事は普通決議により、**階段室部分を改造**したり、建物の外壁に新たに外付けしたりして、**エレベーターを新たに設置**する工事は**特別多数決議**により実施可能と考えられる（47条関係コメント⑥ア）。したがって、バリアフリー化が目的でも、階段室部分を改造して、車いすで利用できるエレベーターを新たに設置する工事については、特別多数決議による必要がある。

したがって、**適切なものはウの一つ**であり、**正解は肢1**となる。

講師からのアドバイス

【ウについて】標準管理規約は、「規約の別段の定めにより、**普通決議事項**については**事前に通知していなくても**決議できる」旨の**区分所有法上の例外規定**（区分所有法37条２項）を**排除**している。**【エについて】**工事に必要な総会の決議については、コメント上に具体例が挙げられているが、基本的には工事の具体的内容に基づく個別の判断による（47条関係コメント⑥）。工事のうち、**大規模**なものや**加工の程度が大きい**ものは**重大変更**にあたるため、**特別多数決議**によると考えればよい。

問29 正解 3 標準管理規約（理事会） 難易度 A

適切なものを○、適切でないものを×とする。

1 × **「理事会決議に加わることもできる」➡「理事会決議に加わることはできない」**
理事会は、その責任と権限の範囲内において、専門委員会を設置し、特定の課題を調査又は検討させることができる（標準管理規約55条１項）。この場合、**専門委員会**は、調査又は検討した結果を理事会に具申することはできるが（同２項）、**議決に加わる**ことまでは**できない**。

専門委員会の検討対象が理事会の責任と権限を越える事項である場合や、理事会活動に認められている経費以上の費用が専門委員会の検討に必要となる場合、運営細則の制定が必要な場合等は、専門委員会の設置に総会の決議が必要となる（55条関係コメント①）。

2 × **「できない」➡「できる」**
理事会の招集通知については、総会の招集手続と同様に、**原則**として理事会の２

週間前までに発することとされている（52条４項本文、43条１項）。ただし、この期間については、**理事会**において**別段の定め**をすることができる（52条４項ただし書）。したがって、１週間前とすることも可能である。

3 ○ 理事会の会議（ＷＥＢ会議システム等を用いて開催する会議を含む。）は、**理事の半数以上が出席**しなければ開くことができず、その議事は出席理事の過半数で決する（53条１項）。したがって、理事の半数以上が出席していれば、**監事が欠席**していたとしても、理事会における**決議の有効性に影響はない**（41条関係コメント②）。

4 × **「理事の全員の承諾があるとしても、書面又は電磁的方法による決議によることはできない事項もある」**
専有部分の**修繕等**（17条）、敷地及び共用部分等の**保存行為**（21条）、窓ガラス等の**改良**（22条）に対する承認又は不承認は、**理事の過半数の承諾**があるときは、**書面又は電磁的方法による決議**によることができる（53条２項、54条１項５号）。しかし、これら**３つ以外の決議事項**については、理事の全員の承諾があるとしても、書面又は電磁的方法による決議によることは**できない**。

総会においては、**組合員全員の承諾**があるときは、**書面又は電磁的方法による決議**をすることが**できる**（50条１項本文）。

講師からのアドバイス

【肢１について】専門委員会は、必要に応じ、検討対象に関する専門的知識を有する者として**組合員以外の者**の参加を求めることもできる（55条関係コメント②）ことも覚えておこう。

問30 正解 1 標準管理規約（理事長） 難易度 A

適切なものを○、適切でないものを×とする。

1 ○ **理事長**は、**未納の管理費等及び使用料の請求**に関して、**理事会の決議**により、管理組合を代表して、**訴訟**その他法的措置を追行することができる（60条４項）。

2 × **「監事」➡「理事会」**
理事長は、**理事会の承認**を受けて、**他の理事**に、その**職務の一部を委任**することができる（38条５項）。

3 × **「理事長は…監事をしてさせなければならない」**
➡「理事長は…しなければならない」
理事長は、通常総会において、組合員に対し、**前会計年度における管理組合の業務の執行に関する報告をしなければならない**（38条３項）。報告は、監事にさせるのではなく、理事長がしなければならない。

WEB会議システム等を用いて開催する通常総会において、**理事長が当該システム等を用いて出席し報告を行うことも可能**であるが、WEB会議システム等を用いない場合と同様に、各組合員からの質疑への応答等について適切に対応する必要があることに留意すべきである（38条関係コメント②）。

4 ✕ 「書面又は口頭」➡「書面」

理事長は、**議事録を保管**し、組合員又は利害関係人の**書面**による請求があったときは、**議事録の閲覧**をさせなければならない（53条4項、49条3項前段）。したがって、**口頭による請求は認められない**。

理事長は、閲覧につき、**相当**の日時・場所等を**指定**することができる（53条4項、49条3項後段）。

講師からのアドバイス

【肢4について】会計帳簿・什器備品台帳・組合員名簿及びその他の**帳票類の閲覧**には、組合員又は利害関係人の「**理由を付した**」**書面による請求**が必要である（64条1項）ことと比較しておこう。

問31 正解4 標準管理規約（監事） 難易度B

適切なものを○、適切でないものを✕とする。

1 ✕ 「直ちに理事会の招集をすることができる」➡「理事長に招集の請求ができる」

監事は、理事が不正の行為をし、若しくは当該行為をするおそれがあると認めるとき、又は法令、規約、使用細則等、総会の決議若しくは理事会の決議に違反する事実若しくは著しく不当な事実があると認めるときは、遅滞なく、その旨を**理事会に報告**しなければならない（標準管理規約41条5項）。この場合、監事は必要があると認めるときは、**理事長に対し、理事会の招集を請求することができる**（同6項）。したがって、直ちに理事会の招集をすることはできず、理事長に招集請求できるにとどまる。

監事による理事会の招集請求があった日から5日以内に、その請求があった日から2週間以内の日を理事会の日とする理事会の招集の通知が発せられない場合は、その請求をした監事は、理事会を招集することができる（同7項）。

2 ✕ 「監事」➡「理事長」

理事長は、毎会計年度の収支決算案を監事の会計監査を経て、通常総会に報告し、その承認を得なければならない（59条）。したがって、報告と承認の義務を負うのは、監事ではなく理事長である。

3 ✕ 「監事」➡「理事長」
区分所有者若しくはその同居人又は専有部分の貸与を受けた者若しくはその同居人（以下「区分所有者等」という。）が、法令、規約又は使用細則等に違反したとき、又は対象物件内における共同生活の秩序を乱す行為を行ったときは、**理事長**は、理事会の決議を経てその区分所有者等に対し、その是正等のため必要な**勧告又は指示若しくは警告**を行うことができる（67条1項）。したがって、勧告等ができるのは、監事ではなく理事長である。

4 ○ **監事**は、**管理組合の業務の執行及び財産の状況を監査**し、**その結果を総会に報告**しなければならない（41条1項）。そして監事は、管理組合の業務の執行及び財産の状況について不正があると認めるときは、**自ら臨時総会を招集することができる**（同3項）。

講師からのアドバイス

【肢2について】監事と理事長の総会への報告事項を整理しておこう。**監事**は、「管理組合の業務の執行及び財産の状況に関する**監査結果**の報告」（41条1項）、**理事長**は、「前会計年度における管理組合の**業務の執行**に関する報告」（38条3項）と「監事の会計監査を経た毎会計年度の**収支決算案**の報告」（59条）である。

問32 正解 3 標準管理規約（会計）

難易度 B

適切なものを○、適切でないものを✕とする。

1 ✕ 「振込みの方法」➡「口座振替の方法」
管理組合は、管理費等及び使用料について、組合員が各自開設する預金口座から**口座振替の方法**により管理組合の口座に受け入れることとし、当月分は別に定める徴収日までに一括して徴収する（標準管理規約60条1項）。

2 ✕ 「理事長独自の判断で」➡「理事会の承認を得て」
理事長は、管理組合の会計年度の開始後、通常総会において収支予算案の承認を得るまでの間に、**総会の承認を得て実施している長期の施工期間を要する工事に係る経費**であって、通常総会の承認を得る前に支出することがやむを得ないと認められるものの支出が必要となった場合には、**理事会の承認**を得てその支出を行うことができる（58条3項2号）。

通常の管理に要する経費のうち、**経常的**であり、かつ、通常総会における収支予算案の承認を得る前に支出することが**やむを得ないと認められるもの**の支出が必要となった場合には、**理事会の承認**を得てその支出を行うことができる。

3 ○ **滞納管理費等に係る遅延損害金の利率の水準**については、管理費等は、マンションの日々の維持管理のために必要不可欠なものであり、その滞納はマンションの資産価値や居住環境に影響し得ること、管理組合による滞納管理費等の回収は、専門的な知識・ノウハウを有し大数の法則が働く金融機関等の事業者による債権回収とは違い、手間や時間コストなどの回収コストが膨大となり得ること等から、**利息制限法や消費者契約法等における遅延損害金利率よりも高く設定することも考えられる**（60条関係コメント④）。

4 ✕ 「理事長が一括して行う」➡「理事長と副理事長に分けるなどが…望ましい」
預金口座に係る印鑑等の保管にあたっては、**施錠の可能な場所**（金庫等）**に保管**し、**印鑑の保管と鍵の保管を「理事長と副理事長に分ける」**など、適切な取扱い方法を検討し、その取扱いについて**総会の承認**を得て細則等に定めておくことが望ましい（62条関係コメント）。

講師からのアドバイス

【肢1・肢4について】いずれも**管理費等を保全**するための方策である。あまり普段の学習では意識しないと思われるので、この際に確認しておこう。

問33 正解 3 標準管理規約（複合用途型） 難易度 B

適切なものを○、適切でないものを✕とする。

1 ✕ 「店舗一部修繕積立金」➡「全体修繕積立金」
駐車場使用料その他の敷地及び共用部分等に係る**使用料**は、それらの管理に要する費用に充てるほか、**全体修繕積立金**として積み立てる（標準管理規約複合用途型33条）。

2 ✕ 「店舗部会の決議」➡「総会の決議」
店舗部会や住宅部会は、管理組合としての意思を決定する機関ではなく、それぞれ住宅部分、店舗部分の一部共用部分の管理等について**協議する組織**として位置づけるものである（60条関係コメント①）。したがって、修繕積立金の取り崩しには、意思決定機関である**総会の決議**が必要である。

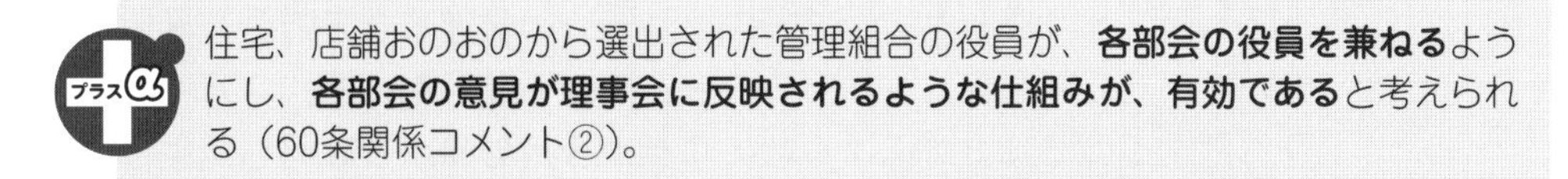
プラスα 住宅、店舗おのおのから選出された管理組合の役員が、**各部会の役員を兼ねる**ようにし、**各部会の意見が理事会に反映されるような仕組みが、有効である**と考えられる（60条関係コメント②）。

3 ○ 住宅一部修繕積立金の取り崩しについては、**総会の決議が必要**と規定するのみ（52条10号）で、住宅部分の区分所有者の過半数の賛成が別途必要とはされていない。

4 ✕ 「修繕積立金」➡「費用」
収支決算の結果、全体管理費、住宅一部管理費又は店舗一部管理費に余剰を生じた場合には、その余剰は**翌年度**における**それぞれの費用に充当**する（66条１項）。それぞれの修繕積立金に充当するのではない。

複合用途型においては、**全体共用部分と一部共用部分の管理に要する経費**が必要であるため、管理費等は「**６種類**」あることを確認しよう。すなわち、区分所有者は①**全体管理費**・②**全体修繕積立金**を管理組合に納入し、さらに、住戸部分の区分所有者は③**住宅一部管理費**・④**住宅一部修繕積立金**、店舗部分の区分所有者は⑤**店舗一部管理費**・⑥**店舗一部修繕積立金**を管理組合に納入する。また、これらの管理費等は、それぞれ**区分経理**しなければならない。

問34　正解３　管理組合の会計（仕訳）　難易度 A

適切なものを○、適切でないものを×とする。

発生主義に基づき、以下、取引内容について検討する。

1　×　①　２月に行われた仕訳

２月分の管理費は２万円であるから、**貸方に管理費収入２万円**を計上する。そして、この管理費２万円については**全額が未納**であるから、**借方に未収金２万円**を計上する。よって、**２月**の時点においては、次の仕訳がされている。

（単位：円）

（借　方）		（貸　方）	
未収金	20,000	管理費収入	20,000

②　３月に行われるべき仕訳

３月には、**まとめて６万円が支払われている**から、資産の増加として、**借方に現金預金６万円**を計上する。この６万円の入金により、**２月分の未収金２万円が減少**するため、**未収金２万円を貸方**に計上して**取り崩す**。さらに、**３月分**の管理費は２万円であるから、**貸方に管理費収入２万円**を計上する。
ところで、２月分の**未収金２万円**と３月分の**管理費２万円**を合計すると**４万円**となり、これを３月に支払われた**６万円から差し引く**と、**２万円が残る**。この２万円については、対応する収入項目が**３月の時点では何も発生していない**から、**貸方に前受金**として計上する。
以上をまとめると、次のような仕訳をすることになる。

（単位：円）

（借　方）		（貸　方）	
現金預金	60,000	未収金	20,000
		管理費収入	20,000
		前受金	20,000

したがって、本肢は不適切である。

2 × ①**入金された管理費２万円**を誤って**未収金**として計上しているので、誤って行われた仕訳は次の通りである。そこで、この仕訳を修正する。

（単位：円）

（借　方）		（貸　方）	
未収金	20,000	管理費収入	20,000

②まずは、誤った仕訳を取り消すために、**逆仕訳**を行う。

（単位：円）

（借　方）		（貸　方）	
管理費収入	20,000	未収金	20,000

③次に、本来なすべき**正しい仕訳**を行う。

（単位：円）

（借　方）		（貸　方）	
現金預金	20,000	管理費収入	20,000

④そして、**②と③を合算**する。そうすると、**管理費収入２万円が相殺**された結果、次のような**修正仕訳**が導かれる。

（単位：円）

（借　方）		（貸　方）	
現金預金	20,000	未収金	20,000

したがって、本肢は不適切である。

3 ○ ①工事費のうち**100万円**については、**令和４年度**（前年度）に**前払**しているので、**令和４年度**に**前払金**として**借方**に計上している。これに対応する**貸方**には、資産の減少として、**現金預金100万円**を計上する。よって、令和４年度に行われた仕訳は、次の通りである。

（単位：円）

（借　方）		（貸　方）	
前払金	1,000,000	現金預金	1,000,000

②その後、大規模修繕工事が、**令和５年**９月１日に**完了**しているので、**修繕費300万円**を**借方**に計上する。
そして、**同年**10月１日に工事費の**残額200万円を支払っている**ことから、**貸方**には、資産の減少として、**現金預金200万円**を計上する。さらに、令和４年度において借方に計上していた**前払金を貸方に計上して取り崩す**。よって、次のような仕訳をすることになる。

（単位：円）

（借　方）		（貸　方）	
修繕費	3,000,000	現金預金	2,000,000
		前払金	1,000,000

したがって、**本肢は適切**である。

4 × 本肢の外壁の塗装工事は、**次期**にあたる令和６年４月10日に**完成予定**であり、**工事費50万円**についても、**次期**である令和６年５月末日に**支払う予定**となっている。よって、**令和５年度になすべき仕訳は存在しない**。
したがって、本肢は不適切である。

講師からのアドバイス

仕訳をする際は、費用（支出）・収益（収入）が**発生した月に着目**すべきである。問題文に書かれた事情については、**計上しないものも含まれている**可能性があることに注意しよう。

問35 正解 3 管理組合の会計（税務） 難易度 B

適切なものを○、適切でないものを×とする。

ア × **「不課税取引であり、消費税の納税義務は生じない」**
管理組合法人は、消費税法その他消費税に関する法令の適用については法人とみなされる（区分所有法47条14項）。そして、**法人化していない管理組合**（人格のない社団等）は、**法人とみなされる**ことにより、消費税法の規定が適用される（消費税法３条）。よって、**双方とも**、事業者として**消費税の納税義務者**となりうる。しかし、組合員から収受する管理費収入及び修繕積立金収入は**不課税取引**である。したがって、双方とも、消費税の**納税義務は生じない**。

イ ○ 消費税は、原則として、事業者の課税期間に係る**基準期間**（**前々事業年度**）における課税売上高が**1,000万円を超える**場合に納税義務が生じる（９条１項）。令和５年度の**前々事業年度**は**令和３年度**であり、その課税売上高は**1,500万円**である。したがって、令和５年度は、消費税の**納税義務が生じる**。

消費税の**基準期間**（前々事業年度）における課税売上高が1,000万円以下であったとしても、**特定期間**（前事業年度開始の日以後６ヵ月の期間）の課税売上高が1,000万円を超える場合には、消費税の納税義務が生じる。

ウ × **「消費税の納税義務は生じない」**
組合員である区分所有者から受領する駐車場使用料は**不課税取引**であるが、**組合員以外の第三者**から受領する駐車場使用料は**課税取引**となる。本肢の当該第三者からの駐車場使用料収入は100万円であり、他に消費税課税対象収入もないので、課税売上高は1,000万円以下である。したがって、消費税の**納税義務は生じない**。

エ ✕ **「法人税の納税義務が生じる」**
管理組合がマンション敷地内で行う駐車場業において、当該管理組合の**組合員以外の第三者**が駐車場を有償で使用する場合には**収益事業**となる（「マンション管理組合が区分所有者以外の者への駐車場の使用を認めた場合の収益事業の判定について」平成24年２月３日国住マ第43号）。したがって、法人税の**納税義務が生じる**。

したがって、**適切でないものは**、**ア・ウ・エ**の三つであり、**正解は肢3**となる。

講師からのアドバイス

税務に関しては**過去問を学習しておけば十分**である。前回の出題は令和３年度であった。税務の問題は数年おきに出題されるので、念のため準備しておこう。

問36 正解 3 長期修繕計画作成ガイドライン

難易度  

適切なものを○、適切でないものを✕とする。

1 ○ **修繕積立金の積立て**は、長期修繕計画の作成時点において、計画期間に積み立てる修繕積立金の額を均等にする積立方式（**均等積立方式**）**を基本**とする（長期修繕計画作成ガイドライン及び同コメント３章２節１）。

修繕資金需要に関係なく均等額の積立金を徴収するため、段階増額積立方式に比べ、**多額の資金を管理する状況**が生じる。

2 ○ 長期修繕計画の内容については、およそ**５年程度ごと**に見直しをすることが必要であるとされているが、長期修繕計画の見直しは、大規模修繕工事と大規模修繕工事の**中間の時期**に単独で行う場合、**大規模修繕工事の直前**に基本計画の検討に併せて行う場合、又は、**大規模修繕工事の実施の直後**に修繕工事の結果を踏まえて行う場合がある（３章１節10）。

3 ✕ **「対象としない」➡「対象とすることができる」**
長期修繕計画の作成に当たって、推定修繕工事は、建物及び設備の性能・機能を**新築時と同等水準に維持、回復させる修繕工事を基本**とするが、区分所有者の要望等**必要に応じて、建物及び設備の性能を向上させる改修工事を設定することもできる**。したがって、免震工法等の耐震改修工事も対象とすることができる（２章１節２二）。

4 ○ 管理組合は、分譲会社から交付された**設計図書**、**数量計算書**等のほか、**計画修繕工事の設計図書**、**点検報告書**等の**修繕等の履歴情報**を整理し、区分所有者等の求めがあれば**閲覧できる状態で保管すること**が必要である（２章１節３三）。

講師からのアドバイス

長期修繕計画作成ガイドラインは、**毎年１～２問**出題されている。過去に出題されている論点は確実に得点できるようにしよう。

問37 正解４ 長期修繕計画作成ガイドライン 難易度B 合否の分かれ目

適切なものを○、適切でないものを×とする。

1 ○ 築古のマンションは省エネ性能が低い水準にとどまっているものが多く存在していることから、大規模修繕工事の機会をとらえて、**マンションの省エネ性能を向上させる改修工事**（壁や屋上の外断熱改修工事や窓の断熱改修工事等）を実施することは**脱炭素社会の実現**のみならず、**各区分所有者の光熱費負担を低下させる**観点からも**有意義**と考えられる（長期修繕計画作成ガイドライン１章１コメント）。

令和３年度の改正で、**省エネ性能を向上させる改修工事**についても言及された。昨今は脱炭素社会実現が推進されているので出題される可能性があるテーマである。

2 ○ **計画修繕工事**とは、長期修繕計画に基づいて計画的に実施する**修繕工事**及び**改修工事**をいう。そして、**修繕工事**には、**補修工事**（**経常的に行う補修工事**を「**除く**」）**を含む**（１章４第13号・14号）。

3 ○ **大規模修繕工事**とは、建物の**全体**又は**複数の部位**について行う**大規模な計画修繕工事**（**全面的な外壁塗装等を伴う工事**）をいう（１章４第15号）。

4 × **「使用できない」➡「使用できる」**
ガイドラインは、主として**区分所有者が自ら居住するマンション**を対象としているが、いわゆる**リゾートマンション**や、一部に**賃貸住宅を併設するマンション**及び賃貸を目的としたマンション（**投資用マンション**等）にも**使用できる**（１章２）。

講師からのアドバイス

長期修繕計画作成ガイドラインは毎年１～２問出題されている。**幅広く出題される**ので、過去出題論点だけでなく、**未出題論点**にも触れておけると本試験でプラスになる。

問38 正解 2 調査・診断

適切なものを○、適切でないものを×とする。

1 ○ モルタル塗り壁面の**接着強度の診断**には、壁面のモルタルに接着剤でアタッチメントを接着させ、測定機器（**建研式引張試験機**）を取り付けて引き抜くことにより測定する方法がある。

建研式引張試験機は、モルタル塗り壁面以外にも、**タイル**や**各種接着剤**の接着強度の診断に使用される。

2 × **「赤色に変色した部分」➡「無色の部分」**
コンクリートの中性化については、外壁のコンクリートを一部円筒状にコア抜きし、取り出したサンプルにフェノールフタレイン溶液を噴霧する等して、**変色しない無色の部分を中性化が進行している部分と評価する**。これは、フェノールフタレイン溶液が、**アルカリ性に対しては赤色に変色し**、**それ以外では無色**となる性質を利用したものである。

3 ○ パールハンマーは、**タイル等の浮き**の有無や程度を診断するための器具である。

4 ○ **分光測色計**は、抽象的な色を**数値化**して、正確に判別する機器であり、仕上塗材の劣化現象である**汚れの付着、光沢度低下、変退色**等の調査をする機器である。

講師からのアドバイス

劣化診断の方法は**頻出論点**である。**何を診断するための器具**なのかを正確に覚えよう。

問39 正解 1 大規模修繕工事

適切なものを○、適切でないものを×とする。

1 × **「コストは削減することができない」➡「削減することができる」**
CM（コンストラクションマネジメント）方式とは、**専門家が発注者の立場**に立って、**発注・設計・施工の各段階におけるマネジメント業務を行う**ことで、**全体を見通して効率的に工事を進める方式**をいう。CM方式では、**工期短縮・品質確保やコスト削減効果**が期待できる。

2 ○ 大規模修繕工事では、施工数量の変動・設計変更による工事費の変動を免れない。特に、コンクリートのひび割れの長さ・タイルの浮きの枚数等は、足場が掛かっていない段階で**数量を確定することが困難**であるため、**実費精算方式を採用することが多い**。

実費精算方式とは、設計時点で、調査や経験に基づいて仮定した数量（指定数量）で業者見積りを行い、その数量で契約し（単価は決定）、工事が始まって**実施数量が確定した後**、あらためて**精算する方式**である。

3 ○ 大規模修繕工事の「**設計監理方式**」とは、調査診断、修繕設計及び工事監理と、設計に基づく工事施工とを**別の業者に委ねる方式**を指すのが一般的である。

4 ○ 大規模修繕工事前に実施する調査・診断の一環として、建物や設備の劣化状況等の現状を把握するため、**竣工図書、過去に行った調査・診断結果、修繕履歴等の資料調査を行う**。

設計監理方式、責任施工方式、CM方式のそれぞれの特徴を確認しておこう。

問40 正解 3 マンションの構造

難易度 A

適切なものを○、適切でないものを✕とする。

1 ○ 柱には地震力を受けた場合にせん断力によるひび割れの拡がりを防ぐための帯筋を配置するが、**たれ壁と腰壁**が上下についた短柱の場合は**せん断破壊が生じやすくなる**。

せん断破壊とは、**物をずらすような内力**（せん断力）によって破壊されることをいう。

2 ○ 枠付き鉄骨ブレースによる柱・梁の補強は、**構造耐力の向上**を目的とする。

3 ✕ **「構造耐力上主要な部分ではなく、主要構造部の定義である」**
構造耐力上主要な部分とは、基礎、基礎ぐい、壁、柱、小屋組、土台、斜材（筋かい、方づえ、火打材その他これらに類するものをいう）、床版、屋根版又は横架材（はり、けたその他これらに類するものをいう）で、**建築物の自重**若しくは**積載荷重、積雪荷重、風圧、土圧**若しくは**水圧**又は**地震その他の震動**若しくは**衝撃を支えるもの**をいう（建築基準法施行令1条3号）。本肢の説明は、主要構造部のものである（建築基準法2条5号）。

4 ○ 鉄筋コンクリート構造は、**圧縮強度は高いが引張強度が低いコンクリート**を、**圧縮強度は低いが引張強度が高い鉄筋**によって補った構造形式である。

講師からのアドバイス

【正解肢3について】主要構造部と似た用語である**構造耐力上主要な部分**も覚えておこう。主要構造部は**防火上**の観点から定められており、構造耐力上主要な部分は**構造耐力**の観点から定められている。

問41 正解 4 マンション各部の計画

難易度  

1 ○ **屋外避難階段**は、**耐火構造**とし、**地上まで直通**とする必要がある（建築基準法施行令123条2項3号）。

屋内避難階段は、**避難階**（直接地上へ通じる階）まで**直通**とする必要がある。

2 ○ 屋内に設ける避難階段は、主に次のような一定の構造としなければならない（施行令123条1項）。①階段室の天井（天井のない場合にあっては、屋根）及び壁の室内に面する部分は、仕上げを不燃材料でし、かつ、その下地を不燃材料で作ること（同2号）。②**階段室には、「窓その他の採光上有効な開口部」又は「予備電源を有する照明設備」を設けること**（同3号）。③階段は、耐火構造とし、避難階まで直通すること（同7号）。

3 ○ **共同住宅の住戸**又は住室の**床面積の合計が100㎡を超える**階における共用のものについての**廊下の幅**は、次の数値以上としなければならない（119条）。

① **両側に居室**がある廊下における場合は**1.6m**

② その他の廊下における場合は1.2m

4 × 階段には、**手すり**を設けなければならず、手すりが設けられていない側には、**側壁**又は**これに代わるもの**を設けなければならないが、高さ「**1m**」**以下**の階段の部分には、**適用されない**（25条）。70cmではない。

講師からのアドバイス

階段や**廊下**の規制については、繰り返し出題されている。重要な数字を抑えておこう。

問42 正解 2 室内環境

1 ○ 居室の**シックハウス対策**として、換気回数が**1時間あたり0.5回以上**となるような機械換気設備を設置することが必要とされている（建築基準法施行令20条の8）。

2 ✕ **「添加時からの時間の経過を問わず、使用してはならない」**
➡「5年を経過すれば、使用することができる」
建築材料に**クロルピリホスを添加**してはならず、また、クロルピリホスをあらかじめ添加した**建築材料**（添加から**5年を経過**したものを除く）を**使用してはならない**（20条の6、平成14年国土交通省告示1112号）。したがって、クロルピリホスをあらかじめ添加した建築材料も、添加後5年を経過していれば、使用することができる。

ホルムアルデヒドについては、その夏季における発散速度に応じて、**使用制限**が課されている。

3 ○ 居室には、**換気に有効な部分の面積**として、その居室の**床面積に対して20分の1以上の開口部**を設けなければならないのが原則である。もっとも、**政令で定める技術的基準に従って換気設備**を設けた場合、その**必要はない**（建築基準法28条2項）。

4 ○ 居室の天井の高さは、**2.1m以上**でなければならない。そして、この天井の高さは、室の床面から測り、一室で**天井の高さの異なる部分**がある場合においては、その**平均の高さ**によるものとする（施行令21条2項）。

講師からのアドバイス

居室に関する規定は頻出論点である。**採光**や**換気**の規定、**シックハウス対策**等の重要論点を押さえておこう。

問43 正解 1 給水設備

難易度 A

適切なものを○、適切でないものを✕とする。

1 ○ **圧力水槽（タンク）方式**は、水道本管から分岐して引き込んだ水を一度**受水槽**に**貯水**した後、**加圧（給水）ポンプ**で圧力水槽に給水し、圧力水槽内の空気を加圧することにより、**各住戸に供給する**方式である。

圧力水槽方式では、**高置水槽は不要**である。

2 ✕ **「全ての躯体面で60㎝」➡「天井からは1m以上が必要である」**
受水槽を屋内に設置する場合に、受水槽の天井、底及び周壁と建築物との間に、保守点検ができるように、全ての躯体面で空間を設ける必要があるが、その空間は、**「天井からは1m以上」**、**底及び周壁は60㎝以上**が必要である。

3 ✕ **「2.5～3.0m/s」➡「1.5～2.0m/s」**

水栓を閉める際に生じる**ウォーターハンマー**を防止するためには、給水管内の流速を「1.5～2.0m/s」とすることが有効である。

4 ✕ 「水道用硬質塩化ビニル管」➡「架橋ポリエチレン管やポリブデン管」
住戸内に使用される**さや管ヘッダー方式**の給水配管には、**架橋ポリエチレン管**や**ポリブデン管**等が使用され、**水道用硬質塩化ビニル管は使用されない**。

講師からのアドバイス
本試験で**繰り返し出題されている論点**である。間違った場合は確認をしておこう。

問44 正解 1 排水設備

適切なものを○、適切でないものを✕とする。

1 ✕ 「伸頂通気管と通気立て管を設置することなく」➡「伸頂通気管の設置は必要」
高層や超高層のマンションで採用されることが多い特殊継手排水システムは、通**気立て管は設置する必要はないが、伸頂通気管は設置する必要がある**。

特殊継手排水システムでは、複数の排水横枝管からの排水を一つの継手に合流させて排水させる機能があり、**排水立て管の数を減らす**ことができる。

2 ○ 管径75㎜の排水横引管の最小勾配は、100分の１とする。

3 ○ 排水トラップの**封水深**は、原則として、**５㎝以上10㎝以下**とする。

4 ○ 雨水排水立て管は、衛生上の問題があるため、**汚水排水管**もしくは**通気管と兼用し、又はこれらの管に連結してはならない**。

講師からのアドバイス
本試験で**繰り返し出題されている論点**である。排水設備の役割を覚えよう。

問45 正解 2 マンションの建築設備

適切なものを○、適切でないものを✕とする。

1 ○ **家庭用燃料電池**は、都市ガス等から**水素**を作り、それと空気中の**酸素**を反応させて電気を作るとともに、その反応時の**排熱を利用**して給湯用の温水を作る設備機器である。

2 ✕ **「S波を検知」➡「P波を検知」**
地震時のエレベーター内への閉じ込めの防止策の一つとして、地震その他の衝撃により生じた国土交通大臣が定める**加速度**（初期微動（P波））**を検知し**、自動的に、かごを**昇降路の出入口の戸の位置に停止させ**、かつ、当該かごの**出入口の戸及び昇降路の出入口の戸を開き、又はかご内の人がこれらの戸を開くことができる**こととする装置（**地震時等管制運転装置**）を設置する必要がある（建築基準法施行令129条の10第3項2号）。

P波はPrimary Waveの略で、**S波**はSecondary Waveの略である。

3 ○ パットマウント方式の内容は、次のとおりである。
① 敷地内の屋外に**集合住宅用変圧器**を設置して電力を供給する
② **トランス容量に制限があり**、次の3タイプがある
ア）動力15kVA＋電灯75kVA
イ）動力30kVA＋電灯130kVA
ウ）動力50kVA＋電灯250kVA

4 ○ **自然冷媒ヒートポンプ式給湯器**は、**二酸化炭素**の冷媒を圧縮し高熱にして熱源としたもので、エネルギー消費効率が高く、**加熱効率が高い**。

講師からのアドバイス
マンションの設備等の基本論点からの出題である。**設備等の特徴**を覚えておこう。

問46 正解2 管理適正化法（管理士） 難易度A

ア ✕ **「標識を掲げなければならない」➡「掲げる必要はない」**
「マンション管理士」には、標識の「**掲示義務はない**」。

なお、「**管理業者**」は、その事務所ごとに、公衆の見やすい場所に、国土交通省令で定める**標識を掲げなければならない**（マンション管理適正化法71条）。

イ ○ **マンション管理士でない者は、マンション管理士又はこれに紛らわしい名称を使用してはならない**（43条）。これに違反したときは、**30万円以下の罰金**に処される（109条1項3号）。**マンション管理士**とは、**登録を受けた者**をいうので（2条5号）、マンション管理士**試験に合格しただけの者**は、まだ**マンション管理士ではない**。したがって、本肢でいう規定は**適用される**。

ウ ○ マンション管理士の登録は、国土交通大臣が、マンション管理士登録簿に、氏名・生年月日その他一定事項を登載して行う（30条2項）。そして、マンション

管理士は、本籍及び性別等を変更したときは、遅滞なく、その旨を国土交通大臣に届け出なければならない（32条１項、施行規則28条）。この場合、当該届出にマンション管理士登録証（この問において「登録証」という）を添えて提出し、その訂正を受けなければならない（マンション管理適正化法32条２項）。

エ ✕ **「再交付を受けた登録証を返納」➡「発見した登録証を返納」**
マンション管理士は、登録証の亡失によりその再交付を受けた後において、亡失した登録証を発見したときは、速やかに、「**発見した**」**登録証**を国土交通大臣に**返納**しなければならない（施行規則29条４項）。

したがって、**正しいもの**は、**イ・ウの二つ**であり、**正解は肢2**となる。

講師からのアドバイス

【アについて】ひっかけ論点である。正確に覚えておこう。**【イ〜エについて】定番の頻出論点**であるので、確認しておこう。

問47 正解 3 管理適正化基本方針

難易度 A

適切なものを○、適切でないものを✕とする。

ア ○ 国の役割について、国は、マンションの管理水準の維持向上と管理状況が市場において評価される環境整備を図るために**マンションの管理の適正化の推進に関する施策を講じていくよう努める**必要がある。このため、マンション管理士制度及びマンション管理業の登録制度の適切な運用を図るほか、**マンションの実態調査の実施、「マンション標準管理規約」**及び**各種ガイドライン・マニュアルの策定や適時適切な見直しとその周知、マンションの管理の適正化の推進に係る財政上の措置、リバースモーゲージの活用等による大規模修繕等のための資金調達手段の確保、マンション管理士等の専門家の育成**等によって、**管理組合や地方公共団体のマンションの管理の適正化及びその推進に係る取組を支援**していく必要がある（マンション管理適正化基本方針一２）。

また、国は、マンションの長寿命化に係る先進的な事例の収集・普及等に取り組むとともに、管理組合等からの求めに応じ、マンション管理適正化推進センターと連携しながら、必要な情報提供等に努める必要がある。

イ ✕ **「マンション管理業者の団体」➡「マンション管理適正化推進センター」**
「マンション管理適正化推進センター」においては、関係機関及び関係団体との連携を密にし、**管理組合等に対する積極的な情報提供を行う**等、**管理適正化業務を適正かつ確実に実施**する必要がある（基本方針五）。

ウ ○ マンションが**建設後相当の期間が経過**した場合等に、修繕等のほか、これらの特例を活用した建替え等を含め、どのような措置をとるべきか、様々な**区分所有者等間の意向を調整し、合意形成を図っておく**ことが重要である（基本方針四）。

エ ○ マンションを**購入しようとする者**は、マンションの管理の重要性を十分認識し、売買契約だけでなく、**管理規約、使用細則、管理委託契約、長期修繕計画**等管理に関する事項に十分に留意することが重要である（基本方針三３）。

したがって、**適切なもの**は、**ア・ウ・エ**の三つであり、正解は肢**3**となる。

講師からのアドバイス

【イについて】「マンション管理業者の団体」と「マンション管理適正化推進センター」の役割の違いについて、確認しておこう。基本方針は、細かな言い回し等、正確な表現を覚えておこう。

問48 正解 1 管理適正化法（定義） 難易度 A

1 ○ 管理業者とは、登録を受けてマンション管理業を営む者をいうが（マンション管理適正化法２条８号）、この「**マンション管理業**」とは、**管理組合から委託を受けて管理事務を行う行為で業として行う**もの（区分所有者等が当該マンションについて行うものを除く）をいう（同７号）。

2 × **「管理組合は存在しない」➡「管理組合は存在する」**
管理組合とは、マンションの管理を行う区分所有法「**３条に規定する区分所有者の団体**」「**65条に規定する**（**団体建物所有者**）**団体**（**団地管理組合**）」又は「**47条１項**（一定の準用規定を含む）**に規定する法人**（**管理組合法人**）」をいう（２条３号）。**現に居住している者がすべて賃借人である建物**にも、**管理組合は**「**存在する**」。

管理組合のないマンションはないし、また、管理規約を定めることが管理組合の成立要件ではない。

3 × **「マンションに該当しない」➡「マンションに該当する」**
マンションの定義は、「**２以上の区分所有者が存する建物で、人の居住の用に供する専有部分のあるもの並びにその敷地及び附属施設**」をいう（２条１号イ）。したがって、本肢の建物はマンションに該当する。

4 × **「敷地や附属施設はマンションに該当しない」➡「マンションに該当する」**
肢**3**の解説どおり、２以上の区分所有者が存する建物で、人の居住の用に供する専有部分が１戸でもあるものはマンションに該当し、また、マンションに該当する建物の「**敷地・附属施設**」も**マンション**である（２条１号イ）。

講師からのアドバイス

【正解肢1について】マンション管理業の定義は、しばらく出題されていないので、しっかり覚えておこう。【肢2～4について】管理組合やマンションの定義に関する**出題頻度は高い**ので、正確な知識を確認しておこう。

問49　正解 3　管理適正化法（管理業者の業務）　難易度 B

ア ×　「一括して他人に再委託できない」➡「一括して他人に再委託できる」

管理業者は、管理組合から委託を受けた管理事務のうち**基幹事務**について、これ**を一括して他人に委託してはならない**（マンション管理適正化法74条）。しかし、**「管理組合の消防計画の届出の補助業務」**等は「基幹事務に含まれない」ので、これを「**一括再委託できる**」。なお、基幹事務の**一部を他人に委託してすること****はできる**。

イ ×　「一定の期間、掲示しなければならない」➡「掲示義務はない」

管理業者は、当該管理業者の**業務及び財産の状況を記載した書類**をその事務所ごと**に備え置き、その業務に係る関係者**の求めに応じ、これを**閲覧**させなければならない（79条）。しかし、これを**掲示する義務はない**。

ここでの「書類」とは、「業務状況調書」「貸借対照表」「損益計算書」「これらに代わる書面」をいう（施行規則90条１項）。

ウ ○　重要事項の説明においては、「**免責に関する事項**」も「**契約の更新に関する事項**」も、「**説明の対象**」となるので（84条８号・10号）、説明させなかったことは**法に違反**する。

エ ×　「説明させなかった…法に違反する」➡「法に違反しない」

重要事項の説明においては、「**保証契約に関する事項**」は**説明の対象**となるが（84条７号）、「**管理事務として行う管理事務に要する費用の収納に関する事項**」は**説明の対象にならない**。したがって、これを説明させなくても法に違反しない。「管理事務として行う管理事務に要する費用の収納に関する事項」は、契約成立時に交付すべき書面の内容にあたるので、確認しておこう（85条７号）。

したがって、誤っているものは、**ア・イ・エ**の三つであり、**正解は肢3**となる。

講師からのアドバイス

【アについて】「再委託の制限」及び**【イについて】「書類の閲覧」は**、定期的に出題される頻出論点であるので、要注意！ **【ウ・エについて】重要事項説明**の内容も、それぞれ確認しよう。

問50 正解 4 管理適正化法（総合） 難易度 B

ア ○ 国土交通大臣は、マンション管理業の登録申請者が登録申請書やその添付書類のうちに**重要な事項について虚偽の記載**があり、又は**重要な事実の記載が欠けているときは、その登録を拒否しなければならない**（マンション管理適正化法47条）。

イ ○ **計画作成知事等**は、**認定**をしたときは、速やかに、その旨を、**当該認定を受けた者に通知**しなければならない（5条の5）。

ウ ○ **「マンションの管理の適正化に関し、管理組合の管理者等その他の関係者に対し技術的な支援を行うこと**（92条2号）」等は、**マンション管理適正化推進センターが行う**法92条に規定された**業務に含まれている**。しかし、**「マンションの管理に関して必要な紛争解決のためのあっせん、調停及び仲裁を行うこと」**は、**含まれていない**。

「苦情の解決」については、マンション管理適正化推進センターの業務に含まれていないが、マンション管理業者の団体の業務に含まれている。

エ ○ マンション**管理業を営もうとする者**は、国土交通省に備える**管理業者登録簿に登録**を受けなければならない（44条1項）。

したがって、**正しいもの**は、**ア～エの四つ**であり、**正解は肢4**となる。

講師からのアドバイス

【イについて】認定基準に関する知識を確認しよう。**【ウについて】「マンション管理適正化推進センターの業務」**は、定期的に出題される論点であるので要注意！ **【ア・エについて】**基礎知識であるので、覚えておこう！

令和6年度マンション管理士模擬試験

解答・解説

＊正解・出題項目一覧＆あなたの成績診断

＊解答・解説

【第3回】
正解・出題項目一覧 & あなたの成績診断

【難易度】 A…やや易 B…普通 C…難

問	項目	正解	難易度	☑
1	区分所有法・民法（敷地利用権）	2	B	□□
2	区分所有法（公正証書による規約）	3	B	□□
3	区分所有法（共用部分）	2	B	□□
4	区分所有法（管理者）	3	B	□□
5	区分所有法（管理組合法人）	1	A	□□
6	区分所有法（集会の招集）	4	A	□□
7	区分所有法（区分所有者・占有者）	1	B	□□
8	判例（共同の利益に反する行為）	2	A	□□
9	区分所有法（復旧等）	1	B	□□
10	区分所有法（団地）	1	A	□□
11	被災マンション法・民法（区分所有建物の一部滅失）	4	C	□□
12	民法・判例（制限行為能力者）	3	A	□□
13	民法（相隣関係）	2	C	□□
14	民法（債務不履行）	2	A	□□
15	民法（不法行為）	4	A	□□
16	民法・判例（債権の消滅）	3	B	□□
17	民法・品確法・宅建業法（契約不適合責任）	1	B	□□
18	不動産登記法	1	C	□□
19	建替え等円滑化法	2	B	□□
20	都市計画法（地域地区）	3	C	□□
21	建築基準法（総合）	2	B	□□
22	水道法（簡易専用水道の検査）	4	B	□□
23	消防法（消防用設備等）	1	A	□□
24	警備業法	1	B	□□
25	標準管理規約（保存行為）	2	A	□□

問	項目	正解	難易度	☑
26	標準管理規約（緊急時の対応）	4	A	□□
27	標準管理規約（総会の運営・招集）	4	A	□□
28	標準管理規約（管理組合・理事会）	1	A	□□
29	標準管理規約（修繕積立金）	1	A	□□
30	標準管理規約（雑則等）	2	A	□□
31	標準管理規約・個人情報保護法（個人情報）	2	B	□□
32	標準管理規約（団地型・複合用途型）	3	B	□□
33	標準管理委託契約書	1	B	□□
34	管理組合の会計（貸借対照表等）	4	B	□□
35	管理組合の会計（仕訳）	3	A	□□
36	長期修繕計画作成ガイドライン	2	A	□□
37	修繕積立金ガイドライン	4	A	□□
38	大規模修繕工事	3	B	□□
39	調査・診断	2	A	□□
40	建築構造	4	A	□□
41	住棟型式	3	A	□□
42	防犯に配慮した共同住宅設計指針	1	B	□□
43	給水設備	4	A	□□
44	排水設備	2	A	□□
45	マンションの室内環境	1	A	□□
46	管理適正化法（管理士）	3	A	□□
47	管理適正化基本方針	1	A	□□
48	管理適正化法（管理業者・主任者）	3	B	□□
49	管理適正化法（管理業者の業務）	2	A	□□
50	管理適正化法（総合）	4	B	□□

■ 難易度別の成績

ランク		
Aランク…	問	／26問中
Bランク…	問	／20問中
Cランク…	問	／4問中

★A・Bランクの問題はできる限り得点しましょう！

■ 総合成績

合 計
50問中の正解 点

★この回の正答目標は **36点**です!!

問1　正解 2　区分所有法・民法（敷地利用権）　難易度 B

1 ×「敷地の他の共有者であるAに帰属する」➡「帰属しない」

共有者の1人が死亡して相続人がないときは、その持分は、他の共有者に帰属する（民法255条）。しかし、敷地利用権が数人で有する所有権その他の権利である場合で、専有部分と敷地利用権の**分離処分が禁止**されているときには、この民法の規定は、敷地利用権には**適用されない**（区分所有法24条、22条1項本文）。したがって、Bの敷地利用権が、敷地に関し他の共有者であるAに帰属することはない。

2 ○ 敷地利用権を有しない区分所有者（C）があるときは、その**専有部分の収去を請求する権利を有する者**（A及びB）は、その区分所有者に対し、区分所有権を**時価で売り渡すべきことを請求**することができる（10条）。この売渡請求権は、形成権とされており、**一方的な意思表示**により、時価による売買契約成立の**効果が生じる**。

3 ×「等しい割合」➡「共用部分の持分割合」

区分所有者が**数個の専有部分を所有**するときは、**各専有部分に係る敷地利用権の割合**は、**共用部分の持分割合**（**専有部分の床面積割合**）による（22条2項、14条1項）。したがって、等しい割合になるわけではない。

敷地利用権の割合は、規約で「**共用部分の持ち分割合と異なる割合**を定める」こともできるし、「**共用部分の持分割合と同一の割合**と定める」こともできる。

4 ×「無効を主張することができる」➡「主張することはできない」

共有物についての賃貸借契約の締結は、共有物の管理にあたり、持分の価格の過半数によって決せられる（民法252条本文）。そして、専有部分と敷地利用権とを分離してすることができない「**処分**」とは、譲渡、抵当権の設定、質権の設定などのように、**専有部分と敷地利用権について一体的にすることができる法律行為としての処分**をいうので、敷地についての賃貸借の設定はこれにあたらない。したがって、Bは、当該賃貸借契約の無効をDに対して主張することはできない。

講師からのアドバイス

本問は、事例設定が長文で解きにくく感じたかもしれないが、各肢は、おそらく**検討したことのある内容**であろう。このような場合は、選択肢を1つずつ丁寧に読んで、**落ち着いて解く**ことが重要である。

問2　正解 3　区分所有法（公正証書による規約）　難易度 B

1　✕　「公正証書を作成した時」➡「建物が完成した時（区分所有権が成立した時）」

公正証書による規約の設定は、最初に建物の専有部分の全部を所有する者ができるということからすると、**建物が完成して所有権の対象となりうる状態**を前提としているといえる。そのため、**建物が完成する前**に公正証書により規約が設定された場合において、その規約の効力が発生するのは、**建物が完成した時**（区分所有権が成立した時）である。

2　✕　「建物及び建物が所在する土地と一体として管理又は使用されるものでなければならない」

公正証書による規約で、**規約敷地について定めることができる**（区分所有法32条）。しかし、規約敷地は、建物及び建物が所在する土地と**一体として管理又は使用**をする庭、通路その他の土地でなければ定めることができない（5条1項）。

3　〇　最初に建物の専有部分の全部を所有する者（原始取得者）は、専有部分の全部を所有する間においては、公正証書による規約の設定と同様の手続により、その**規約を廃止**することもできる。

「**最初に建物の専有部分の全部を所有する者**」の例として、**区分所有建物の新築**により専有部分の全部を取得した分譲業者や、**区分所有建物ではない建物をその所有者が新たに区分**することによって、その専有部分の全部を所有することになった者をあげることができる。

4　✕　「共同で公正証書による規約を設定することはできない」

公正証書による規約の設定ができる者は、最初に建物の**専有部分の全部を所有する者**に限定されている（32条）。したがって、分譲業者と地主が**共同で公正証書による規約を設定することはできない**。

講師からのアドバイス

公正証書による規約の設定について検討の対象とすることは少ないと思われるが、「**最初に建物の専有部分の全部を所有する者**」ということから類推して考えれば、**出題の意図**が見えてくるであろう。

問3　正解 2　区分所有法（共用部分）　難易度 B

ア　〇　法定共用部分は、区分所有者全員が使用する権利を有するが、**規約で定めることにより**、特定の区分所有者や区分所有者以外の者が**排他的に使用**することを**定めることができる**。例えば、バルコニーやベランダについて特定の区分所有者に専用使用権を認める場合、建物内の電気室を電力会社が排他的に利用する場合であ

る。

イ ✕ **「管理所有の場合を除いて、区分所有者以外の者は共用部分を所有できない」**
共用部分は区分所有者全員の共有に属するが（区分所有法11条１項）、**規約で別段の定めをすることにより、管理者又は区分所有者を所有者と定めることができる**（同２項）。管理者以外の区分所有者でない者はここに含まれていないので、共用部分を所有することはできない。

ウ ✕ **「議決権の割合は、規約により、その過半数まで減ずることができる」**
➡「できない」
共用部分の変更（その形状又は効用の著しい変更を伴わないものを除く）は、**区分所有者及び議決権の各４分の３以上**の多数の集会の決議で決する（17条１項本文）。そして、この**区分所有者の定数**は、規約でその**過半数まで減ずることができる**が（同ただし書）、議決権の割合は過半数まで減ずることはできない。

エ ◯ **一部共用部分**とは、共用部分のうち、**一部の区分所有者のみの共用に供されるべきことが明らかなもの**をいう（３条後段）。一部の区分所有者のみの共用に供されるべきことが明らかな共用部分であるかは、**建物の構造及び機能上の見地から判断される**ので、規約により一部共用部分とすることはできない。

一部共用部分は、これを**共用すべき区分所有者の共有**に属するが（11条１項ただし書）、この**共有関係**については、**規約で別段の定め**をすることができる（同２項）。

したがって、誤っているものは、**イ・ウ**の二つであり、正解は肢**2**となる。

講師からのアドバイス
共用部分については、①**規約によって共用部分として認められる場合**、②その**管理方法**というように整理して理解・記憶しておくようにしよう。

問４ 正解 3 区分所有法（管理者）

難易度 B

ア ◯ **管理者は区分所有者である必要はない**（区分所有法25条参照）。そして、管理者は、規約に特別の定めがあるときは、共用部分を所有することができる（**「管理所有」**27条１項）。したがって、**区分所有権を有していない**管理者であっても、**管理所有をすることができる**。

イ ✕ **「省略は認められない」**
管理者は、少なくとも**毎年一回集会を招集**しなければならない（34条２項）。そして、管理者は、集会において、**毎年一回一定の時期**に、その**事務に関する報告をしなければならない**（43条）。これらの規定について、区分所有者全員の合意があれば省略できるとする規定はない。

ウ ○ 管理者は、その職務に関し、区分所有者を代理する（26条２項）。そして、管理者は、**規約又は集会の決議により**、その職務に関し、区分所有者のために、原告又は被告となることができる（同４項）。管理者が、原告又は被告となるためには、その職務に関する場合でも**規約**又は**集会の決議**が必要である。

エ ○ 区分所有者は、規約に別段の定めがない限り、**集会の決議**によって、**管理者**を選任し、又は**解任**することができる（25条１項）。そして、**解任事由**には**特に限定はない**。したがって、Ａに不正な行為その他その職務を行うに適しない事情がないときでも、集会の決議によって、Ａを解任することができる。

管理者の解任について「**不正な行為その他その職務を行うに適しない事情**があるとき」との限定があるのは、**区分所有者**が管理者の解任を**裁判所に請求する場合**である。

したがって、正しいものは、**ア・ウ・エ**の三つであり、正解は肢**3**となる。

講師からのアドバイス

個数問題で問われることを想定して、**管理者の職務と権限**について、しっかり整理しておこう。

問5 正解 1 区分所有法（管理組合法人）

1 ○ 管理組合法人の財産をもってその**債務を完済することができないとき**は、区分所有者は、区分所有法14条で定める**共用部分の持分の割合**と同一の割合で、その債務を**弁済しなければならない**（区分所有法53条１項本文）。ただし、**規約**で建物並びにその敷地及び附属施設の**管理に関する経費**について**負担の割合が定められているとき**は、**その割合による**（同ただし書、29条１項ただし書）。

2 × **「規約の定めによらなければならない」➡「集会の決議によらなければならない」**
管理組合法人の事務は、区分所有法の法律に定めるもののほか、すべて**集会の決議によって行う**とされているが、**規約**により**理事その他の役員が決する**ものとすることができる。しかし、区分所有法に**集会の決議につき特別の定数が定められている事項**及び**義務違反者に対する行為の停止等を請求する訴訟の提起**は、**必ず集会の決議**によらなければならない（52条１項）。

管理組合法人の事務を規約によって理事等に委ねる場合でも、すべての事務を**一括して委ねることはできない**。

3 × **「委任は、規約の定め又は集会の決議によらなければならない」**

➡「規約の定め又は集会の決議により禁止されていなければ委任できる」
理事は、規約又は集会の決議によって禁止されていないときに限り、特定の行為の代理を他人に委任することができる（49条の3）。したがって、規約又は集会の決議で禁止されていなければ、規約又は集会の決議によらなくても特定の行為を委任することができる。

4 ✕ **「解任された理事は職務継続義務を負わない」**
理事が欠けた場合又は規約で定めた理事の員数が欠けた場合には、任期の満了又は辞任により退任した理事は、新たに選任された理事が就任するまで、なおその職務を行う義務を負うが（49条7項）、解任された理事はこの義務を負わない。

管理組合法人に関する出題は、**条文の基本的な内容**を問うものが多いので、テキストや条文を参照することにより、**知識を正確にインプット**しておく必要がある。

問6 正解 4 区分所有法（集会の招集） 難易度 A

1 ✕ **「定数を区分所有者の6分の1以上で議決権の5分の1以上とすることができる」**
区分所有者の5分の1以上で議決権の5分の1以上を有するものは、管理者に対し、会議の目的たる事項を示して、集会の招集を請求することができるが（区分所有法34条3項本文）、この定数は、規約により減ずることができる（同ただし書）。

「この定数」とは、「区分所有者の5分の1」及び「議決権の5分の1」をいうので、**規約**によって**両方**の「5分の1」という割合を**減ずることもできる**し、どちらか**一方のみ**を**減ずることもできる。**

2 ✕ **「招集通知を発する期間の伸縮は、規約によってしなければならない」**
集会の招集の通知は、会日より少なくとも1週間前に、会議の目的たる事項を示して、各区分所有者に発しなければならないが（35条1項本文）、この期間は、「規約」で伸縮することができる（同ただし書）。集会の決議によることはできない。

3 ✕ **「集会の招集手続の省略には、区分所有者全員の同意が必要」**
集会は、区分所有者の全員の同意がある場合には、招集手続を経ないで開くことができるが（36条）、規約で定めることによって、集会の招集手続を省略することはできない。

4 〇 管理者は、集会において、毎年1回一定の時期に事務の報告をしなければならないので（43条）、この事務の報告のための集会を毎年一定の時期に招集しなければならない。

講師からのアドバイス

集会の招集については、まず、**招集する主体**が誰であるのかを**確認する必要がある**。法人化されていない管理組合で管理者がいる場合は管理者であり、管理者がいないときは、区分所有者及び議決権の５分の１以上を有するものが招集する。また、法人化されている管理組合では、理事が招集する。これを出発点として、招集手続をまとめていくとよい。

問7　正解 1　区分所有法（区分所有者・占有者）　難易度 B

両者にあてはまるものを○、あてはまらないものを×とする。

ア　○　「両者についてあてはまる」

占有者は、建物又はその敷地若しくは附属施設の使用方法につき、区分所有者が**規約**又は**集会の決議**に基づいて負う義務と**同一の義務を負う**（区分所有法46条２項）。

占有者が負う使用方法についての義務は、**専有部分の使用方法**についての義務、**共用部分**、**敷地**及び**附属施設の使用方法**についての義務が含まれる。

イ　○　「両者についてあてはまる」

区分所有者が共同の利益に反する行為をしたときは（６条１項）、他の区分所有者の全員又は管理組合法人は、**集会の決議**により当該行為の**停止を請求する訴訟**を提起することができる（57条１項・２項）。また、占有者が共同の利益に反する行為をしたときは（６条３項・１項）、他の区分所有者の全員又は管理組合法人は、**集会の決議**により当該行為の**停止を請求する訴訟**を提起することができる（57条４項・１項・２項）。

ウ　×　「区分所有者のみにあてはまる」

規約で定めることにより、共用部分の所有者とすること（**管理所有**）ができるのは、**区分所有者又は管理者**である。本肢では、管理者以外の者とされているので、区分所有者でも管理者でもない**占有者は共用部分の所有者とすることはできない**（11条２項ただし書、27条１項）。

エ　×　「区分所有者のみにあてはまる」

区分所有者の５分の１以上で議決権の５分の１以上を有するものは、管理者に対し、会議の目的たる事項を示して、集会の招集を請求することができるが（34条３項本文）、**占有者には集会の招集請求権は認められていない**。

したがって、**両者についてあてはまるものはアとイ**であり、**正解は肢1**となる。

講師からのアドバイス

建物の管理又は使用に関する団体的拘束は**占有者にも及ぶ**という観点から考えると、判断がつきやすい。

問8 正解 2 判例（共同の利益に反する行為） 難易度 A

1 ×「規約により、排除することができる」➡「排除できない」

区分所有法６条は**強行規定**であり、**規約**によって**変更**し、その適用を**排除**することはできない。

「共同の利益に反する行為」を**規約**によって**具体的に定め**、その**違反に対する制裁内容**を併せて**定めることはできる。**

2 ○「建物の管理又は使用に関してなされたものであるかは要件とならない」

判例は、**行為が建物の管理又は使用に関してなされたものであるかを問題とせず**、Ａの行為が、「管理組合の業務の遂行や運営に支障が生ずるなどして**マンションの正常な管理又は使用が阻害される場合**」には、**共同利益背反行為**に**該当**するとしている。

3 ×「建物の不当毀損行為、不当使用行為でなくても、共同利益背反行為に該当しうる」

肢**2**の解説参照。判例は、建物の不当毀損行為、不当使用行為、プライバシーの侵害、ニューサンス（深夜のカラオケ等）以外に、「**マンションの正常な管理又は使用が阻害される場合**」について、**共同利益背反行為に該当しうる**としている。

4 ×「区分所有法第57条第１項に基づく差止請求はすることができない」
➡「できる」

共同利益背反行為により不利益を受けた個々の区分所有者は、その有する区分所有権若しくは共有持分又は人格権に基づいて、差止請求や損害賠償請求をすることができるが、**区分所有法57条に基づく差止請求**は、**これらの請求権**とは**別個独立**のものとして請求することができる。

講師からのアドバイス

区分所有法６条により、区分所有者の**共同の利益に反する行為**が**禁止**され、その**禁止違反行為**について**義務違反者に対する措置**がなされるということを再度確認しておこう。

問9 正解 1 区分所有法（復旧等） 難易度 B

ア × 「売り渡すべき」➡「買い取るべき」

大規模滅失が生じた場合において、建物の一部が滅失した日から**6ヵ月以内**に復旧及び建替えの**決議がないとき**は、各区分所有者は、他の区分所有者に対し、建物及びその敷地に関する権利を**時価で買い取るべきことを請求**することができる（区分所有法61条12項）。他の区分所有者に対する売渡請求は認められていない。

イ ○ 区分所有者は、大規模滅失が生じたことにより、自己の専有部分が失われたとしても、**区分所有権が消滅するわけではなく**、区分所有者として扱われる。共用部分の共有持分や敷地に関する権利は失われていないからである。したがって、それらについて買取請求権を行使できる（61条7項）。

ウ × 「各過半数」➡「各4分の3以上の多数」

大規模滅失における滅失した**共用部分の復旧**は、集会の**特別決議**で決することができる（61条5項）。区分所有者及び議決権の各過半数による集会の決議では足りない。

建物の一部が滅失して、その滅失部分の価格割合が2分の1を超えていれば**大規模一部滅失**となる。この場合、滅失部分における**専有部分と共用部分との比率**は**問題とされない。**

エ × 「用途や構造を変えることはできない」➡「変えることができる」

大規模滅失の場合において、集会の決議に基づいて滅失した共用部分を復旧するときは、滅失前の状態に回復することができるだけでなく、**建物の用途や構造を変える**こともできる。復旧する旨の決議が区分所有者及び議決権の各4分の3以上の多数でなされることから（61条5項）、共用部分の変更（17条1項）に相当するものであってもすることができるのである。

したがって、**正しいもの**は、**イの一つ**であり、**正解は肢1**となる。

講師からのアドバイス

復旧の問題については、**滅失の程度**と**復旧の対象**を正確に把握して解くことがポイントである。

問10 正解 1 区分所有法（団地） 難易度 A

1 × 「当該建物の区分所有者及び議決権の各4分の3以上の多数」
➡「各5分の4以上の多数」

団地内に建替える建物が２以上あるときは、当該２以上の建物の団地建物所有者は、**各建物の団地建物所有者の合意**により、当該２以上の建物の建替えについて**一括して建替え承認決議**に付することができる（区分所有法69条６項）。この場合、**建替える建物が専有部分のある建物**であるときは、当該建物の建替えを会議の目的とする集会において、当該建物の**区分所有者及び議決権の各５分の４以上**の多数で、当該２以上の建物の建替えについて**一括して建替え承認決議**に付する旨の決議をすることができる（69条７項）。

2 ○ 団地内の専有部分のある建物を建替える場合、その**建替え決議**（62条１項）又はその**区分所有者の全員の同意**が必要であり、団地管理組合又は団地管理組合法人の**集会**において**議決権の４分の３以上の多数による承認**を得なければならない（69条１項１号）。

3 ○ **団地内の区分所有建物**の**一括建替え決議**を行うためには、団地内の各区分所有建物が、**団地管理組合の規約**の定めにより**管理の対象**とされていなければならない（70条１項本文）。

4 ○ 団地内の建物の建替えが**他の建物の建替えに特別の影響を及ぼすべきとき**は、建替え承認決議の集会において、他の建物が**専有部分のある建物である場合**は、**他の建物の区分所有者全員の議決権の４分の３以上**の議決権を有する区分所有者の賛成を得なければならず、他の建物が**専有部分のある建物以外の建物である場合**は、当該**他の建物の所有者の賛成**を得なければならない（69条５項）。

他の建物の建替えは、当該特定建物の建替えと**同時期**になされる場合と**将来的**になされる場合の**いずれでもよい**。

講師からのアドバイス

団地内の建物の建替えに**必要な手続**、**決議の要件**をしっかり整理して覚えておく必要がある。

問11　正解 4　被災マンション法・民法（区分所有建物の一部滅失）　難易度 C

1 ○ 区分所有者は、区分所有者集会において、**区分所有者、議決権及び敷地利用権の持分の価格の各５分の４以上の多数**で、当該**区分所有建物及びその敷地**（これに関する権利を含む）を**売却する旨の決議**をすることができる（被災マンション法９条１項）。そして、**敷地利用権が賃借権である場合**には、その譲渡について**借地権設定者の承諾**が必要となる（民法612条１項）。

2 ○ 政令指定災害により区分所有建物の一部が滅失した場合、区分所有者は、建物敷地売却決議（被災マンション法９条）、建物取壊し敷地売却決議（10条）、及び取壊し決議（11条）のいずれかをすることができるが、これらの決議をするための区分所有者集会は、その政令の施行の日から起算して1年を経過する日までの間を会日としなければならない（7条）。

建物敷地売却決議、**建物取壊し敷地売却決議**では、**区分所有者**、**議決権**及び**当該敷地利用権の持分**の価格の**各5分の4以上**の多数の決議、**取壊し決議**では、**区分所有者**及び**議決権**の**各5分の4以上**の決議が必要となる。

3 ○ 建物取壊し敷地売却決議においては、①区分所有建物の**取壊しに要する費用の概算額**、②その**費用の分担に関する事項**、③**建物の敷地の売却の相手方**となるべき者の**氏名又は名称**、④建物の敷地の**売却による代金の見込額**を決議で定めなければならない（10条2項）。

4 × **「取壊し決議については、敷地利用権の持分の価格は問題とならない」**
区分所有者は、区分所有者集会において、**区分所有者及び議決権**の**各5分の4以上の多数**で、当該区分所有建物を**取り壊す旨の決議**をすることができる（11条1項）。**取壊し決議では、敷地の売却は行われない**ので、「敷地利用権の持分の価格」の割合は問題とされない。

講師からのアドバイス

被災マンション法に基づいてすることのできる**決議の内容**を、その**要件とともに整理**しておこう。

問12 正解3 民法・判例（制限行為能力者） 難易度A

1 ○ 保佐人は、被保佐人の「重要な財産上の行為」について**同意権**が付与されているため、取消権も有しており、また、制限行為能力者である**被保佐人自身**も、**取消権を有している**（民法120条1項）。

保佐人には、同意権、取消権、追認権はあるが、**代理権はない**。ただし、被保佐人の申立て又は同意を要件として、当事者等が申し立てた**特定の法律行為**について**家庭裁判所**が**代理権を付与**することができる（876条の4）。

2 ○ 成年後見人は、成年被後見人に代わって、その**居住の用に供する建物**又は**その敷地**について、**売却**、**賃貸**、**賃貸借の解除**又は**抵当権の設定**その他これらに準ずる処分をするには、**家庭裁判所の許可**を得なければならない（859条の3）。

3 × **「A本人は、…取り消すことができない」➡「取り消すことができる」**
成年被後見人は事理弁識能力を欠く常況にあるので（7条）、同意を与えてもその同意に基づく法律行為をすることが期待できない。そのため、成年後見人には**同意権が付与されておらず**、成年被後見人の法律行為については、成年後見人の同意の有無を問わず、**日常生活に関する法律行為以外**はすべて取り消すことができる（9条）。また、取消権は、制限行為能力者本人も行使することができる（120条1項）。

4 ○ 未成年者が法定代理人の同意を得ずに単独で法律行為をした場合、その法律行為は、原則として**取り消すことができる**（5条1項・2項）が、制限行為能力者が行為能力者であることを信じさせるため**詐術を用いたときは**、その行為を**取り消すことができない**（21条）。判例は、**単に制限行為能力者であることを黙秘しているだけでは詐術にあたらない**が、黙秘していたことが**他の言動と相まって、相手方を誤信させ、又は誤信を強めた**ものと認められる場合には、**詐術**にあたり、制限行為能力者はその行為を取り消すことができないとしている。

講師からのアドバイス

各制限行為能力者がした行為のうち、**取消しの対象となるものや取消しができない場合**について確認しておこう。

問13 正解 2 民法（相隣関係）

難易度 C

1 ○ **土地の所有者**は、他の土地に設備を設置しなければ電気、ガス又は水道水の供給その他これらに類する継続的給付を受けることができないときは、**継続的給付を受けるため必要な範囲内**で、**他の土地に設備を設置**することができる（民法213条の2第1項）。

2 × **「所有者に催告した上で、相当の期間内に切除されないときは、切除することができる」**

土地の所有者は、隣地の竹木の**枝が境界線を越えるとき**は、その竹木の所有者に、その枝を**切除させることができる**が、竹木の所有者に枝を切除するよう**催告したにもかかわらず**、竹木の所有者が**相当の期間内**に切除しないときは、**土地の所有者**がその枝を**切除することができる**（233条1項、3項1号）。

土地の所有者が切除する場合、枝の切除のため**必要な範囲内**で**隣地を使用**することができる（209条1項3号）。

3 ○ **土地の所有者**は、**隣地の所有者**と**共同の費用**で、**境界標を設置することができる**（223条）。この**境界の設置**及び**保存の費用**は、**相隣者**が**等しい割合で負担する**（224条）。

4 ○ **土地の所有者**は、**境界**又は**その付近**における**障壁**、**建物**その他の**工作物の築造**、**収去**又は**修繕**のため**必要な範囲内**で、**隣地**を**使用**することができる（209条1項本文）。

この場合でも、**住家**については、その**居住者の承諾**がなければ、立ち入ることはできない（同ただし書）。

講師からのアドバイス

細かな論点ではあるが、**令和５年施行**の**改正点**であるので、押さえておく必要がある。

問14　正解２　民法（債務不履行）

難易度 A

1　✕　「催告することなく…解除できる」➡「催告して、解除できる」

ＡがＢに201号室の売買代金を支払ったが、ＢがＡに201号室を引き渡さない場合、Ａは、Ｂに相当の期間を定めてその履行の**催告**をし、その**期間内に履行がないときは**売買契約を**解除することができる**のであり（民法541条）、催告することなく解除することはできない。

2　○　双務契約の当事者の一方は、**相手方がその債務の履行を提供するまでは、自己の債務の履行を拒むことができる**ので（「**同時履行の抗弁権**」533条）、支払期日にＡがＢに201号室の売買代金を支払わない場合、Ｂは、同時履行の抗弁権を主張して、売買代金の支払いがあるまで201号室の引渡しを拒否することができる。

同時履行の抗弁権がある場合には、相手方がその債務の履行を提供するまでは、自分の債務の履行を拒絶することができ、その間は**履行遅滞とならない。**

3　✕　「解除しなければ…請求できない」➡「解除しなくても…請求できる」

売買契約の目的物である201号室がＢの過失による火災によって滅失していることから、201号室の引渡し債務の**履行が不能**になっている。したがって、ＡはＢに対して**債務不履行による損害賠償請求をする**ことができる（415条１項）。この場合、Ａは、**解除せずに損害賠償請求をすることもできる**し、**解除して損害賠償請求することもできる**（545条４項）。

4　✕　「支払わなければならない」➡「支払いを拒むことができる」

本肢においては、売買契約の目的物である201号室が「債務者の責めに帰することができない事由」である地震により滅失している。この場合、Ａが売買契約を解除しなければ、**契約関係は存続する**ので、Ｂは代金支払請求権を行使し得るが、Ａは、その**支払いを拒むことができる**（536条１項）。

講師からのアドバイス

売主が買主に目的物を引き渡す前に、当事者双方の帰責事由に基づかずにその債務の履行が不能となった場合、買主は、売主からの**代金支払請求を拒むことができる**。また、契約を解除することにより、債務を確定的に消滅させることもできる。

問15 正解 4 民法（不法行為） 難易度 A 得点すべし!!

1 ✕ 「相殺することができる」➡「相殺できない」

人の生命又は身体の侵害による損害賠償の債務を負っている債務者は、原則として、相殺をもって債権者に対抗することができない（民法509条２号）。

2 ✕ 「負うことはない」➡「注文又は指図に過失があれば負う」

注文者は、請負人がその仕事について第三者に加えた損害を賠償する責任を負わないのが原則であるが（716条本文）、注文又は指図についてその注文者に過失があったときは、損害を賠償する責任を負う（同ただし書）。

3 ✕ 「求償することはできない」➡「求償できる」

ある事業のために他人を使用する者は、被用者がその事業の執行について第三者に加えた損害を賠償する責任を負うが（「使用者責任」715条１項）、使用者が被害者に対して損害を賠償したときは、被用者に対して求償することができる（同３項）。

被用者に対する使用者の求償は、損害の公平な分担という見地から、信義則上、相当と認められる額に制限されるとするのが判例である。

4 ○ ある事業のために他人を使用する者は、被用者がその事業の執行について第三者に加えた損害を賠償する責任を負うのが原則であるが（715条１項本文）、使用者が被用者の選任及びその事業の監督について相当の注意をしたとき、又は相当の注意をしても損害が生ずべきであったときは、この責任を免れる（同ただし書）。

講師からのアドバイス

各不法行為の基本的な要件をしっかり押さえておくようにしよう。

問16 正解 3 民法・判例（債権の消滅） 難易度 B

1 ○ 併存的債務引受は、債務の引受人が、債務者と連帯して、債務者が債権者に対して負担する債務と同一の内容の債務を負担することを内容とする契約である（民法470条１項）。この併存的債務引受は、債権者と引受人となる者との契約によってすることができる（同２項）。

2 ○ 免責的債務引受は、債務者が債権者に対して負担する債務と同一の内容の債務を引受人となる者が負担し、債務者は自己の債務を免れることを内容とする契約である（472条１項）。この免責的債務引受は、債権者と引受人となる者との契約によってすることができるが（同２項）、債務者と引受人となる者が契約をし、債

権者が引受人となる者に対して**承諾**をすることによってもすることができる（同3項）。

3 ✕ 「**相殺することはできない**」➡「**できる**」

悪意による不法行為に基づく**損害賠償請求権**を、**受働債権**として**相殺することはできないが**（509条1号）、被害者であるBが、加害者であるAに対して有する損害賠償請求権を**自働債権**として、自らが負担する賃料債務と**相殺することはできる**（判例）。

「悪意による不法行為」といえるためには、単なる故意では足りず、**積極的な損害を与える意図（害意）**まで必要と解されている。

4 ○ 相殺をするには双方の**債権が弁済期にあること**が必要となるが（505条1項）、相殺をする者は、受働債権について**期限の利益を放棄**することができるので、弁済期の到来した貸金債権を有しているBは、当月分の賃料債務の10万円だけでなく、期限の利益を放棄することにより翌月分の賃料債務の10万円についても、相殺をすることができる。

講師からのアドバイス

債務引受は、平成29年の民法改正で明文化されているので、条文に即して、**基本的な要件を押さえておこう。**

問17　正解 1　民法・品確法・宅建業法（契約不適合責任）　難易度 B

ア ✕ 「**担保責任を負う**」➡「**担保責任を負わない**」

売買契約における契約不適合責任は、契約当事者である売主の買主に対する責任であり、目的物が転売された場合に、元の売主は、契約当事者の関係にない転得者に対しては、**直接に担保責任を負わない**（民法562～564条等参照）。

イ ✕ 「**適用はない**」➡「**適用がある**」

品確法が適用される売買契約についても、宅建業法40条（契約不適合責任についての特約の制限）の規定の**適用が排除されるわけではない**。

ウ ✕ 「**追及することができない**」➡「**追及することができる**」

当該新築住宅が請負人から売主に引き渡されたものである場合、買主は売主に対して、**品確法による売主の契約不適合責任を追及**することができる（品確法95条1項、民法415条、541条、542条、562条、563条）。また、売主は注文者として、請負人に対して、**請負人の担保責任**を追及することができる（品確法94条1項）。

売買契約の目的である新築住宅が、**住宅新築請負契約**に基づき、請負人から売主に引き渡されたものである場合、**買主の品確法の責任追及期間**は、**請負人が売主に引き渡した時から10年**となる（品確法95条１項かっこ書）。

エ　○　品確法における「**新築住宅**」とは、**新たに建設された住宅**で、**まだ人の居住の用に供したことのないもの**（建設工事の完了の日から起算して**１年を経過したものを除く**）をいう（２条２項）。本肢の甲は、工事完了の日から起算して１年を経過しているので、契約不適合責任の対象となる新築住宅には該当しない。

したがって、**正しいものは**、**エの一つ**であり、**正解は肢１**となる。

講師からのアドバイス

契約不適合責任に関する民法と宅建業法の複合問題は、「担保責任についての特約の制限」（担保責任の通知期間を**目的物の引渡しの日から２年以上とする特約を除き、買主に不利となる特約をしてはならず、これに反する特約は無効**）が前提となる。再度、確認しておこう。

問18　正解 1　不動産登記法　難易度 C

1　○　敷地権付き区分建物についての**所有権に係る仮登記**であって、区分建物に関する**敷地権の登記をした後に登記されたもの**であり、かつ、その**登記原因が当該建物の当該敷地権が生ずる前に生じたもの**は、**建物についてのみ効力を有する**登記として登記することができる（不動産登記法73条１項２号）。区分建物の敷地権が生ずる「**前**」においては、専有部分と敷地利用権の**分離処分が禁止されていない**。そのため、敷地権が生ずる「**前**」**の時点において登記原因**が生じていた所有権に係る仮登記については、**敷地権の登記がされた後**であっても、例外的に、**区分建物のみ**を目的として登記をすることができる。

2　×　**「区分建物の敷地権が生ずる前に登記原因が生じたものは登記可能」**
敷地権付き区分建物には、原則として、当該建物のみを目的とする担保権（一般の先取特権・質権・抵当権）に係る権利に関する登記をすることはできない（73条３項本文、１項）。ただし、区分建物のみを目的とする「**質権**」又は「**抵当権**」に係る権利に関する登記であって、当該建物の**敷地権が生ずる**「**前**」に**その登記原因**が生じたものは、当該**建物のみ**を目的とする登記が可能である（同３項ただし書）。肢１と同様、区分建物の敷地権が生ずる前の時点において登記原因が生じていた質権又は抵当権については、敷地権の登記がされた後であっても、例外的に、区分建物のみを目的として登記をすることが認められている。

一般の先取特権は、債務者の「**総財産**」を目的とする（民法306条）。すなわち、敷地権の登記がされた後であれば、「**区分建物のみ**」「**土地のみ**」について登記をする**実益がない**。そのため、一般の先取特権は、その原因が敷地権の登記がされる前に生じていたとしても、区分建物と敷地権をセットにして登記をすることになる。

3 ✕ 「承諾を得る必要はない」➡「承諾を得る必要がある」

区分建物にあっては、**表題部所有者から所有権を取得した者も、所有権の保存登記を申請することができる**。この場合において、**当該建物が敷地権付き区分建物であるときは、当該敷地権の登記名義人の承諾を得なければならない**（74条２項）。

4 ✕ 「移転登記をすることができる」➡「移転登記をすることはできない」

敷地権の登記がされた後においては区分建物と敷地権が**一体化**するため、敷地権である旨の登記をした土地には、**敷地権の移転の登記をすることができず**、また、敷地権付き区分建物には、当該**建物のみの所有権の移転**を登記原因とする**所有権の登記をすることはできない**ので、区分建物と敷地権とをそれぞれ別の相続人とする相続を原因とする所有権の移転登記をすることはできない（73条２項本文・３項本文）。したがって、区分建物と敷地権とをそれぞれ別の相続人とする相続を原因とする所有権の移転登記をすることはできない。

講師からのアドバイス

敷地権が生ずる「**前**」（敷地権の登記がされる前）においては、専有部分と敷地利用権が一体化しておらず、「**分離処分が禁止されていない**」ため、**それぞれ自由に処分可能**という観点から検討してみよう。

問19　正解 2　建替え等円滑化法　難易度 B

1 ✕ 「審査委員全員の同意」➡「審査委員の過半数の同意」

組合は、**敷地権利変換計画**を定め、又は**変更しようとするとき**（国土交通省令で定める軽微な変更をしようとする場合を除く）は、**審査委員の過半数の同意**を得なければならない（建て替え等円滑化法198条）。

建替組合、敷地売却組合、敷地分割組合とも、**審査委員**を**３名以上総会で選任**しなければならないとされている。

2 ○ 組合の設立規定による**認可を申請しようとする敷地分割合意者**は、組合の設立について、**敷地分割合意者の４分の３以上の同意**（同意した者の当該団地内建物の**敷地又はその借地権の共有持分の割合による議決権**の合計が**敷地分割合意者の議決権の合計の４分の３以上**となる場合に限る）を得なければならない（168条２項、115条の４第２項）。

3 ✕ 「事業計画の変更については、出席者の議決権の過半数で決する」
定款の変更及び事業計画の変更のうち政令で定める**重要な事項**は、**組合員の議決権及び分割実施敷地持分**（分割実施敷地に存する建物（専有部分のある建物にあっては、専有部分）を所有するための当該分割実施敷地の所有権又は借地権の共有持分をいう）の割合の**各4分の3以上**で決する（179条）。そして、ここにいう重要な事項とは、**事業に要する経費の分担に関する事項**と**総代会の新設又は廃止**をいう（施行令40条）。**その他の定款の変更**及び**事業計画の変更**については、**出席者の議決権の過半数**で決する（建替え等円滑化法178条、29条1項）。

4 ✕ 「同時に他の組合員を代理することはできない」➡「4人までは代理できる」
組合員は**書面又は代理人**をもって**議決権及び選挙権**を行使することができる（建替え等円滑化法182条2項）。そして、代理人は、**同時に5人以上**の組合員を代理することができないとされているので、4人までは同時に代理することができる（同6項）。

講師からのアドバイス

新たに規定された**敷地分割事業**は令和3年の本試験で出題されたが、**再出題の可能性**もあるので、他の事業と比較しながら、しっかり理解しておこう。

問20 正解 3 都市計画法（地域地区） 難易度 C

1 ○ 市街化区域及び区域区分が定められていない都市計画区域については、少なくとも**道路、公園**及び**下水道**を定める（都市計画法13条1項11号）。

第一種低層住居専用地域、第二種低層住居専用地域、第一種中高層住居専用地域、第二種中高層住居専用地域、第一種住居地域、第二種住居地域、準住居地域及び田園住居地域については、**義務教育施設**も定める必要がある。

2 ○ 地区計画は、用途地域が定められている土地の区域又は一定の要件を満たす用途地域が定められていない土地の区域で定めることができる（12条の5第1項）。

3 ✕ 「市町村が…都道府県知事に」➡「都道府県が…国土交通大臣に」
都市計画区域は、**都道府県**が、あらかじめ、**関係市町村**及び**都道府県都市計画審議会**の意見を聴くとともに、**国土交通大臣に協議**し、その**同意**を得て**指定する**（5条3項）。市町村が都市計画区域を指定するのではない。

4 ○ **第二種住居地域、準住居地域**若しくは**工業地域**が定められている土地の区域又は用途地域が定められていない土地の区域（市街化調整区域を除く。）には、**開発整備促進区**を都市計画に定めることができる（12条の5第4項4号）。

講師からのアドバイス

近年の都市計画法の問題では、**都市施設**の設置や**地区計画**の問題が出題されている。マイナー論点ではあるが注意しよう。

問21 正解 2 建築基準法（総合）

1 ○ **給水管、配電管**その他の管が**界壁を貫通する場合**においては、当該管と準耐火構造の防火区画とのすき間をモルタルその他の**不燃材料**で埋めなければならない（建築基準法施行令114条５項）。

2 × **「直ちに」➡「相当の猶予期限を付けて」**
特定行政庁は、一定の建築物について、損傷、腐食その他の劣化が進み、そのまま放置すれば**著しく保安上危険**となり、又は**著しく衛生上有害となるおそれがある**と認める場合においては、当該建築物の所有者等に対して、**「相当の猶予期限を付けて」**、当該建築物の除却等の**保安上又は衛生上必要な措置**をとることを勧告することができる（建築基準法10条１項）。「直ちに」措置をとることを勧告することができるわけではない。

3 ○ **昇降機等の所有者**（所有者と管理者が異なる場合においては、**管理者**）は、昇降機等について、定期に、**一級建築士**若しくは**二級建築士**又は**昇降機等検査員資格者証の交付を受けている者**に検査をさせて、その結果を特定行政庁に報告しなければならない（12条３項、施行規則６条の６）。

一級建築士・二級建築士の他に、建築設備は、**建築設備検査員**資格者証の交付を受けている者が、防火設備は、**防火設備検査員**資格者証の交付を受けている者が検査をすることができる。

4 ○ **防火地域**又は**準防火地域内**にある建築物で、**外壁が耐火構造**のものについては、その**外壁を隣地境界線に接して設けることができる**（63条）。

講師からのアドバイス

定期検査、防火地域・準防火地域の規制等は繰り返し出題されているので注意しよう。

問22 正解 4 水道法（簡易専用水道の検査）

1 ○ 簡易専用水道に係る施設及びその管理の状態に関する検査では、水槽だけでなく、その**周辺の清潔の保持**についての検査も行う（平成15年厚生労働省告示262

号第３の１の２）。

2 ○ **簡易専用水道の検査の登録を受けた者**は、簡易専用水道の管理の検査を行うことを求められたときは、正当な理由がある場合を除き、遅滞なく、**簡易専用水道の管理の検査を行わなければならない**（水道法34条の３）。

3 ○ 給水栓における、臭気、味、色、色度、濁度、残留塩素に関する検査は、あらかじめ給水管内に**停滞していた水が新しい水に入れ替わる**まで放流してから採水して行う必要がある（告示262号別表２備考）。

停滞していた水は**残留塩素**の効果が薄れているので、入れ替えて検査を行う必要がある。

4 × **「水を抜いた上で」➡「水を抜かずに」**

簡易専用水道に係る施設及びその管理の状態に関する検査は、簡易専用水道に係る施設及びその管理の状態が、当該簡易専用水道の**水質に害を及ぼすおそれのあるものであるか否か**を検査するものであり、当該簡易専用水道に設置された**水槽の水を抜かずに**検査を行うものとする（告示262号第３の１）。

水槽の水を抜いてしまうと、水槽内の**浮遊物**や**沈積物**が流れてしまい、水槽の管理状態が分からなくなってしまうからである。

講師からのアドバイス

簡易専用水道の管理に係る検査の方法その他必要な事項の告示からの出題である。本試験では、この告示からも繰り返し出題されている。過去の出題論点は確実に答えられるようにしておこう。

問23 正解 1 消防法（消防用設備等） 難易度 A

1 ○ 共同住宅においては、その**11階以上の階**（総務省令で定める部分を除く。）に**スプリンクラー設備を設置しなければならない**（消防法施行令12条１項12号）。

2 × **「１年に１回」➡「３年に１回ごと」**

共同住宅に設置された**消防用設備等の点検を行った結果**は、**３年に１回**ごとに消防長又は消防署長に報告しなければならない（施行規則31条の６第３項２号）。

3 × **「消防設備士免状の交付を受けている者又は総務省令で定める資格を有する者」**
➡「自ら点検」

延べ面積「**1,000㎡以上**」の共同住宅は、定期に**消防設備士免状の交付を受けている者又は総務省令で定める資格を有する者に点検**させなければならないが、**その他**のものにあっては「**自ら点検**」し、その結果を**消防長又は消防署長に報告**しなければならない（消防法17条の３の３）。

4 ✕ 「500㎡以上」➡「700㎡以上」
共同住宅で、原則として、延べ面積が「**700㎡**」**以上**のものについては、**屋内消火栓設備**を階ごとに設置するものとされている（消防法施行令11条１項２号）。

屋内消火栓は火災の**初期消火**を目的としたもので、居住者が操作して使用する設備である。

講師からのアドバイス

消防用設備等は頻出論点である。**点検の頻度**や**設置基準**は確実に覚えておこう。

問24 正解 1 警備業法

ア ○ 警備業者及び警備員は、警備業務を行うに当たっては、内閣府令で定める**公務員の法令に基づいて定められた制服**と、**色、型式又は標章**により、**明確に識別することができる服装**を用いなければならない（警備業法16条１項）。

明確に識別することができる服装には以下のものが該当する
① 当該服装の色彩が**警察官等の制服の色彩と明らかに異なる**もの
② 当該服装の型式が詰襟その他**警察官等の制服の型式と明らかに異なる**もの
③ **警備員であることを示す相当程度の大きさの標章**を当該服装に見やすい場所に付けているもの

イ ○ 警備業者は、**警備業務を行おうとする都道府県の区域**を管轄する**公安委員会**に、当該公安委員会の管轄区域内において警備業務を行うに当たって**携帯しようとする護身用具の種類、規格**その他内閣府令で定める事項を記載した**届出書を提出しなければならない**（17条２項、16条２項）。

ウ ○ **機械警備業務**とは、**警備業務用機械装置**を使用して行う警備業務をいう。そして警備業務用機械装置は、**警備業務対象施設に設置する機器**により感知した盗難等の事故の発生に関する情報を当該**警備業務対象施設「以外」の施設に設置する機器**に送信し、及び受信するための装置をいう（２条５項）。したがって、施設内に設けた受信機で受信するものは機械警備業務に含まれない。

プラスα

機械警備とは、人を配置して警備をする有人警備ではなく、**センサー等の機械**を設置することで**無人警備**を行うことをいう。マンションの入口等に、人感センサー、センサー付きカメラ、赤外線センサー等を設置して行われる。

エ ✕ 「説明させなければならない」➡「説明は不要である」
警備業者は、警備業務の依頼者と警備業務を行う契約を締結しようとするときは、当該契約を締結するまでに、内閣府令で定めるところにより、当該契約の概要について記載した書面をその者に交付しなければならない（19条１項）。しかし、機械警備業務管理者をして説明をさせなければならない旨の規定は存在しないため、説明は不要である。

したがって、誤っているものは**エ**の一つであり、正解は肢**1**となる。

講師からのアドバイス

警備業法は条文だけでなく、**解釈運用基準**からも出題されている。やや細かい論点ではあるが押さえておこう。

問25　正解 2　標準管理規約（保存行為）

難易度 A

適切なものを○、適切でないものを×とする。

1 ○ 区分所有者は、専用使用部分の**通常使用に伴う保存行為又はあらかじめ理事長に申請して書面による承認を受けた**場合を除き、敷地及び共用部分等の**保存行為を行うことができない**（標準管理規約21条３項）。そして、理事長は、保存行為の承認の申請について、**理事会の決議**により、その**承認又は不承認を決定しなければならない**（21条４項、17条３項）。

平時における**専用使用権のない敷地又は共用部分等の保存行為**について、**理事会の承認を得て理事長が行えるとする**ことや、**少額の保存行為であれば理事長に一任する**ことを、**規約において定めることも考えられる**。その場合、**理事長単独で判断し実施することができる保存行為に要する費用の限度額について、予め定めておくこ**とも考えられる（21条関係コメント⑪）。

2 × **「管理組合の責任と負担」➡「工事を発注した区分所有者の責任と負担」**
理事長の承認を受けた修繕等の工事後に、当該工事により共用部分又は他の専有部分に影響が生じた場合は、**当該工事を発注した区分所有者**の責任と負担により必要な措置をとらなければならない（17条６項）。

3 ○ 共用部分の配管の取替えと専有部分の配管の取替えを**同時に行う**ことにより、専有部分の配管の取替えを**単独で行うよりも費用が軽減される**場合には、これらについて**一体的に工事を行う**ことも考えられる（21条関係コメント⑦）。

4 ○ 共用部分のうち各住戸に附属する窓枠、窓ガラス、玄関扉その他の開口部に係る**改良工事**であって、防犯、防音又は断熱等の**住宅の性能の向上**等に資するものについて**管理組合が当該工事を速やかに実施できない場合**には、**区分所有者**は、**あらかじめ理事長に申請して書面による承認を受ける**ことにより、当該工事を当該**区分所有者の責任と負担において実施することができる**（22条２項・１項）。

講師からのアドバイス

敷地及び共用部分等の保存行為については、**必要な手続**を正確に押さえておこう。

問26 正解 4 標準管理規約（緊急時の対応） 難易度 A

適切なものを○、適切でないものを✕とする。

ア ○ **災害等の緊急時において、保存行為を超える応急的な修繕工事の実施が必要であるが、総会の開催が困難である場合には、理事会**において**その実施を決定することができる**（標準管理規約54条1項10号、21条関係コメント⑩）。

イ ○ **大規模な災害や突発的な被災**では、**理事会の開催も困難な場合がある**ことから、そのような場合には、**保存行為に限らず、応急的な修繕行為の実施まで理事長単独で判断し実施することができる**旨を、**規約**において定めることも考えられる（21条関係コメント⑩）。

ウ ○ **大規模な災害や突発的な被災**では、更に、**理事長をはじめとする役員が対応できない事態**に備え、**あらかじめ定められた方法により選任された区分所有者等の判断により保存行為や応急的な修繕行為を実施することができる**旨を、**規約**において定めることも考えられる（21条関係コメント⑩）。

イ・ウの場合において、理事長等が単独で判断し実施することができる保存行為や応急的な修繕行為に要する**費用の限度額**について、**予め定めておく**ことも考えられる（21条関係コメント⑩）。

エ ○ 理事長は、**災害、事故等**が発生した場合であって、**緊急に立ち入らないと共用部分等又は他の専有部分に対して物理的に又は機能上重大な影響を与えるおそれ**があるときは、専有部分又は専用使用部分に**自ら立ち入り**、又は**委任した者に立ち入らせる**ことができる（23条4項）。

したがって、**適切なものはア〜エの四つ**であり、**正解は肢4**となる。

講師からのアドバイス

近年の地震・水害等といった自然災害の発生を受けて、**災害等の緊急時の対応**について**出題可能性**が高まっている。本問で出題された知識をしっかり復習しておこう。

問27 正解 4 標準管理規約（総会の運営・招集） 難易度  

適切なものを○、適切でないものを×とする。

1 ○ **総会の招集通知**は、管理組合に対し**組合員が届出をしたあて先**に発するものとする。ただし、その届出のない組合員に対しては、対象物件内の専有部分の所在地あてに発するものとする（標準管理規約43条2項）。

2 ○ 肢**1**の解説参照。届出のない組合員に対しては、対象物件内の専有部分の所在地あてに招集通知を発することになるのが原則である。しかしこの場合でも、**規約**に別段の定めがあれば、**その内容を所定の掲示場所に掲示することをもって、招集通知に代えることができる**（43条3項）。

3 ○ 総会の議事については、**議長**は、**議事録を作成**しなければならない（49条1項）。そして**理事長**は、**所定の掲示場所**に、**議事録の保管場所を掲示**しなければならない（同4項）。

この議事録作成や掲示については期間制限がない。そのため、「2ヵ月以内に議事録を作成する必要がある」等と問われた場合は、誤りになる。

4 × **「監事が議長を務める」➡「このような規定はない」**
監事は、**管理組合の業務の執行及び財産の状況について不正がある**と認めるときは、**臨時総会を招集**することができる（41条3項）。しかしこの場合に、**監事が臨時総会の議長になるという規定はない**。

①**総会**の議長は、**理事長**が務めること（42条5項）、②**臨時総会**においては、議長は、総会に出席した組合員の議決権の過半数をもって、**組合員の中から**選任すること（44条3項）も押さえよう。

講師からのアドバイス

【肢1・2について】通知場所の届出がない組合員への通知方法について、正確に覚えよう。

問28 正解 1 標準管理規約（管理組合・理事会） 難易度 

適切なものを○、適切でないものを×とする。

1 ○ 理事の過半数の承諾があるときに書面又は電磁的方法による決議によることができる事項は、専有部分の**修繕等**（標準管理規約17条）、敷地及び共用部分等の**保存行為**（21条）、窓ガラス等の**改良**（22条）の**「3つ」に限られる**（53条2項、

54条１項５号）。したがって、**利益相反取引の承認又は不承認**については、理事の過半数の承諾があったとしても、**書面又は電磁的方法による決議**によることができない。

2 ✕ 「部会の決議によって理事会の決議事項を決定することはできない」

200戸を超え、役員数が20名を超えるような大規模マンションでは、理事会のみで、実質的検討を行うのが難しくなるので、理事会の中に部会を設け、各部会に理事会の業務を分担して、実質的な検討を行わせることができる。しかし、理事会の決議事項につき決定するのは、あくまで、**理事全員による理事会**である（35条関係コメント③）。

3 ✕ 「理事会の承認を得て」➡「管理組合で」

マンションやその周辺における美化や清掃、景観形成、防災・防犯活動、生活ルールの調整等で、その経費に見合ったマンションの資産価値の向上がもたらされる活動は、それが区分所有法３項の定める管理組合の目的である「建物並びにその敷地及び附属施設の管理」の範囲内で行われる限りにおいては、**管理組合**で実施可能である（32条関係コメント⑧）。したがって、理事会の承認を得るわけではない。

4 ✕ 「管理費をそれらの費用に充てることができる」➡「できない」

一部の者のみに対象が限定されるクラブやサークル活動経費、主として親睦を目的とする飲食の経費などは、マンションの**管理業務の範囲を超え、マンション全体の資産価値向上等に資するとも言い難い**ため、区分所有者全員から強制徴収する**管理費をそれらの費用に充てることは適切ではなく、管理費とは別**に、参加者からの直接の支払や積立て等によって費用を賄うべきである（27条関係コメント④）。

講師からのアドバイス

【肢３・４について】「マンションの資産価値向上」という観点から、その是非を考えてみるとよいだろう。

問29 正解 1 標準管理規約（修繕積立金） 難易度 A

適切なものを○、適切でないものを✕とする。

ア ○ **災害又は感染症の感染拡大等**への対応として、**ＷＥＢ会議システム等**を用いて会議を開催することも考えられるが、**やむを得ない場合**においては、通常総会を必ずしも「新会計年度開始以後２か月以内」に招集する必要はなく、これらの状況**が解消された後、遅滞なく招集**すれば足りると考えられる（標準管理規約42条３項関係コメント）。

イ ✕ 「管理規約の改正以外の事項は普通決議で可能である」

外部専門家役員を正式に導入するには、役員の選任、細則、契約書、報酬等に係る予算などについて、**総会決議**を経る必要がある。議決事項としては、外部専門家である候補者を役員（役職も明示）に選任する旨、必要に応じ管理規約や細則の制定・改正案、外部専門家と締結する契約書案、外部専門家の報酬に関する予算案が考えられる。これらの議決事項のうち、**管理規約の改正**は**特別多数決議**を要するが、**それ以外の事項**は、**普通決議**で可能である（外部専門家の活用のガイドライン２（２）②６))。

規約において役員の要件が「組合員のうちから」となっている場合や、理事長でない組合員が総会招集を行う場合の要件を「組合員の10分の１以上の同意」等に緩和することとする場合には、管理規約改正の決議（特別多数決議）も必要である。

ウ ✕ 「他の区分所有者である役員の善管注意義務は軽減される」➡「軽減されない」

外部専門家には、区分所有者である役員よりも**高度な善管注意義務**が課されると考えられるが、外部専門家が役員に加わった場合においても、**他の区分所有者である役員の善管注意義務が軽減されるとは限らず**、外部専門家である役員の**業務執行状況の監視**が必要であるなど、外部専門家に完全に任せきりにすべきではない（外部専門家の活用のガイドライン２（１）①)。

エ ✕ 「国家資格取得者に限られる」

➡「国家資格取得者に加え、民間資格取得者も考えられる」

外部専門家の活用パターンとして、理事長を外部専門家とすることも可能である（標準管理規約別添１①)。また、管理組合は、マンション管理士その他マンション管理に関する各分野の**専門的知識を有する者**に対し、管理組合の運営その他マンションの管理に関し、相談したり、助言、指導その他の援助を求めたりすることができる（34条)。しかし、この場合の専門的知識を有する者には、マンション管理士のほか、マンションの権利・利用関係や建築技術に関する専門家である、弁護士、司法書士、建築士、行政書士、公認会計士、税理士等の**国家資格取得者**や、区分所有管理士、マンションリフォームマネジャー等の**民間資格取得者**などが考えられる（33条及び34条関係コメント②)。

したがって、**適切なものはアの一つ**であり、**正解は肢１**となる。

講師からのアドバイス

令和５年度の本試験で初めて「外部専門家の活用のガイドライン」が出題された。本ガイドラインは、外部専門家である役員の**適正な業務運営を担保するための措置**の具体例を示すものとされている（外部専門家の活用ガイドライン１（１）①)。そのため、本ガイドラインに関する設問については、**理事会や総会による外部専門家の業務執行状況の監視・チェック機能**を確保するという観点から検討しよう。

問30　正解 2　標準管理規約（雑則等）　難易度 A

適切なものを○、適切でないものを×とする。

1 ○ 区分所有者若しくはその**同居人**又は専有部分の貸与を受けた者若しくはその同居人（以下「区分所有者等」という）が、法令、規約又は使用細則等に違反したとき、又は対象物件内における「**共同生活の秩序を乱す行為**」を行ったときは、**理事長**は、**理事会の決議を経て**その区分所有者等に対し、その是正等のため必要な勧告又は**指示**若しくは警告を行うことができる（標準管理規約67条1項）。

2 × **「総会議事録と会計帳簿の保管場所を掲示」➡「会計帳簿は不要」**
理事長は、総会議事録・理事会議事録・会計帳簿を保管しなければならない（49条3項、53条4項、64条1項）。しかし、保管場所の掲示を義務付けられているのは**総会議事録のみ**であり（49条4項）、**会計帳簿と理事会議事録に保管場所の掲示義務はない**。

理事長は、所定の掲示場所に、**規約原本等及び使用細則等の保管場所を掲示**しなければならない（72条6項）。

3 ○ 区分所有者又は利害関係人の**書面による請求**があったときは、理事長は、規約原本等の**閲覧**をさせなければならない（72条4項）。この場合において理事長は、閲覧につき、**相当の日時、場所等を指定することができる**（同5項）。

4 ○ **規約が規約原本の内容から総会決議により変更されている**とき、**理事長**は、1通の書面に、**現に有効な規約の内容と、その内容が規約原本及び規約変更を決議した総会の議事録の内容と相違ない**ことを記載し、署名した上で、この書面を保管する（72条3項）。

区分所有者全員が署名した規約がない場合には、分譲時の規約案及び分譲時の区分所有者全員の規約案に対する**同意を証する書面**又は**初めて規約を設定した際の総会の議事録**が、規約原本の機能を果たす（72条関係コメント①）。

講師からのアドバイス

【肢1について】 区分所有法上の「**義務違反者に対する措置**」と混乱しがちである。しっかりと区別して理解しよう。

問31　正解 2　標準管理規約・個人情報保護法（個人情報）　難易度 B　合否の分かれ目

適切なものを○、適切でないものを×とする。

1 ○ 管理組合は、個人情報取扱事業者に当たるため（個人情報保護法16条２項）、**原則として、あらかじめ本人の同意を得ないで、個人データを第三者に提供してはならない**（27条１項柱書）。しかし、例外的に、個人情報取扱事業者が利用目的の達成に必要な範囲内において**個人データの取扱いの全部又は一部を委託すること**に伴って当該個人データが提供される場合は、**本人の同意を得ずに**個人データを**第三者に提供することができる**（同５項１号）。

2 ✕ **「拒むことができる」➡「拒むことはできない」**
新たに組合員の資格を取得し又は喪失した者は、直ちにその旨を書面（電磁的方法が利用可能な場合に電磁的方法も可）により**管理組合に届け出なければならない**（標準管理規約31条）。したがって、新たに区分所有権を取得して組合員となった場合は、管理組合に氏名を届け出ることを拒否できない。

3 ○ 理事長は、会計帳簿、什器備品台帳、組合員名簿及びその他の帳票類を作成して保管し、**組合員又は利害関係人**の理由を付した書面による請求があったときは、これらを**閲覧**させなければならない（64条１項）。この場合の**利害関係人**とは、敷地、専有部分に対する担保権者、差押え債権者、賃借人、組合員からの媒介の依頼を受けた宅地建物取引業者等**法律上の利害関係がある者**をいい、単に事実上利益や不利益を受けたりする者、**親族関係にあるだけの者等は対象とはならない**（64条関係コメント①、49条関係コメント①）。したがって、親族関係にある者は利害関係人に含まれないので、理事長は請求に応じる必要はない。

4 ○ 肢**1**の解説参照。個人情報取扱事業者は、原則として、あらかじめ本人の同意を得ないで、個人データを第三者に提供してはならない。しかし例外的に、**人の生命、身体又は財産の保護のために必要がある場合であって、本人の同意を得ることが困難であるときは、本人の同意を得ずに**個人データを**第三者に提供することができる**（個人情報保護法27条１項２号）。

公衆衛生の向上又は児童の健全な育成の推進のために特に必要がある場合であって、本人の同意を得ることが困難であるときや、**国の機関若しくは地方公共団体又はその委託を受けた者が法令の定める事務を遂行することに対して協力する必要がある場合**であって、本人の同意を得ることにより当該事務の遂行に支障を及ぼすおそれがあるとき等も、同意を得ずに第三者提供できる（同１項３号・４号）。

講師からのアドバイス

個人情報関係はやや細かい事項も過去に問われている。過去問に既出の事項だけでよいのでチェックしておこう。

問32 正解 3 標準管理規約（団地型・複合用途型） 難易度 B

適切なものを○、適切でないものを✕とする。

1 ✕ 「団地総会の決議」➡「棟総会の決議」

標準管理規約（団地型）によると、区分所有法62条１項の場合の建替え及び円滑化法108条１項の場合の**マンション敷地売却**については、**棟総会の決議**を経なければならない（標準管理規約団地型72条４号）。

棟総会における決議事項は、①区分所有法で団地関係に準用されていない規定に定める事項に係る規約の制定、変更又は廃止、②共同の利益に反する行為の停止等・使用禁止・競売・引渡し請求の訴えの提起及びこれらの訴えを提起すべき者の選任、③建物の一部が滅失した場合の滅失した棟の共用部分の復旧、④建物の建替えを団地内の他の建物の建替えと一括して建替え承認決議に付すこと、⑤建替え等に係る合意形成に必要となる事項の調査の実施及びその経費に充当する場合の各棟修繕積立金の取崩し、である。

2 ✕ 「全体修繕積立金」➡「住宅一部修繕積立金」

標準管理規約（複合用途型）によると、管理組合は、**住宅一部共用部分**の不測の事故その他特別の事由により必要となる修繕経費に充てるため借入れをしたときは、**住宅一部修繕積立金**をもってその償還に充てることができる（複合用途型31条３項、同２項２号）。

3 ○ 標準管理規約（複合用途型）によると、**駐車場使用料**その他の敷地及び共用部分等に係る使用料は、それらの管理に要する費用に充てるほか、**全体修繕積立金**として積み立てる（33条）。

4 ✕ 「各棟の決議は不要である」

標準管理規約（団地型）によると、マンション管理適正化法第５条の３第１項に基づく**管理計画の認定申請**を行う場合には、**団地総会の決議**を経ればよく（団地型50条８号）、各棟の決議は不要である。

講師からのアドバイス

団地型と複合用途型の融合問題である。直近５年間の本試験では、令和２年、令和４年で出題されている。本問や過去問等で出題論点を確認しておこう。

問33 正解 1 標準管理委託契約書

難易度 B

適切なものを○、適切でないものを✕とする。

1 ○ **管理業者**に**破産**手続、**会社更生**手続、**民事再生**手続その他**法的倒産**手続開始の申立て、若しくは**私的整理**の開始があったときは、**管理組合**は何らの**催告も要せず**して本契約を**解除**することができる（標準管理委託契約書20条２項２号）。

2 ✕ 「協議しておくことを要する」➡「協議しておくことが望ましい」

管理業者は、災害又は事故等の発生に備え、管理組合と管理業者の役割分担やどちらが負担すべきか判断が難しい場合の費用負担のあり方について、あらかじめ管理組合と協議しておくことが**望ましい**（９条関係コメント④）。したがって、必ず協議しなければならないわけではない。

3 ✕ 「法的措置を講ずることができる」➡「できない」

滞納者が支払わない旨を明らかにしている状態又は複数回の督促に対して滞納者が明確な返答をしない状態にもかかわらず、管理業者が督促業務を継続するなど**法的紛争**となるおそれがある場合には、**弁護士法72条**の規定に**抵触する可能性がある**ことに十分留意する（11条関係コメント②）。したがって、乙（管理会社）が甲（管理組合）の**代理人として支払督促等の法的措置を講ずる**ことは、弁護士法72条の規定に抵触する「**非弁行為**」のおそれがあるため、認められない。

弁護士又は**弁護士法人でない者**は、報酬を得る目的で訴訟事件、非訟事件及び審査請求、再調査の請求、再審査請求等行政庁に対する不服申立事件その他一般の**法律事件**に関して鑑定、**代理**、仲裁もしくは和解その他の法律事務を取り扱い、又はこれらの周旋をすることを業とすることが**できない**（弁護士法72条本文）。

4 ✕ 「講じなければならない」➡「講じるよう努めなければならない」

管理業者は、管理事務を行うため必要なときは、管理組合の組合員等に対し、管理組合に代わって、管理事務の適正な遂行に著しく有害な行為（カスタマーハラスメントに該当する行為を含む）の中止を求めることができる（12条１項４号）。また、当該行為が中止されない場合には、管理業者は書面をもって管理組合にその内容を報告しなければならず（同３項）、当該報告後の中止等の要求は管理組合が行う（同４項）とともに、当該報告を受けた管理組合は必要な措置を講じるよう**努めなければならない**（同５項）。したがって、**管理組合による措置は努力義務であり、法的義務ではない**。

管理会社による報告は**法的義務**だが、**管理組合**による是正措置は**努力義務**である。

講師からのアドバイス

標準管理委託契約書は令和５年に**改正**されている。肢２～４は改正によって**追加された事項**である。特に**【肢４】**の**カスタマーハラスメントへの対応策**を確認しておこう。

問34 正解 4 管理組合の会計（貸借対照表等） 難易度 B 合否の分かれ目

適切なものを○、適切でないものを✕とする。

発生主義に基づき、以下、取引内容について検討する。

1 ○ **前受金の増加**は、**現実に入金があったことの反映**である。そのため、**前受金が増**

加すると、現金預金も増加する関係にある。この仕訳は次の通りである。

（単位：円）

（借　方）		（貸　方）	
現金預金	×××	前受金	×××

そして、収支報告書における次期繰越収支差額は、貸借対照表の正味財産と一致する。この正味財産は、貸借対照表の資産の部から負債の部を引いたもの（正味財産＝資産－負債）である。
また、資金の範囲とされた項目（現金預金・未収金・前払金・未払金・前受金）は、収支計算上、すべて資金（現金及び現金同等物）として扱われるため、資金の項目同士における対等額での取引については、収支（正味財産）の増減に反映されない。
これを踏まえると、現金預金という「資産」が増加しても、同時に資金の範囲に含まれる前受金という「負債」も増加しているので、次期繰越収支差額が増加するということはない。
したがって、本肢の説明は適切である。

問題文冒頭の「資金の範囲は、現金預金、未収金、未払金、前受金及び前払金とする」との記述の意義を正しく受け取ろう。

2　○　防犯カメラ取付工事は、令和６年４月中に実施・完了予定であり、代金50万円については、工事完了後10日以内に支払予定とされている。
そうすると、いずれも次期（令和６年度）になされるものであるから、令和５年度においては、特に会計処理を必要とする項目はない。
したがって、本肢の説明は適切である。

3　○　総額300万円の大規模修繕工事は次期（令和６年度）にあたる令和６年９月中に完了予定であるから、令和６年３月中に支払った代金の一部100万円は、令和５年度においては、前払金として計上する。
そして、前払金の対象となった役務は将来提供されるものであるため、貸借対照表においては前払費用として資産の部に計上される。なお、令和５年度の決算時には、次の仕訳がなされる。

（単位：円）

（借　方）		（貸　方）	
前払金	×××	現金預金	×××

したがって、本肢の説明は適切である。

4　×　３月分の管理費については、全額が３月の時点で発生するため、その全額を管理費収入として貸方に計上する。そして、未納分についても、３月の時点において、未収金として借方に計上する必要がある。

（単位：円）

（借　方）		（貸　方）	
未収金	×××	管理費収入	×××

同様に、収支報告書においても、３月分の管理費については、３月の時点において、その全額を収入の部に計上する。そのため、未納分のみ、入金が確認された時点において計上するわけではない。
したがって、本肢の説明は適切でない。

講師からのアドバイス

収支報告書や貸借対照表は、適切な仕訳が反映されたものである。解答にあたっては、**各選択肢に必要とされる仕訳**を考え、収支報告書や貸借対照表に関する説明の適否を検討するとよいだろう。

問35　正解 3　管理組合の会計（仕訳）　難易度 A

適切なものを○、適切でないものを×とする。

発生主義に基づき、以下、取引内容について検討する。

1 × 令和４年度の清掃料の未払分10万円については、令和４年度において次の仕訳がされている。

（単位：円）

（借　方）		（貸　方）	
清掃料	100,000	未払金	100,000

この未払金のうち８万円が令和５年度に支払われているので、８万円分の未払金を取り崩して減少させるために、次の仕訳をする。なお、令和５年度に支払われていない２万円については、計上しない。

（単位：円）

（借　方）		（貸　方）	
未払金	80,000	現金預金	80,000

したがって、本肢は不適切である。

2 × 令和６年３月１日に、管理組合に現金24万円が入金されているので、資産の増加として、借方に現金預金24万円を計上する。
一方、収入の増加として、貸方に駐車場使用料収入12万円を計上する。さらに、敷金は、将来返還することが予定されているため、負債である預り金の増加として、貸方に預り金12万円を計上する。

以上より、３月分の仕訳は、次のようになる。

（単位：円）

（借　方）		（貸　方）	
現金預金	240,000	駐車場使用料収入	120,000
		預り金	120,000

したがって、本肢は不適切である。

3　○　令和６年３月末に工事代金の一部として現金12万円が支払われていたにもかかわらず、同年２月に実施された外壁修繕工事の費用**32万円**が**未払金として計上**されたままである。そこで、すでになされた**次の仕訳を修正**する。

（単位：円）

（借　方）		（貸　方）	
修繕費	320,000	未払金	320,000

①まずは、**逆仕訳**をして、誤った仕訳を取り消す。

（単位：円）

（借　方）		（貸　方）	
未払金	320,000	修繕費	320,000

②次に、**正しい仕訳**をする。
借方に修繕費32万円を計上し、貸方に工事代金の一部として支払った**現金12万円**、残りの**20万円を未払金**として計上する。

（単位：円）

（借　方）		（貸　方）	
修繕費	320,000	現金預金	120,000
		未払金	200,000

③そして、①の**逆仕訳**と②の**正しい仕訳**を**合算**する。そうすると、修繕費32万円と未払金の一部（20万円）が**相殺**される。その結果、次のような**修正仕訳**が導かれる。

（単位：円）

（借　方）		（貸　方）	
未払金	120,000	現金預金	120,000

したがって、**本肢は適切**である。

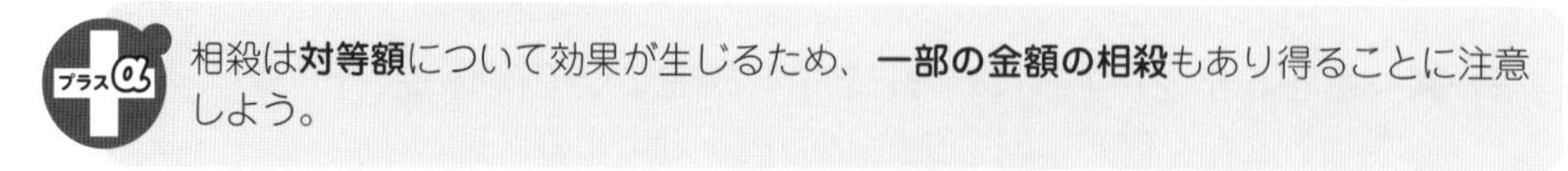

相殺は**対等額**について効果が生じるため、**一部の金額の相殺**もあり得ることに注意しよう。

4　×　まず、掛捨保険料36万円のうち、**令和５年度分**である**12万円**は、**支払保険料**として**借方**に計上する。次に、**次期以降（令和６年度以降）**の掛捨保険料（12万円×２年分）**24万円**は、**前払金**として**借方**に計上する。そして、**満期返戻金**24万円は、資産の増加として**積立保険料**24万円を**借方**に計上する。また、60万円を普通預金から支払っているので、資産の減少として現金預金60万円を貸方に計上する。以上をまとめると、次の仕訳がなされる。

（単位：円）

（借　方）		（貸　方）	
支払保険料	120,000	現金預金	600,000
前払金	240,000		
積立保険料	240,000		

したがって、本肢は不適切である。

講師からのアドバイス

【肢2、正解肢3、肢4について】これらは**特殊なケース**の仕訳である。それぞれの処理手順を確認して機械的に仕訳ができるように準備しておこう。

問36 正解 2 長期修繕計画作成ガイドライン 難易度 A

適切なものを○、適切でないものを✕とする。

ア ✕ **「書面合意により決議したものとすることはできない」**

➡「決議したものとすることができる」

新築マンションの場合、長期修繕計画の作成及び修繕積立金の額の設定は、分譲会社が提示した**長期修繕計画（案）と修繕積立金の額**について、購入契約時の書面合意により**分譲会社からの引渡しが完了した時点で決議**したものとするか、又は、**引渡し後速やかに開催する管理組合設立総会において、長期修繕計画・修繕積立金の額の承認に関して決議**することがある（長期修繕計画作成ガイドライン２章２節１）。

区分所有法では、**区分所有者全員**が**書面により同意**をすれば、集会で決議をしたのと同様の効果が得られるようになった。

イ ✕ **「全てを対象としている」➡「計画修繕工事を対象としている」**

組合管理部分の修繕工事には、①経常的な補修工事（管理費から充当）、②計画修繕工事及び③災害や不測の事故に伴う特別修繕工事がある。このうち、長期修繕計画は、**計画修繕工事を対象としている**（２章１節２ーコメント）。

ウ ○ 長期修繕計画には、その**作成の目的、計画の前提等、計画期間の設定、推定修繕工事項目の設定、修繕周期の設定、推定修繕工事費の算定、収支計画の検討、計画の見直し及び修繕積立金の額の設定に関する考え方**を示すことが必要である（３章１節４）。

第3回 解答・解説

エ ○ 推定修繕工事の内容の設定や概算の費用の算出等は、新築マンションの場合、**設計図書**のほか、**工事請負契約書**により施工会社から提出された**請負代金内訳書、数量計算書**等を参考にして、**長期修繕計画用に設定する**（2章1節2三コメント）。

したがって、**適切でないものはア、イの二つ**であり、**正解は肢2**となる。

講師からのアドバイス

長期修繕計画の対象や**工事費用の算出方法**について覚えておこう。

問37 正解 4 修繕積立金ガイドライン

適切なものを○、適切でないものを×とする。

1 ○ 新築マンションの場合は、**段階増額積立方式**を採用している場合がほとんどで、あわせて、分譲時に**修繕積立基金を徴収している**場合も多くなっている（修繕積立金ガイドライン4（1））。このような方式は、購入者の当初の月額負担を軽減できるため、広く採用されている。

段階増額積立方式や修繕時に一時金を徴収する方式など、将来の負担増を前提とする積立方式は、増額しようとする際に**区分所有者間の合意形成ができず修繕積立金が不足する**事例も生じている点に注意しよう。

2 ○ 建物が階段状になっている等、**複雑な形状**のマンションや、**超高層**マンション（一般に20階以上）は、外壁等の修繕のために建物周りに設置する**仮設足場やゴンドラ等の設置費用が高く**なる。また、**施工期間が長引く**等、**修繕工事費が高くなる傾向**がある（修繕積立金ガイドライン5）。

3 ○ 大規模修繕時に各区分所有者が行う**専有部分のリフォーム工事**に要する費用に対して、**修繕積立金は充当されない**（修繕積立金ガイドライン2（1））。

4 × **「低くなる傾向にある」➡「高くなる傾向にある」**
建物に比べて**屋外部分の広いマンション**では、**給水管や排水管等が長くなる**ほか、**アスファルト舗装や街灯等**も増えるため、修繕工事費が**高くなる**傾向がある（修繕積立金ガイドライン5）。

講師からのアドバイス

修繕積立金ガイドラインでは、**段階増額方式**や**均等積立方式**の特徴や修繕工事費等の傾向に注意しよう。

問38 正解 3 大規模修繕工事

難易度 B

適切なものを○、適切でないものを✕とする。

1 ○ ひび割れを**樹脂注入工法**により補修する場合は、確実に樹脂を注入するため、作業可能な粘度を維持できる時間が長いエポキシ樹脂等の低粘度樹脂を、**自動的に「低」圧で注入する工法**が一般的である。

2 ○ **注入口付アンカーピンニングエポキシ樹脂注入工法**とは、タイルやモルタル等の仕上げ層の浮き部分に、**注入口付アンカーピン**により**エポキシ樹脂を注入する**工法である。

プラスα エポキシ樹脂は、**耐久性に優れ**、また**接着力も強い**材料である。

3 ✕ 「適している」➡「適しているとはいえない」
塗り仕上げ外壁の改修工法における既存塗膜の除去方法である**塗膜剥離剤工法**は、**上塗りのみを剥離することは難しく**、上塗りのみの塗り替えを行う場合などに適した方法とはいえない。

4 ○ **シーリング再充填工法**は、既存シーリング材除去の上、**同種又は異種のシーリング材を再充填する工法**で、外壁パネル等の目地のシーリング材の補修として最も一般的に使用されている。

講師からのアドバイス

外壁補修工事は**頻出論点**である。なかなかイメージしにくいかもしれないが、**同じ論点が繰り返し出題**されているので、ぜひ得点できるようにしよう。

問39 正解 2 調査・診断

難易度 A

適切なものを○、適切でないものを✕とする。

1 ✕ 「コンクリートの外壁タイルの浮き」➡「給水管の肉厚の減少や錆こぶの状態」
X線法は、**給水管の肉厚の減少や錆こぶの状態**を診断する方法である。コンクリートの外壁タイルの浮きを診断する方法ではない。

2 ○ ひび割れの調査は、ひび割れの幅だけでなくその**形状や分布状態（パターン）**についても調べることが必要である。

プラスα ひび割れの**形状**や**分布状態**から、ひび割れの**原因**（乾燥収縮やアルカリシリカ反応等）を判断できる。

3 ✕ **「コンクリートの中性化」➡「ひび割れの深さ等」**
超音波法は、コンクリート中を伝播した超音波の音波伝播時間や位相反転を利用して、**ひび割れの深さ等**を測定する方法である。

4 ✕ **「鉄筋の位置やかぶり厚さを調査する方法」➡「鋼材腐食を調査する方法」**
自然電位法は、**鉄筋が腐食すること**によって変化する**鉄筋表面の電位**から、**鋼材腐食を調査する方法**である。鉄筋の位置やかぶり厚さを調査する方法ではない。

講師からのアドバイス

劣化診断の方法は**頻出論点**である。何を診断するための器具なのかを正確に覚えよう。「X線はレントゲン」をイメージすれば、どのような調査か判断しやすいだろう。

問40 正解 4 建築構造

難易度 A

適切なものを○、適切でないものを✕とする。

1 ○ 建築物に作用する**積載荷重**は、人、家具、調度物品等、**移動が比較的簡単にできるものの重量**をいい、住宅の居室、事務室、自動車車庫等、室の種類別に定められた数値により計算することができる。

2 ○ **剛心**とは、構造物の床位置に**水平力が作用するとき**、ある層の床の水平面内における**回転中心**をいう。

3 ○ **保有水平耐力**は、建物が地震による**水平方向の力に対して対応する強さ**を指すが、建築物の構造耐力上主要な部分についての耐震診断の結果、各階の保有水平耐力に係る指標が**0.5未満**の場合は、地震の震動及び衝撃に対して倒壊し、又は崩壊する**危険性が高い**とされる。

4 ✕ **「強固な支持層による杭先端の支持力では支えない」**
摩擦杭は、**地盤の土と杭周面の摩擦力**によって建築物の重量を支えるもので、強固な支持層による杭先端の支持力によって建築物の重量を支えるのではない。

強固な支持層による杭先端の支持力によって建築物の重量を支えるのは、**支持杭**である。

講師からのアドバイス

杭基礎（摩擦杭・支持杭）や**積載荷重・固定荷重**の定義等については、繰り返し出題されている。再び出題される可能性が高いので、定義等を注意しよう。

問41 正解 3 住棟型式 難易度 A

適切なものを○、適切でないものを×とする。

1 ○ マンションの住棟型式における**コア型（集中型・ホール型）**とは、**20階以上の超高層住宅**で多く用いられ、**エレベーター・階段室などを中央**に置き、その周辺**に多くの住戸を配置**する型式である。このコア型は、方位によって**居住性（採光・通風）に不利な住戸ができる**というデメリットがある。

2 ○ マンションの住棟型式における**スキップフロア型**とは、**2階おき程度にエレベーターの停止階及び共用廊下**を設け、エレベーターの停止階**以外**の階には**階段によって各住戸へ達する型式**である。

なお、現在では、マンションでも**バリアフリー**が求められているので、スキップフロア型のマンションはほとんど**建てられなくなっている**。

3 × **「本肢は、階段室型（エレベーター室型）の説明である」**
マンションの住棟型式における**タウンハウス型**とは、**各住戸に専用庭**を持ち、ほかに**コモンスペース**（共用の広場、庭、駐車場など）を持つ低層の集合住宅である。

4 ○ マンションの住棟型式における**廊下型**とは、**各住戸に共用廊下を通じて入る形式**で、**片廊下型**（片側、主に北側に廊下を通し、その廊下に各住戸をつないだ型式）、**中廊下型**（中央の廊下をはさんで、両側に住戸を配した型式）などに分類される。

講師からのアドバイス

住棟型式は、繰り返し出題されている論点である。それぞれの**特徴**に注意しよう。

問42 正解 1 防犯に配慮した共同住宅設計指針 難易度 B

適切なものを○、適切でないものを×とする。

ア × **「20ルクス以上」➡「50ルクス以上」**
エレベーターのかご内の照明設備は、床面において概ね**「50」ルクス以上**の平均水平面照度を確保することができるものとされている（防犯に配慮した共同住宅に係る設計指針 第３－２（５）エ）。

イ ○ 敷地内の屋外各部及び住棟内の共用部分等は、**周囲からの見通し**が確保されるように、敷地内の配置計画、動線計画、住棟計画、各部位の設計等を工夫するとともに、必要に応じて**防犯カメラの設置**等の措置を講じたものとする（第２－２）。

空き巣対策として、侵入されても**周囲から視認**できるように**見通しが確保されている**ことが重要である。

ウ ○ **片廊下型の住棟を計画する場合**には、共用廊下は、その各部分及びエレベーターホールからの見通しが確保され、**死角を有しない配置又は構造**とすることが望ましい（第３－１（３）イ）。

エ ○ **共用メールコーナー**は、共用玄関、エレベーターホール又は管理人室等からの**見通しが確保された位置**に配置する。見通しが確保されない場合には、**防犯カメラの設置**等の見通しを補完する対策を実施する（第３－２（３）ア）。

したがって、**適切でないものはアの一つ**であり、**正解は肢1**となる。

講師からのアドバイス

防犯指針は、**どのような場所**で犯罪が起きやすいか、また、どのようなマンションが空き巣や犯罪者にとって**犯行しにくい**かというイメージで覚えていこう。

問43 正解 4 給水設備

難易度 A

適切なものを○、適切でないものを✕とする。

1 ○ 専有部分の一般給水栓（蛇口）において、給水に支障が生じないようにするため、給水圧力は30kPa以上とされている。

2 ○ **水道直結増圧方式**では、**給水立て管の頂部**に、逆流防止のための吸気機能とともに、空気抜き弁の機能をもつ**吸排気弁**を設ける。

水道直結増圧方式では、配水管（水道本管）が負圧になった場合に水道本管へ水が逆流してしまうので、逆流を防止するため**逆流防止装置を設ける**必要がある。

3 ○ **クロスコネクション**とは、**給水系統の配管**と、**雑排水、汚水、雨水系統などの配管が直接連結されること**をいい、衛生上の問題が生じるため禁止されている。

4 ✕ **「採用することはできない」➡「できる」**
水道直結増圧方式及び**ポンプ直送方式**は、**高置水槽が不要**な給水方式である。そして、増圧給水ポンプや加圧給水ポンプを**複数階に設置**することにより、**高層マンションでも**、水道直結増圧方式及びポンプ直送方式を**採用できる**。

講師からのアドバイス

給水設備の**重要数字**は繰り返し出題されているので押さえておこう。

問44 正解 2 排水設備

適切なものを○、適切でないものを×とする。

1 ○ **台所に設置された食器洗い乾燥機の排水管**には、高温の排水にも耐えうるように**耐熱性硬質塩化ビニル管**（HTVP）を用いる。

2 × **「汚水、雑排水及び雨水を合流させて」**
➡「汚水と雑排水を合流させ、雨水は単独で排水する」
敷地内排水方式における**合流式**とは、**汚水と雑排水を合流**させ、**雨水は単独で排水**する方式である。なお、敷地内排水における**分流式**とは、汚水と雑排水と雨水を**それぞれ単独で排水**する方式である。

公共下水道における**合流式**では、汚水・雑排水・雨水の全てを同じ排水系統にする点に注意しよう。

3 ○ **ディスポーザ排水処理システム**においては、破砕された生ごみを含む排水を処理槽で一定のＢＯＤ（**生物化学的酸素要求量**）濃度まで処理した後に、**下水道へ放流する**。

4 ○ 敷地内に埋設する**排水横管の管径が150㎜**の場合、**延長が18mを超えない範囲**に、保守点検及び清掃を容易にするための**排水ますを設置する**。

講師からのアドバイス

排水設備は、毎年１問出題されている。**重要な設備の定義等**について覚えよう。

問45 正解 1 マンションの室内環境

1 × **「防湿層を設けることにより防ぐことができる」**
➡「断熱構造とすることで防ぐことができる」
外壁の室内側に生じる表面結露は、防湿層を設けることでは防ぐことができない。この場合、断熱構造とすることで表面結露を防ぐことができる。壁の内部に発生する結露に対しては、防湿層を設けることにより防ぐことができる。

2 ○ （顕）**熱交換型換気扇**は、室内から排気する空気の熱を回収し、屋外から給気する空気に熱を伝えることで熱損失を少なくさせた**第一種機械換気設備**である。

第一種機械換気設備とは、**給気**及び**排気**に**送風機**（ファン）を用いる換気設備をいう。

3 ○ 窓サッシを二重化すると、窓の熱貫流率が小さくなり、室内の温度を安定させることができる。

熱貫流率とは、外壁等の建物の各部位について**熱の通過しやすさ**を示すものをいう。

4 ○ 浴室等で使用する**第三種換気方式**は、必要換気量を確保するため、換気扇の運転時に十分に給気を確保できるように**給気口を設置する必要がある**。

講師からのアドバイス

換気の方式や採光有効面積シックハウス対策等室内環境に関する問題は頻出である。その仕組みや数字を覚えておこう。

問46 正解 3 管理適正化法（管理士） 難易度 A

ア × **「マンション管理士の名称を使用して業務を行うことはできない」**
➡「マンション管理士の名称を使用できる」
国土交通大臣は、マンション管理士の登録をしたときは、申請者に一定事項を記載した登録証を交付する（マンション管理適正化法31条）。登録を受けた者にこの登録証の携帯までは要求されていないので、**登録証を紛失した場合でも**、マンション管理士の**名称を使用して業務を行うことができる**（43条参照）。

イ ○ 国土交通大臣は、マンション管理士の**登録がその効力を失った**ときは、その**登録を消除**しなければならない（34条）。

ウ × **「試験を受験できない」➡「試験を受験できる」**
国土交通大臣は、**「試験に関して不正の行為」**があった場合には、その不正行為に関係のある者に対しては、その**受験を停止**させ、又はその**試験を無効**とすることができる（9条1項）。本肢はこれに該当しないので、試験を受験できる。

管理業務主任者試験に関する**無効等**についても、**同様の扱い**となる（57条2項）。

エ × **「速やかに、申請しなければならない」➡「申請できる」**
マンション管理士は、**登録証を亡失・滅失・汚損・破損**したときは、**国土交通大臣に登録証の再交付を申請「できる」**（施行規則29条1項）。

したがって、誤っているものは**ア・ウ・エ**の三つであり、正解は肢**3**となる。

講師からのアドバイス

【イについて】マンション管理士の**登録取消処分**の論点である。また、**【ア・ウ・エについて】**マンション管理士に関する定番のひっかけ基本論点である。いずれも確認しておこう！

問47　正解 1　管理適正化基本方針

難易度 A

適切なものを○、適切でないものを×とする。

ア ○ **管理業務の委託や工事の発注等**については、**事業者の選定に係る意思決定の透明性確保や利益相反等に注意して、適正**に行われる必要があるが、とりわけ**外部の専門家が管理組合の管理者等又は役員に就任**する場合、**区分所有者等から信頼**されるような**発注等に係るルールの整備**が必要である（マンション管理適正化基本方針三２（６））。

イ ○ 「**複合用途型マンション**」にあっては、**住宅部分と非住宅部分との利害の調整**を図り、その**管理・費用負担等について適切な配慮**をすることが重要である（基本方針三２（８））。

ウ × **「管理組合と同様、各居住者が当然加入すべきもの」**
➡「管理組合と異なり、各居住者が各自の判断で加入するもの」
マンションにおけるコミュニティ形成については、自治会及び町内会等（以下「自治会」という）は、**管理組合と**「**異なり**」、各居住者が「**各自の判断で加入**」するものであることに留意するとともに、特に管理費の使途については、マンションの管理と自治会活動の範囲・相互関係を整理し、管理費と自治会費の徴収、支出を**分けて適切に運用**する必要がある（基本方針三２（７））。

なお、このように適切な峻別や、代行徴収に係る負担の整理が行われるのであれば、自治会費の徴収を代行することや、防災や美化などのマンションの管理業務を自治会が行う活動と連携して行うことも差し支えない。

エ ○ マンションの管理には専門的知識を要することが多いため、「**マンション管理士**」には、管理組合等からの相談に応じ、助言等の支援を適切に行うことが求められており、**誠実にその業務を行う**必要がある。また、**マンション管理業者**においても、管理組合から管理事務の委託を受けた場合には、**誠実にその業務を行う**必要がある（基本方針一４）。

したがって、**適切でないものはウの一つ**であり、**正解は肢１**となる。

第3回　解答・解説

【ウについて】「**自治会**」と「**管理組合**」とは**異なる**ものであるので、**その違い**について、確認しておこう。基本方針は近年全面的に改正されているので、細かな言い回し等、正確な表現を覚えておこう。

問48 正解 3 管理適正化法（管理業者・主任者） 難易度 B

ア ✕ 「罰金に処せられることがある」➡「罰金に処せられることはない」
管理業務主任者（A）は、管理事務に関する報告の説明の時に、管理業務主任者証を提示しなかった場合、**10万円以下の「過料」に処せられる**が（マンション管理適正化法113条2号、77条3項）、罰金に処せられることはない。

イ ✕ 「報告をさせることはできない」➡「報告をさせることができる」
国土交通大臣は、**管理業務主任者**（A）の事務の適正な遂行を確保するため必要があると認めるときは、その必要な限度で、**管理業務主任者**（A）**に対し、報告をさせることが「できる」**（67条）。

ウ ✕ 「管理業の業務を行ってはならない」➡「管理業の業務を行ってもよい」
管理業の更新の登録の申請があった場合、登録の有効期間の満了の日までにその申請に対する処分がなされないときであっても、**従前の登録**は、**有効期間の満了後もその処分がなされるまでの間**は、なおその**効力を有する**（44条4項）。

なお、更新の登録がなされたときは、その登録の有効期間は、従前の登録の有効期間満了日の翌日から起算される（同5項）。

エ ○ 管理業者（B）は、**その事務所ごと**に、公衆の見やすい場所に、**専任の管理業務主任者**（A）**の氏名**等が記載された一定の「**標識**」を**掲げなければならない**（71条、施行規則81条、別記様式26号）。

以上から、誤っているものは**ア～ウ**の三つであり、**正解は肢3**となる。

講師からのアドバイス

【アについて】「**過料**」と「**罰金**」**との違い**を確認しておこう。**【イ・ウについて】**ひっかけ論点であるので、確認しよう。

問49 正解 2 管理適正化法（管理業者の業務） 難易度 A

1 ✕ 「不在の場合はマンション管理士資格者」
➡「マンション管理士資格者に重要事項説明をさせることはできない」
管理業者は、管理組合から管理事務の委託を受けることを内容とする契約を締結しようとする場合、原則として、あらかじめ、一定の**説明会を開催**し、当該管理組合を構成する**区分所有者等及び当該管理組合の管理者等**に対し、「**管理業務主任者**」をして、**重要事項について説明**をさせなければならない（マンション管理適正化法72条１項前段）。

2 ○ 管理業者は、管理組合に**管理者等が不設置**の場合、管理事務を委託した管理組合の事業年度の終了後、一定の場合を除き、遅滞なく、当該期間における管理受託契約に係るマンションの管理の状況について一定事項を記載した**管理事務報告書を作成し、説明会を開催し、管理業務主任者**をして、これを**区分所有者等に交付して説明**させなければならない（77条２項、施行規則89条１項）。この管理事務報告書に、管理業務主任者をして、**記名させる必要はない**。

管理組合に**管理者等が設置**の場合、管理事務報告書を作成し、管理業務主任者をして、これを**管理者等に交付して説明**させなければならない。管理業務主任者の**記名は不要**である。

3 ✕ 「区分所有者等全員に記名を要求する規定はない」
管理業者は、**重要事項説明書を作成**するときは、「**管理業務主任者**」をして、当該書面に**記名**させなければならない（マンション管理適正化法72条５項）。本肢のように、「区分所有者等全員に要求する（つまり、区分所有者等全員にも記名してもらう）」のではない。もし、管理業者がこの規定に**違反**したときは、国土交通大臣は、当該管理業者に対し、**１年以内**の期間を定めて、その**業務の全部又は一部の停止を命ずる**ことができる（82条２号）。

4 ✕ 「相当数」➡「全員」
管理業者は、重要事項の説明会を開催する場合、当該説明会の日の**１週間前まで**に、当該管理組合を構成する区分所有者等及び当該管理組合の管理者等の「**全員**」に対し、一定の場合を除き、**重要事項並びに説明会の日時及び場所を記載した書面を交付**しなければならない（72条１項後段）。

講師からのアドバイス

【肢１・３・４について】ひっかけ論点であるので、確認しよう。近年の改正により、**電子情報処理組織を使用する方法等によることも可能**となっているので、意識しておこう。

問50 正解 4 管理適正化法（総合） 難易度 B

ア ○ 自ら売主として新築マンション（新たに建築されたもので人の居住の用に供したことがないものに限られる）を分譲した宅地建物取引業者は、分譲後1年以内に当該マンションの管理組合の管理者等が選任されたときは、**速やかに**、当該管理者等に、法103条1項に規定するマンションの設計に関する図書（**法103条1項の設計図書**）**を交付**しなければならない（マンション管理適正化法103条1項、施行規則101条・102条）。

イ ○ **管理業者**は、**自己の名義**をもって、他人にマンション**管理業を営ませてはならない**（マンション管理適正化法54条）。

ウ ○ 「**マンションの管理に関する情報及び資料の収集及び整理をし、並びにこれらを管理組合の管理者等その他の関係者に対し提供すること**」は、「**マンション管理適正化推進センター**」が行う**業務**である（92条1号）。

エ ○ 「**管理業務主任者証**」の有効期間は**5年間**である（60条3項）。しかし、**マンション管理士登録証**には**有効期間の定めはない**。

管理業務主任者の登録には有効期間はない。管理業者の登録の有効期間は5年間である。

したがって、**正しいもの**は**ア～エの四つ**であり、**正解は肢4**となる。

講師からのアドバイス

【アについて】マンション分譲業者に生ずる「**建物の設計図書**（法103条1項の設計図書）」の**交付義務**に関する論点である。**しばらく出題されていない**論点であるので、整理しておこう。

Memo

2024年度版
ラストスパート マンション管理士 直前予想模試

(平成16年度版 2004年10月1日 初版第1刷発行)

2024年8月10日 初 版 第1刷発行

編著者	TAC株式会社 (マンション管理士講座)
発行者	多田敏男
発行所	TAC株式会社 出版事業部 (TAC出版)

〒101-8383
東京都千代田区神田三崎町3-2-18
電話 03(5276)9492(営業)
FAX 03(5276)9674
https://shuppan.tac-school.co.jp

組版	朝日メディアインターナショナル株式会社
印刷	日新印刷株式会社
製本	株式会社 常川製本

ISBN 978-4-300-10957-1
N.D.C. 673

マンション管理士・管理業務主任者

【好評開講中！】初学者・再受験者対象

Web講義フォロー標準装備

マン管・管理業両試験対応 **W合格本科生S**（全42回：講義ペース週1～2回）／マン管試験対応 **マンション管理士本科生S**（全36回：講義ペース週1～2回）／管理業試験対応 **管理業務主任者本科生S**（全35回：講義ペース週1～2回）

合格するには、「皆が正解できる問題をいかに得点するか」、つまり基礎をしっかりおさえ、
その基礎をどうやって本試験レベルの実力へと繋げるかが鍵となります。
各コースには**「過去問攻略講義」**をカリキュラムに組み込み、基礎から応用までを完全マスター
できるように工夫を凝らしています。じっくりと徹底的に学習をし、本試験に立ち向かいましょう。

※既に開講しているコースは途中入学が可能です。

5月・6月・7月開講　初学者・再受験者対象

Web講義フォロー標準装備

マン管・管理業両試験対応 **W合格本科生**（全36回：講義ペース週1～2回）／マン管試験対応 **マンション管理士本科生**（全33回：講義ペース週1～2回）／管理業試験対応 **管理業務主任者本科生**（全32回：講義ペース週1～2回）

毎年多くの受験生から支持されるスタンダードコースです。
基本講義・基礎答練で本試験に必要な基本知識を徹底的にマスターしていきます。
また、過去20年間の本試験傾向にあわせた項目分類により、
個別的・横断的な知識を問う問題への対策を行っていきます。
基本を徹底的に学習して、本試験に立ち向かいましょう。

8月・9月開講　初学者・再受験者対象

Web講義フォロー標準装備

管理業務主任者速修本科生

（全21回：講義ペース週1～3回）

管理業務主任者試験の短期合格を目指すコースです。
講義では難問・奇問には深入りせず、基本論点の確実な定着に主眼をおいていきます。
週2回のペースで無理なく無駄のない受講が可能です。

9月・10月開講　宅建士試験受験者対象

Web講義フォロー標準装備

管理業務主任者速修本科生（宅建士受験生用）

（全14回：講義ペース週2～3回）

宅建士試験後から約2ヵ月弱で管理業務主任者試験の合格を目指すコースです。
宅建士と管理業務主任者の試験科目は重複する部分が多くあります。
このコースでは宅建士試験のために学習した知識に加えて、
管理業務主任者試験特有の科目を短期間でマスターすることにより、
宅建士試験とのW合格を狙います。

7月開講 管理業務主任者試験合格者対象

マンション管理士ステップアップ講義（全4回 各回3時間）

管理業務主任者試験合格の知識を活かして、マンション管理士試験特有の出題内容を重点的に押さえる！

マンション管理士試験受験経験者の方にも再受験対策としてオススメのコースです！

管理業務主任者試験を合格された後に、マンション管理士試験に挑戦される場合、
改めて基礎から学習するよりも、
管理業務主任者試験に合格した知識を活かした学習を行う方がより効率的です。
その効率的な学習をサポートするために、多くの受験生のご要望にお応えすべく作られたのが
TACオリジナルの「マンション管理士ステップアップ講義」です。
本講義は、5問免除対象科目の「適正化法」を省き、管理業務主任者試験との違いを把握し、
マンション管理士試験特有の出題内容を重点的に押さえます。
また、本講義を受講された後は、「マンション管理士攻略パック」を受講し、
問題演習をすることで得点力を高めることができます。

マンション管理士試験受験に向けた"おすすめルート"

「マンション管理士ステップアップ講義」と「マンション管理士攻略パック」セットでの受講がおすすめ！

必要最小限のINPUT	7月～	マンション管理士ステップアップ講義	受講
過去問対策とOUTPUT	9月～	マンション管理士攻略パック	受講
	11月下旬	マンション管理士本試験	受験

担当講師より受講のススメ

マンション管理士試験と管理業務主任者試験は、その試験範囲・科目の大半が共通しています。しかし、区分所有法・不動産登記法・建替え等円滑化法はもう一歩踏み込んだ対策が必要です。さらに都市計画法のように管理業務主任者試験では未出題であった科目もあります。管理業務主任者の知識に、これらの科目をプラスすることで、効率の良い学習が可能です。この「マンション管理士ステップアップ講義」で、効率良くマンション管理士試験の合格を目指しましょう。

小澤 良輔 講師

マンション管理士・管理業務主任者

2024年合格目標　再受験者・独学者対象　9月開講 学習期間 **2ヶ月**

Web講義フォロー標準装備

マン管・管理業 両試験に対応 **W合格攻略パック**(全17回)

マン管試験に対応 **マンション管理士攻略パック**(全11回)

管理業試験に対応 **管理業務主任者攻略パック**(全10回)

ご注意ください！！ 本コースについては開講時期が本試験願書の提出期間となります。忘れずに各自で本試験受験申込みをしてください。

基本知識を再構築し、得点力アップ 講義ペース 週1～2回

昨年度、あと一歩合格に届かなかった方のための講義付き問題演習コースです。基本的な内容が本当に理解できているのか不安な方、知識の総整理をしたい方、基本的な内容をしっかりとチェックして本試験に立ち向かいましょう。

詳細な分析データを提供!

個人別成績表のWEB掲載

パソコンで確認できます！ スマホ・タブレットもOK!

答練・全国公開模試については、個人別の詳細な成績表を作成し、インターネットサービス「TAC WEB SCHOOL」を通してPDFファイルとしてご提供します。これにより、平均点、正答率、順位、優先学習ポイント等がわかるので、弱点補強に役立つだけでなく、モチベーションの維持にもつながります。基本知識の理解度チェックにも活用してください。

カリキュラム

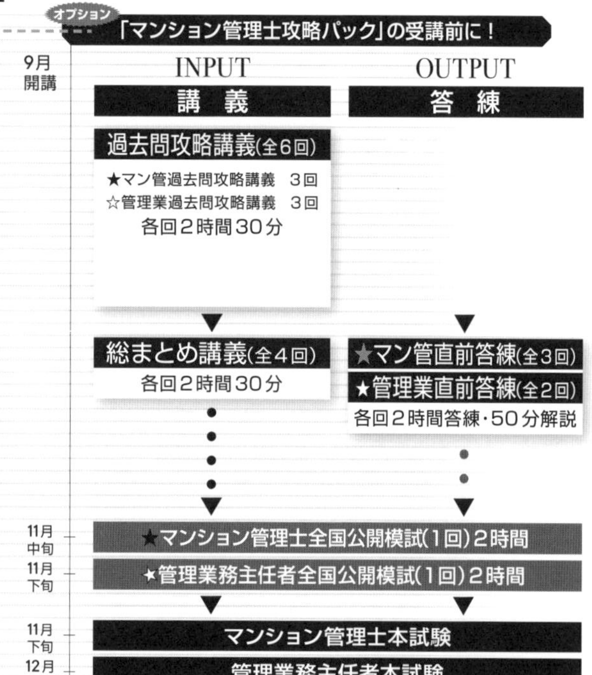

★ W合格攻略パック・マンション管理士攻略パックのカリキュラムに含まれます。
☆ W合格攻略パック・管理業務主任者攻略パックのカリキュラムに含まれます。
※全国公開模試はビデオブース講座の場合、ご登録地区の教室受験(水道橋校クラス登録の方は新宿校)となります。

オプション
〔管理業務主任者試験合格者のためのマンション管理士試験対策！〕
●マンション管理士ステップアップ講義(全4回)
対象者：管理業務主任者試験合格者、マンション管理士試験受験経験者
通常受講料 **¥22,000**(教材費・消費税10%込)

開講一覧

W合格攻略パック　マン管攻略パック

教室講座 体験入学不可

新宿校	渋谷校	八重洲校
平日夜クラス	土曜クラス	水土クラス
9/ 6(金)19:00	9/14(土)13:30	9/14(土) 9:00

ビデオブース講座 体験入学不可

◆講義視聴開始日　9/13(金)より順次視聴開始

Web通信講座

◆講義配信開始日　9/10(火)より順次配信開始
◆教材発送開始日　9/ 6(金)より順次発送開始

DVD通信講座

◆教材・DVD発送開始日　9/ 6(金)より順次発送開始

管理業攻略パック

教室講座 体験入学不可

新宿校	渋谷校	八重洲校
平日夜クラス	土曜クラス	水土クラス
9/10(火)19:00	9/14(土)16:30	9/18(水)19:00

ビデオブース講座 体験入学不可

◆講義視聴開始日　9/17(火)より順次視聴開始

Web通信講座

◆講義配信開始日　9/13(金)より順次配信開始
◆教材発送開始日　9/ 6(金)より順次発送開始

DVD通信講座

◆教材・DVD発送開始日　9/ 6(金)より順次発送開始

通常受講料

下記受講料には教材費・消費税10%が含まれています。

学習メディア	通常受講料 W合格攻略パック	マン管攻略パック	管理業攻略パック
教室講座	¥72,000	¥50,000	¥45,000
ビデオブース講座	¥72,000	¥50,000	¥45,000
Web通信講座	¥72,000	¥50,000	¥45,000
DVD通信講座	¥77,500	¥55,500	¥50,500

※0から始まる会員番号をお持ちでない方は、受講料のほかに別途入会金(¥10,000・10%税込)が必要です。会員番号につきましては、TAC各校またはカスタマーセンター(0120-509-117)までお問い合わせください。

ネットで"かんたん" スマホも対応！

全国公開模試

マンション管理士　　管理業務主任者

11/9(土)実施(予定)　　**11/16(土)実施(予定)**

詳細は2024年8月刊行予定の「全国公開模試専用リーフレット」をご覧ください。

全国規模

本試験直前に実施される公開模試は全国18会場(予定)で実施。実質的な合格予備軍が集結し、本試験同様の緊張感と臨場感であなたの「真」の実力が試されます。

高精度の成績判定

コンピュータによる個人成績表に加えて正答率や全受験生の得点分布データを集計。「全国公開模試」での成績は、本試験での合否を高い精度で判定します。

本試験を擬似体験

合格のためには知識はもちろん、精神力と体力が重要となってきます。本試験と同一形式で実施される全国公開模試を受験することは、本試験環境を体験する大きなチャンスです。

オプションコース ポイント整理、最後の追い込みにピッタリ!　マンション管理士/管理業務主任者対策

全4回(各回2.5時間講義) 10月開講　**マンション管理士/管理業務主任者試験対策**

総まとめ講義

Web講義フォロー 標準装備

今まで必要な知識を身につけてきたはずなのに、問題を解いてもなかなか得点に結びつかない、そんな方に最適です。よく似た紛らわしい表現や知識の混同を体系的に整理し、ポイントをズバリ指摘していきます。まるで「ジグソーパズルがピッタリはまるような感覚」で頭をスッキリ整理します。使用教材の「総まとめレジュメ」は、本試験直前の知識確認の教材としても好評です。

日程等の詳細はTACマンション管理士・管理業務主任者講座パンフレットをご参照ください。

〈担当講師〉小澤良輔講師
〈使用教材〉総まとめレジュメ

マンション管理士試験・管理業務主任者試験は、民法・区分所有法・標準管理規約といったさまざまな法令等から複合問題で出題されます。これらの論点の相違をまとめ、知識の横断整理をすることは、複合問題対策に非常に重要となります。また、マンション管理士試験・管理業務主任者試験は、多くの科目が共通しています。この共通して重要な論点をしっかり覚えた上で、それぞれの試験で頻出の論点を確認することで、効率の良い学習が可能となります。「総まとめ講義」で知識の整理をし、効率よくマンション管理士試験・管理業務主任者試験の合格を目指しましょう。

各2回　11月開講(予定)　**マンション管理士/管理業務主任者試験対策**

ヤマかけ講義

問題演習 + 解説講義

Web講義フォロー 標準装備

TAC講師陣が、2024年の本試験を完全予想する最終講義です。本年度の"ヤマ"をまとめた『ヤマかけレジュメ』を使用し、論点別の一問一答式で本試験予想問題を解きながら、重要部分の解説をしていきます。問題チェックと最終ポイント講義で合格への階段を登りつめます。

詳細は8月刊行予定の全国公開模試リーフレット又はTACホームページをご覧ください。

●オプションコースのみをお申込みの場合に限り、入会金はいただいておりません。オプションコース以外のコースをお申込みの場合には、受講料の他に入会金が必要となる場合があります。予めご了承ください。●オプションコースの受講料には、教材費及び消費税10%の金額が含まれています。●各日程の詳細につきましては、マンション管理士・管理業務主任者講座パンフレットをご覧ください。

書籍の正誤に関するご確認とお問合せについて

書籍の記載内容に誤りではないかと思われる箇所がございましたら、以下の手順にてご確認とお問合せをしてくださいますよう、お願い申し上げます。
なお、正誤のお問合せ以外の**書籍内容に関する解説および受験指導などは、一切行っておりません。**
そのようなお問合せにつきましては、お答えいたしかねますので、あらかじめご了承ください。

1 「Cyber Book Store」にて正誤表を確認する

TAC出版書籍販売サイト「Cyber Book Store」の
トップページ内「正誤表」コーナーにて、正誤表をご確認ください。

URL:https://bookstore.tac-school.co.jp/

2 1の正誤表がない、あるいは正誤表に該当箇所の記載がない ⇒ 下記①、②のどちらかの方法で文書にて問合せをする

★ご注意ください★

お電話でのお問合せは、お受けいたしません。
①、②のどちらの方法でも、お問合せの際には、「お名前」とともに、
「対象の書籍名(○級・第○回対策も含む)およびその版数(第○版・○○年度版など)」
「お問合せ該当箇所の頁数と行数」
「誤りと思われる記載」
「正しいとお考えになる記載とその根拠」
を明記してください。
なお、回答までに1週間前後を要する場合もございます。あらかじめご了承ください。

① ウェブページ「Cyber Book Store」内の「お問合せフォーム」より問合せをする

【お問合せフォームアドレス】

https://bookstore.tac-school.co.jp/inquiry/

② メールにより問合せをする

【メール宛先　TAC出版】

syuppan-h@tac-school.co.jp

※土日祝日はお問合せ対応をおこなっておりません。
※正誤のお問合せ対応は、該当書籍の改訂版刊行月末日までといたします。

乱丁・落丁による交換は、該当書籍の改訂版刊行月末日までといたします。なお、書籍の在庫状況等により、お受けできない場合もございます。
また、各種本試験の実施の延期、中止を理由とした本書の返品はお受けいたしません。返金もいたしかねますので、あらかじめご了承くださいますようお願い申し上げます。

TACにおける個人情報の取り扱いについて
■お預かりした個人情報は、TAC(株)で管理させていただき、お問合せへの対応、当社の記録保管にのみ利用いたします。お客様の同意なしに業務委託先以外の第三者に開示、提供することはございません(法令等により開示を求められた場合を除く)。その他、個人情報保護管理者、お預かりした個人情報の開示等及びTAC(株)への個人情報の提供の任意性については、当社ホームページ(https://www.tac-school.co.jp)をご覧いただくか、個人情報に関するお問い合わせ窓口(E-mail:privacy@tac-school.co.jp)までお問合せください。

(2022年7月現在)

【問題冊子ご利用時の注意】

「問題冊子」は、この**色紙を残したまま、ていねいに抜き取り**、ご利用ください。

- 抜き取り時のケガには、十分お気をつけください。
- 抜き取りの際の損傷についてのお取替えはご遠慮願います。

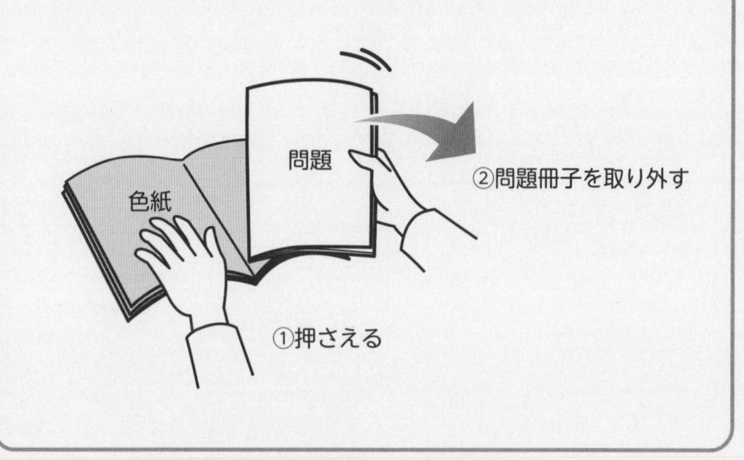

令和6年度マンション管理士模擬試験

問 題

合格ライン **38点**

レ ベ ル

制限時間 **2時間**

❶問題は、1-1ページから1-35ページまでの50問です。
❷問題の中の法令に関する部分は、令和6年4月1日現在
施行されている規定に基づいて出題されています。

問題の中で使用している主な法律等の略称及び用語の定義については、次のとおりである。

「マンション」…………………………
　　　「マンション管理適正化法第２条第１号イに規定するマンション」をいう。
「マンション管理適正化法」………
　　　マンションの管理の適正化の推進に関する法律（平成12年法律第149号）
「区分所有法」…建物の区分所有等に関する法律（昭和37年法律第69号）
「管理者」………「区分所有法第25条第１項の規定により選任された管理者」をいう。
「管理組合法人」………「区分所有法第47条第１項に規定する法人」をいう。
「管理組合」……「区分所有法第３条に規定する区分所有者の団体」をいう。
「団地管理組合」………「区分所有法第65条に規定する団地建物所有者の団体」をいう。
「被災マンション法」………………
　　　被災区分所有建物の再建等に関する特別措置法（平成７年法律第43号）
「宅地建物取引業者」………………
　　　宅地建物取引業法（昭和27年法律第176号）第２条第３号に規定する者
「マンション建替え等円滑化法」…
　　　マンションの建替え等の円滑化に関する法律（平成14年法律第78号）
「標準管理規約」……………………
　　　マンション標準管理規約（単棟型）及びマンション標準管理規約（単棟型）コメント（令和３年６月22日 国住マ第33号）
「バリアフリー法」…………………
　　　高齢者、障害者等の移動等の円滑化の促進に関する法律（平成18年法律第91号）
「マンション管理業者」……………
　　　「マンション管理適正化法第２条第８号に規定する者」をいう。
「管理事務」…「マンション管理適正化法第２条第６号に規定する管理事務」をいう。
「管理業務主任者」…「マンション管理適正化法第２条第９号に規定する者」をいう。

【問　1】 共用部分の共有持分に関する次の記述のうち、区分所有法の規定によれば、正しいものはいくつあるか。

ア　規約により、共用部分を管理者の所有とする場合、各区分所有者の有する共有持分に変動は生じない。

イ　共用部分の共有者の持分は、その有する専有部分の処分に従うのが原則であるが、規約によって、共有持分の割合を変更する場合には、その有する専有部分と分離して、共有持分を処分することができる。

ウ　共用部分の各共有者は原則として、その持分に応じて、管理費用や、固定資産税、都市計画税及び下水道負担金を負担しなければならない。

エ　共用部分の各共有者は、その用方に従い、共有持分に応じた使用をすることができる。

1　一つ
2　二つ
3　三つ
4　四つ

【問　2】 区分所有法第７条の先取特権に関する次の記述のうち、区分所有法及び民法（明治29年法律第89号）の規定によれば、正しいものはどれか。

1　この先取特権によって担保される債権には、区分所有者が規約若しくは集会の決議に基づき他の区分所有者に対して有する債権は含まれない。

2　この先取特権の目的物は、債務者である区分所有者の建物に備え付けた動産に限られる。

3　この先取特権は、優先権の順位及び効力については、共益費用の先取特権とみなされる。

4　規約の定め又は集会の決議がなければ、区分所有者、管理者又は管理組合法人は、この先取特権を行使することができない。

【問　3】 集会に関する次の記述のうち、区分所有法の規定によれば、誤っているものはいくつあるか。

ア　区分所有者は、規約の定めによらない限り、書面又は代理人によって議決権を行使することはできない。

イ　管理者が選任されていない場合には、年1回の集会の開催は義務付けられていない。

ウ　集会においては、あらかじめ通知した事項についてのみ、決議をすることができ、集会の決議につき特別の定数が定められていない事項についても、規約で別段の定めをすることはできない。

エ　区分所有者全員が集まっている場合において、集会を開くことについて全員の同意を得られたとしても、集会の招集手続を経ていないので、その場において集会を開くことはできない。

1　一つ
2　二つ
3　三つ
4　四つ

【問　4】 管理費等の負担に関する規約の設定についての次の記述のうち、区分所有法の規定及び判例によれば、正しいものはどれか。ただし、各区分所有者の専有部分の床面積は同じものとする。

1　住居専用のマンションにおいて、現に居住する区分所有者と現に居住していない区分所有者について、管理組合の運営のための業務負担に応じて、異なる管理費等の負担を内容とする規約を設定することはできない。

2　エレベーターのあるマンションにおいて、1階部分の区分所有者とそれ以外の区分所有者について、異なる管理費等の負担を内容とする規約を設定することはできない。

3　住居と店舗が混在するマンションにおいて、住居部分と店舗部分の区分所有者について、異なる管理費等の負担を内容とする規約を設定することはできない。

4　住居専用のマンションにおいて、居住者が当該マンションの所在する県の出身であるか否かによって、異なる管理費等の負担を内容とする規約を設定することはできない。

【問　5】 管理組合法人に関する次の記述のうち、区分所有法の規定によれば、正しいものはどれか。

1　管理組合法人は、代表理事がその職務を行うについて第三者に加えた損害を賠償する責任を負う。

2　管理組合法人の理事のうちの1名が議長となって開催した集会の議事録を書面で作成する場合には、他の理事が集会の議事録に署名をしなければならない。

3　理事が数人あるときにおいて、管理組合法人を代表すべき理事の選任は、集会の決議によらなければならず、規約の定めに基づく理事の互選によることはできない。

4　管理組合法人の理事は、規約又は集会の決議により、管理組合法人の事務に関し、区分所有者のために、原告又は被告となることができる。

【問　6】 管理組合に置かれている管理者の権限又は義務に関する次の記述のうち、区分所有法及び民法の規定によれば、正しいものはどれか。

1　管理者は、やむを得ない事由がないかぎり、区分所有者にとって不利な時期に辞任することはできない。

2　規約により共用部分の所有者とされた管理者は、共用部分の保存又は改良のために必要な範囲内において、他の区分所有者の専有部分の使用を請求することができる。

3　管理者がその職務の範囲内において第三者との間にした行為については、規約に別段の定めがないかぎり、管理者及び区分所有者がその有する専有部分の床面積の割合に応じて、連帯して責任を負う。

4　管理者が、共用部分の損害保険契約に基づく保険金額の請求及び受領について、区分所有者を代理するには、規約の定めがなければならない。

【問　7】 敷地に関する次の記述のうち、区分所有法の規定によれば、正しいものはいくつあるか。

ア　土地上に一棟の区分所有建物が所在する場合には、当該土地は、区分所有者等の意思にかかわらず、法律上当然に建物の敷地となる。

イ　建物が所在する土地が、建物の一部の滅失により、建物が所在する土地以外の土地となった場合、規約で建物の敷地と定められたものとみなされる。

ウ　建物が所在する土地の一部が、分割により、建物が所在する土地以外の土地となった場合、規約で建物の敷地と定められたものとみなされる。

エ　区分所有者が建物及び建物が所在する土地と一体として管理又は使用をする庭、通路その他の土地は、建物が所在しなくても、法律上当然に建物の敷地となる。

1　一つ
2　二つ
3　三つ
4　四つ

【問　8】 甲マンションの301号室の区分所有者Aは、規約で禁止されているにもかかわらず、301号室のベランダを改造し、直接大量の土を入れてガーデニングを始めたため、他の区分所有者は301号室のベランダの原状回復等について訴訟を含む法的な措置を執ることとした。この場合に関する次の記述のうち、区分所有法の規定及び判例によれば、正しいものはどれか。

1　区分所有法第57条に基づく301号室のベランダの原状回復を請求する訴訟を提起するには、区分所有者及び議決権の各4分の3以上の多数による集会の決議が必要となる。

2　301号室のベランダから、隣室である302号室のベランダに大量の土が流れ込んできて、302号室のベランダの使用が妨害されている場合、302号室の区分所有者は、集会の決議によらずに、302号室のベランダの土の撤去をAに請求することができる。

3　区分所有法第57条に基づく301号室のベランダの原状回復を請求する訴訟の提起を議題とする集会において、Aは、出席して議決権を行使することができない。

4　区分所有法第57条に基づく301号室のベランダの原状回復を請求する訴訟を提起する集会の決議をする場合、あらかじめ、Aに弁明をする機会を与えなければならない。

【問　9】 マンションにおいて、その建物の価格の２分の１以下に相当する部分が滅失した場合の復旧に関する次の記述のうち、区分所有法の規定によれば、誤っているものはどれか。ただし、規約に別段の定めはないものとする。

1　各区分所有者は、滅失した共用部分を単独で復旧した場合、他の区分所有者に対し、その共用部分の持分の割合に応じて復旧に要した費用の償還を請求することができる。

2　滅失した建物の共用部分について、集会において復旧する旨の決議をすることができ、その場合においては、集会の議事録に、その決議についての各区分所有者の賛否をも記載又は記録しなければならない。

3　滅失した共用部分の復旧決議の内容が形状又は効用の著しい変更を伴わない場合、当該共用部分の復旧は、区分所有者及び議決権の過半数の集会の決議によって行うことができる。

4　滅失した建物部分のうち専有部分の復旧は、当該専有部分の区分所有者が自己の費用負担において行う。

【問　10】 一団地内に、専有部分のある建物であるＡ棟及びＢ棟、専有部分のある建物以外の建物としてＣ及びＤがある場合に関する次の記述のうち、区分所有法の規定によれば、誤っているものはどれか。なお、敷地全体をＡ棟及びＢ棟の区分所有者並びにＣ及びＤの所有者全員で共有しているものとする。

1　Ａ棟及びＢ棟の区分所有者並びにＣ及びＤの所有者全員で団地管理組合を構成する。

2　Ａ棟及びＢ棟の区分所有者並びにＣ及びＤの所有者全員で、団地規約を設定することができる。

3　Ａ棟及びＢ棟の区分所有者並びにＣ及びＤの所有者全員について、区分所有法第70条（団地内の建物の一括建替え決議）は適用されない。

4　Ａ棟及びＢ棟の区分所有者並びにＣ及びＤの所有者全員について、区分所有法第69条（団地内の建物の建替え承認決議）は適用されない。

【問　11】　大規模な火災、震災その他の災害で政令で定めるものにより、区分所有建物の全部が滅失した場合における「敷地共有者等集会」に関する次の記述のうち、被災マンション法の規定によれば、誤っているものはどれか。

1　敷地共有者等は、「敷地共有者等集会」の決議によって、管理者を選任し、又は解任することができる。

2　「敷地共有者等集会」においては、議決権は書面又は代理人によって行使することができる。

3　「敷地共有者等集会」を招集する者が敷地共有者等（通知を受けるべき場所を通知した者を除く。）の所在を知ることができないときは、「敷地共有者等集会」の招集の通知は、滅失した区分所有建物に係る建物の敷地内の見やすい場所に掲示してすることができる。

4　「敷地共有者等集会」においては、再建決議、敷地売却決議等を円滑に実施するために規約を定めることができる。

【問　12】　Aは、Aの所有する甲マンションの401号室を売却することを決め、Bに対し、401号室の売却に関する代理権を与えた。この場合について、次の記述のうち、民法の規定によれば、正しいものはどれか。

1　Bが成年被後見人であった場合、Aは、Bのした401号室の売買契約について、行為能力の制限を理由に、取り消すことはできない。

2　BがAの代理人として401号室をB自身に売却した場合、あらかじめAによる許諾がない限り、当該契約締結後にAが追認したとしても、Aに401号室の売買契約の効果が帰属することはない。

3　Bは、Aの代理人として401号室をCに売却したが、その代金を自己の個人的な借金の返済に充てる目的で着服した場合、CがBの目的について過失なく知らなかったとしても、Aに401号室の売買契約の効果が帰属することはない。

4　Bは、Aの許諾を得れば、復代理人を選任することができるが、Aの許諾を得て選任した復代理人がAに損害を与えた場合には、その選任及び監督について、Aに対して責任を負えば足りる。

【問　13】　A、B及びCが、等しい持分の割合で、甲マンションの301号室の区分所有権を共有している場合に関する次の記述のうち、民法、区分所有法の規定及び判例によれば、誤っているものはどれか。なお、A、B及びCの間には、301号室の使用について別段の合意はないものとする。

1　Dが301号室を不法に占有している場合、Aは、単独で、Dに対して301号室の明渡しを請求することができる。

2　Bが、A及びCに対して負っている301号室の管理の費用を支払わないまま、Eに301号室の区分所有権の自己の共有持分を譲渡した場合、A及びCは、Eに対して、この管理の費用の支払を請求することができる。

3　Cは、301号室の区分所有権の自己の共有持分にFのために抵当権を設定するには、A及びBの同意を得なければならない。

4　Aが301号室を単独で使用している場合、Aは、BとCに対して、自己の持分を超える使用の対価を償還しなければならない。

【問　14】　AとBが、CからCの所有する甲マンションの502号室を1,000万円で購入し、その代金債務について連帯して負担する旨の合意をした場合に関する次の記述のうち、民法の規定によれば、誤っているものはどれか。なお、当事者間においてその他の別段の意思表示はないものとする。

1　CがAに対してのみ履行の請求をしたときは、Bの債務は、Bが履行の請求の事実について知っていたとしても、時効の完成は猶予されない。

2　AとCとの間に更改があったときは、Aの負担部分についてのみ、Bの利益のために更改の効力が生ずるため、以後、Cは、Bに対して、500万円を限度として請求することができる。

3　CがAに対してのみ債務の免除をしたときは、Bの利益のために免除の効力は生じないため、Cは、Bに対して、1,000万円全額の支払いを請求することができる。

4　Aの債務についてのみ錯誤によって取り消されたとしても、Bの債務は、有効なものとして存続する。

【問　15】　Ａが建設会社Ｂとの間で甲マンションを建築する請負契約を締結した場合に関する次の記述のうち、民法の規定によれば、正しいものはどれか。

1　甲マンションが完成する前に、ＡとＢのいずれの責めにも帰することのできない事由によって建築途中の甲マンションが滅失した場合は、仕事を再開すれば契約で定められた期間内に完成が可能であっても、Ｂの仕事完成義務は消滅する。

2　完成した甲マンションに契約不適合がある場合、Ａは、Ｂに対して、必ず相当の期間を定めて履行の追完の催告をして、その期間内に追完がないときに限り、その不適合の程度に応じて報酬の減額を請求することができる。

3　甲マンションが完成する前に、Ａの責めに帰すことのできない事由によって建築途中の甲マンションが滅失して、完成が不能となったときには、Ｂは、Ａが受ける利益の割合に応じて報酬を請求することができる。

4　完成した甲マンションに重大な契約不適合があって、契約をした目的を達することができないときであっても、Ａは、契約を解除することができない。

【問　16】　甲マンションの601号室を所有する区分所有者Ａが死亡して、その相続人としてＢ、Ｃ及びＤがいる場合に関する次の記述のうち、民法の規定及び判例によれば、誤っているものはどれか。

1　Ｂ、Ｃ及びＤとの間で、601号室をＢの単独所有とする旨の遺産分割協議が成立したが、その後、Ｃが自己の法定相続分に応じた持分を第三者Ｅに譲渡した。この場合、Ｂが自己の法定相続分に応じた持分を超える部分の権利取得をＥに対抗するには、Ｂが当該持分を所有する旨の登記が必要である。

2　Ｂ、Ｃ及びＤが遺産分割の協議中に、Ｂが601号室の共有持分を第三者Ｆに譲渡した場合、Ｆが、Ｃ及びＤとの共有関係を解消するためにとるべき法的手続は、遺産分割手続ではなく、共有物分割の手続となる。

3　Ｂ、Ｃ及びＤとの間で、601号室をＢの単独所有とする旨の遺産分割協議が成立した後であっても、Ｂ、Ｃ及びＤは、その合意によっていったん成立した遺産分割を解除することができる。

4　Ｂが相続財産である601号室を占有している場合、Ｂは、相続の承認又は放棄をした後においても、自己の固有財産におけるのと同一の注意をもって601号室を管理しなければならない。

【問　17】　宅地建物取引業者Aが、自ら売主として締結するマンションの売買契約に関する次の記述のうち、宅地建物取引業法（この問いにおいて「法」という。）及び民法の規定によれば、正しいものはどれか。

1　Aが宅地建物取引業者ではないBとの間で締結するマンションの売買契約において、Aは、「契約不適合を原因とする損害賠償責任を負わない代わりに、当該マンションの引渡しの日から5年間、契約不適合の修補を行う」旨の定めは有効である。

2　Aが宅地建物取引業者ではないBとの間で締結するマンションの売買契約において、当該マンションの品質に関して契約の内容に適合しない場合におけるその不適合を担保すべき責任を負う通知期間を、当該マンションをBに引渡した時から1年とする特約を定めた場合、この特約は有効である。

3　Aが宅地建物取引業者であるBとの間で締結するマンションの売買契約において、当該マンションの品質に関して契約の内容に適合しない場合におけるその不適合を担保すべき責任を負わないとする特約を定めた場合には、一定の事実等があるときを除いてこの特約は有効である。

4　Aが宅地建物取引業者であるBとの間で締結するマンションの売買契約において、マンションの構造耐力上主要な部分の契約不適合についてのみ契約不適合責任を負うとした場合、Aは、マンションの構造耐力上主要な部分の契約不適合以外の契約不適合についても契約不適合責任を免れない。

【問　18】　区分建物の登記に関する次の記述のうち、不動産登記法（平成16年法律第123号）の規定によれば、正しいものはどれか。

1　表題登記がある区分建物を登記記録上これと接続する他の区分建物である表題登記がある建物に合併して１個の建物とする登記は、当該表題部所有者又は所有権登記名義人以外の者でも申請することができる。

2　区分建物である建物を新築して所有者となった者が死亡した場合において、その所有者について相続その他の一般承継があったときは、表題登記のない当該区分建物所有権の相続人のみが、被相続人を表題部所有者とする当該区分建物について表題登記を申請することができる。

3　敷地権付き区分建物について相続を原因とする所有権の移転の登記をした場合、敷地権の移転の登記をあらためて申請する必要がある。

4　地上権の敷地権が登記された土地について、当該土地の所有権を目的とする抵当権を設定してその登記を申請することができる。

【問　19】　マンション敷地売却組合（この問いにおいて「組合」という。）が施行するマンション敷地売却事業に関する次の記述のうち、マンション建替え等円滑化法の規定によれば、誤っているものはどれか。

1　マンションの一の専有部分が数人の共有に属するときは、その数人が１人の組合員とみなされる。

2　売却マンションについて組合員の有する区分所有権又は敷地利用権の全部又は一部を承継した組合員があるときは、従前の組合員がその区分所有権又は敷地利用権の全部又は一部について組合に対して有していた権利義務は、その承継した組合員に移転する。

3　組合は、法人税法その他法人税に関する法令の規定の適用については、同法第２条６号に規定する公益法人等とみなされる。

4　定款の変更のうち事業に要する経費の分担に関する事項の変更は、組合員の議決権及び敷地利用権の持分の価格の各５分の４以上の多数による総会の議決を経なければならない。

【問　20】　地域地区に関する次の記述のうち、都市計画法（昭和43年法律第100号）の規定によれば、正しいものはどれか。

1　第二種住居地域は、中高層住宅に係る良好な住居の環境を保護するため定める地域とされている。

2　準都市計画区域については、無秩序な市街化を防止し、計画的な市街化を図るため、都市計画に市街化区域と市街化調整区域との区分を定めなければならない。

3　高度利用地区は、用途地域が定められていない土地の区域（市街化調整区域を除く。）内において、市街地における土地の合理的かつ健全な高度利用と都市機能の更新とを図るため、建築物の容積率の最高限度及び最低限度、建築物の建蔽率の最高限度、建築物の建築面積の最低限度並びに壁面の位置の制限を定める地区である。

4　特定街区については、市街地の整備改善を図るため街区の整備又は造成が行われる地区について、その街区内における建築物の容積率並びに建築物の高さの最高限度及び壁面の位置の制限を定めるものとされている。

【問　21】　建築基準法（昭和25年法律第201号）の規定に関する次の記述のうち、誤っているものはどれか。

1　共同住宅の居室には、原則として、採光のための窓その他の開口部を設け、その採光に有効な部分の面積は、その居室の床面積に対して7分の1以上としなければならないが、照明設備の設置等の措置が講じられている場合、7分の1から20分の1の範囲内で国土交通大臣が定める割合以上としなければならない。

2　住宅又は老人ホーム等に設ける機械室その他これに類する建築物の部分（給湯設備その他の国土交通省令で定める建築設備を設置するためのものであって、市街地の環境を害するおそれがないものとして国土交通省令で定める基準に適合するものに限る。）で、特定行政庁が交通上、安全上、防火上及び衛生上支障がないと認めるものの床面積は、建築物の容積率の算定の基礎となる延べ面積には、算入しない。

3　共同住宅の居室で地階に設けるものは、壁及び床の防湿の措置その他の事項について、からぼりその他の空地に面する開口部を設ける等衛生上必要な政令で定める技術的基準に適合するものとしなければならない。

4　防火地域内にある共同住宅の屋上に高さ2mの広告塔を設ける場合、その主要な部分を不燃材料で造り、又は覆わなければならない。

【問　22】　簡易専用水道の管理等に関する次の記述のうち、水道法（昭和32年法律第177号）の規定によれば、誤っているものはどれか。

1　簡易専用水道の設置者は、当該簡易専用水道の管理について、国土交通省令（簡易専用水道により供給される水の水質の検査に関する事項については、環境省令）の定めるところにより、定期に、地方公共団体の機関又は国土交通大臣及び環境大臣の登録を受けた者の検査を受けなければならない。

2　簡易専用水道の設置者は、給水栓における水の色、濁り、臭い、味その他の状態により供給する水に異常を認めたときは、水道水質基準の項目のうち必要なもの及び残留塩素について検査を行う必要がある。

3　簡易専用水道の設置者は、水槽の掃除を毎年１回以上、定期に、行う必要がある。

4　簡易専用水道の設置者は、供給する水が人の健康を害するおそれがあることを知ったときは、直ちに給水を停止し、かつ、その水を使用することが危険である旨を関係者に周知させる措置を講じなければならない。

【問　23】　防火管理者等に関する次の記述のうち、消防法（昭和23年法律第186号）の規定によれば、誤っているものはどれか。

1　居住者が50人の共同住宅の管理について権原を有する者は、防火管理者を解任したときは、遅滞なくその旨を所轄消防長（消防本部を置かない市町村においては、市町村長。）又は消防署長に届け出なければならない。

2　居住者が50人以上の共同住宅の管理について権原を有する者は、マンションの位置、構造及び設備の状況並びにその使用状況に応じ、防火管理者に消防計画を作成させ、当該消防計画に基づく消火、通報及び避難の訓練を行わせなければならない。

3　共同住宅における管理的又は監督的な地位にある者のいずれもが遠隔の地に勤務していることその他の事由により、防火管理上必要な業務を適切に遂行することができないと消防長等が認めていない場合であっても、マンションの管理について権原を有する者は、第三者に防火管理者の業務を委託することができる。

4　その管理について権原が分かれている共同住宅にあっては、当該共同住宅の防火管理者は、消防計画に、当該共同住宅の当該権原の範囲を定めなければならない。

【問　24】　マンションの管理組合から、改修計画において、防犯に配慮した設計とする上で留意すべきことの相談を受けたマンション管理士の次の発言のうち、「共同住宅に係る防犯上の留意事項及び防犯に配慮した共同住宅に係る設計指針について」(平成18年４月20日 国住生第19号）によれば、適切なものはいくつあるか。

ア　共用玄関の存する階のエレベーターホールの照明設備は、床面において20ルクス以上の平均水平面照度となるように設けなければならない。

イ　バルコニー等に面する住戸の窓のうち侵入が想定される階に存するものは、錠付きクレセント、補助錠の設置等侵入防止に有効な措置を講じたものとし、避難計画等に支障のない範囲において窓ガラスの材質は、破壊が困難なものとすることが望ましい。

ウ　エレベーターは、非常時において押しボタン、インターホン等によりかご内から外部に連絡又は吹鳴する装置が設置されたものとする。

エ　住戸の玄関扉等は、工具類等の侵入器具を用いた侵入行為に対して、騒音の発生を可能な限り避ける攻撃方法に対しては５分以上侵入を防止する性能を有する防犯建物部品等の扉又は錠を設置したものとする。

1　一つ
2　二つ
3　三つ
4　四つ

【問　25】 区分所有者が専有部分の修繕等を行おうとする場合における次の記述のうち、標準管理規約によれば、適切でないものはどれか。ただし、電磁的方法が利用可能ではない場合とする。

1　工事業者に依頼して畳の交換や壁紙の張替えを行いたい場合には、あらかじめ理事長にその旨を届け出ることによって、交換や張替えを実施することができる。

2　理事長やその指定を受けた者は、専有部分の修繕工事に対し、必要な範囲で立入り等の調査を行うことができ、区分所有者は正当な理由がない限り、調査を拒否できない。

3　主要構造部にエアコンを取り付けたい場合には、あらかじめ理事長にその旨を届け出ることによって、取り付けを実施することができる。

4　専有部分の間取りを変更したい場合には、あらかじめ理事長に届出をするに当たって、その申請書に設計図、仕様書及び工程表を添付しなければならない。

【問　26】 マンションの管理等に関する次の記述のうち、標準管理規約によれば、適切なものはいくつあるか。ただし、電磁的方法が利用可能ではない場合とする。

ア　区分所有者は、敷地及び共用部分等の管理に要する経費に充てるため、管理費及び修繕積立金を管理組合に納入する義務を負い、区分所有者が滞納した場合には、賃借人等の占有者が納入義務を負う。

イ　専有部分である設備のうち共用部分と構造上一体となった部分の管理を共用部分の管理と一体として行う必要があるときは、管理組合がこれを行うことができる。

ウ　区分所有者は、管理組合が共用部分のうち各住戸に附属する窓枠等の開口部に係る改良工事を速やかに実施できない場合には、あらかじめ理事長に申請して書面による承認を受けることにより、当該工事を当該区分所有者の責任と負担において実施することができる。

エ　専有部分の賃借人が玄関扉を損傷した場合、その賃借人がその責任と負担において保存行為を行う。

1　一つ
2　二つ
3　三つ
4　四つ

【問　27】　役員の選任等に関する次の記述のうち、標準管理規約によれば、適切なものはどれか。ただし、外部専門家を役員として選任できることとしていない場合とする。

1　破産手続開始の決定がなされた後、復権を得てから５年を経過しなくても、役員となることはできる。

2　区分所有者の承諾を得て専有部分を占有する賃借人は、当該区分所有者に代わって管理組合の役員となることができる。

3　役員の選任について、「当該マンションに現に居住する組合員から選任する」などの居住要件を加えることはできない。

4　役員は半数改選とすることができ、この場合、役員の任期は３年とする。

【問　28】　区分所有者Ａが、その専有部分を第三者Ｂに賃借させる場合に関する次の記述のうち、標準管理規約によれば、適切でないものはどれか。

1　Ａは、本件賃借に係る契約にこの規約及び使用細則に定める事項を遵守する旨の条項を定めるとともに、Ｂにこの規約及び使用細則に定める事項を遵守する旨の誓約書を管理組合に提出させなければならない。

2　Ａが総会でＢに議決権を行使させたい場合、Ａの親族でなく組合員でもないＢは、Ａの代理人になることができない。

3　専有部分をＢに賃借している間は、Ａは、現に居住する住所、電話番号等の連絡先を管理組合に届け出なければならない旨を規約に定めることができる。

4　Ａがその専有部分をＢに賃借させる場合において、Ａが管理組合と駐車場使用契約をしたうえで自らが使用している駐車場を、Ｂも使用することができる。

【問　29】　マンションの駐車場に関する次の記述のうち、標準管理規約によれば、適切なものはどれか。

1　駐車場使用料と専用庭使用料は、いずれも総会の決議により値上げすることができる。

2　駐車場を組合員以外の外部者に賃貸した場合、その駐車場使用料は管理費全体の不足額に充当することができる。

3　管理費や修繕積立金の滞納など規約違反がある場合には、駐車場使用契約において次回選定時の参加資格をはく奪できる旨の規定は有効だが、使用契約の解除までは認められない。

4　駐車場の増改築工事のうち大規模なものや著しい加工を伴うものは、総組合員の３分の２以上が出席したうえで総議決権の３分の２以上の議決が必要である。

【問　30】　管理組合の総会に関する次の記述のうち、標準管理規約によれば、適切なものはどれか。

1　理事長は、通常総会を、理事会の承認を得て、毎年１回、新会計年度開始以後２ヵ月以内に招集しなければならない。

2　総会に出席できない組合員から議決権行使書が提出されていた場合、当該議決権行使書を提出した組合員は、総会の出席者に含まれる。

3　一の区分所有権を２人以上で共有する場合、議決権はその共有者がそれぞれの持分に応じて行使することができる。

4　建替え決議又はマンション敷地売却決議を目的とする総会を招集する場合には、会議を開く日の２ヵ月前までに、招集の際に通知すべき事項について、組合員に対して説明会を事前に開催しなければならない。

【問　31】 管理組合の理事会に関する次の記述のうち、標準管理規約によれば、適切なものはどれか。

1　副理事長は、理事長に事故があるときはその職務を代理し、理事長が欠けたときはその職務を行い、これらの場合においては理事会の承認が必要である。

2　理事会は管理組合の業務執行に関する機能を有しているため、業務執行の監視・監督の機能は監事が有している。

3　理事が一定数以上の理事の同意を得て理事会の招集を請求した場合には、理事長は速やかに理事会を招集しなければならないが、理事長が所定の期間内に理事会の招集通知を発しないときでも、請求をした理事が理事会を招集することはできない。

4　理事会において総会に提出する規約の変更案を決議する場合、理事の半数以上が出席した理事会において、出席した理事の過半数で決しなければならず、ＷＥＢ会議システム等を用いて決議をすることもできる。

【問　32】 マンションの長期修繕計画に関するマンション管理士の説明のうち、標準管理規約及び長期修繕計画作成ガイドライン（令和３年９月国土交通省公表）によれば、適切でないものはどれか。ただし、電磁的方法が利用可能ではない場合とする。

1　長期修繕計画の作成又は変更に要する経費及び長期修繕計画の作成等のための劣化診断（建物診断）に要する経費の充当については、管理組合の財産状態等に応じて管理費又は修繕積立金のどちらからでも可能です。

2　長期修繕計画の期間としては、計画期間が30年以上で、かつ大規模修繕工事が２回含まれる期間以上とする必要があります。

3　長期修繕計画書の保管や閲覧については、会計担当理事が、その責任において行わなければなりません。

4　長期修繕計画においては、維持管理の状況として、法定点検等の実施、調査・診断の実施、計画修繕工事の実施、長期修繕計画の見直し等について示すだけでなく、会計状況についても示さなければなりません。

【問　33】 住居専用の専有部分からなる数棟で構成される甲団地の団地管理組合に関する次の記述のうち、「マンション標準管理規約（団地型）及びマンション標準管理規約（団地型）コメント」（令和３年６月22日国住マ第33号）によれば、適切なものはどれか。

1　各棟修繕積立金の保管及び運用方法を決めるには、棟総会の決議を経なければならない。

2　団地総会における議決権については、土地の共用部分の共有持分割合、あるいはそれを基礎としつつ賛否を算定しやすい数字に直した割合によることが適当である。

3　甲団地内にあるＡ棟の補修を一定年数の経過ごとに計画的に修繕する場合には、Ａ棟総会の決議が必要である。

4　乙団地内にあるＢ棟の階段室部分を改造してエレベーターを新規に設置する場合には、Ｂ棟総会の決議が必要である。

【問　34】　甲マンション管理組合の令和５年度（令和５年４月１日～令和６年３月31日まで）の会計に係る仕訳のうち、適切なものはどれか。ただし、会計処理は、発生主義の原則によるものとする。

1　令和６年７月に完了予定の修繕工事の工事費50万円のうち、着手金として同年３月に20万円を支払い、工事完了時に30万円を支払う予定である。

（単位：円）

（借　方）		（貸　方）	
修繕費	500,000	現金預金	200,000
		未払金	300,000

2　令和６年３月に、マンション管理業者を通じて、清掃料（同年３月分）２万円と損害保険料（同年４月分）３万円の請求書が管理組合宛に届いたので、同年３月30日に振込により全額を支払った。

（単位：円）

（借　方）		（貸　方）	
清掃料	20,000	現金預金	50,000
支払保険料	30,000		

3　令和４年度の貸借対照表に計上されていた管理費の未収分12万円のうち、８万円が令和５年度に入金されたが、４万円はまだ入金されていない。

（単位：円）

（借　方）		（貸　方）	
現金預金	80,000	管理費収入	120,000
未収金	40,000		

4　令和６年３月に、令和６年３月分、４月分及び５月分の管理費（１ヵ月分は８万円）の合計24万円が入金された。

（単位：円）

（借　方）		（貸　方）	
現金預金	240,000	管理費収入	80,000
		前受金	160,000

【問　35】 **甲マンション管理組合の理事会において、会計担当理事が令和５年度（令和５年４月１日～令和６年３月31日）決算の管理費会計の比較貸借対照表について行った次の説明のうち、収支報告書又は貸借対照表に関する説明として適切でないものは、次のうちどれか。ただし、会計処理は発生主義の原則によるものとし、資金の範囲は、現金預金、未収金、未払金、前受金及び前払金とする。**

令和５年度管理費会計比較貸借対照表

（単位：千円）

項　目	令和５年度	令和４年度	増減	項　目	令和５年度	令和４年度	増減
現金預金	2,000	2,100	－100	未払金	400	500	－100
未収金	600	400	200	前受金	1,200	1,100	100
－				正味財産	1,000	900	100
計	2,600	2,500	100	計	2,600	2,500	100

1　令和４年度に比較して令和５年度では現金預金が減少していますが、未払金が減少したことは、減少要因の一つです。

2　令和５年度収支報告書の管理費収入は予算を下回っていますが、管理費の未収金の増加が前受金の増加よりも大きかったことが原因です。

3　令和５年度収支報告書の次期繰越収支差額は1,000,000円であり、当期収支差額は100,000円のプラスでした。

4　未収金がいくら増加したかどうかは、収支報告書ではわかりません。

【問　36】「長期修繕計画作成ガイドライン及び同コメント」（令和３年９月国土交通省公表）に関する次の記述のうち、適切でないものはどれか。

1　共用部分の排水管の取替えを行うために、パイプシャフトに面した専有部分の壁を一旦撤去した後に修復する場合の修繕工事は、長期修繕計画の対象に含まれる。

2　管理組合は、財務・管理に関する情報について、マンションの購入予定者に対しても書面で交付することをあらかじめ管理規約において規定しておくことが望まれる。

3　１次診断（簡易診断）は、建物の劣化の状況を大まかに把握し、２次・３次診断（詳細診断）は、劣化の要因を特定し、修繕工事の要否や内容等の判断を行う目的で行う。

4　長期修繕計画の見直しに当たっては、空き住戸率、賃貸化率、修繕積立金滞納率を考慮する。

【問　37】大規模修繕工事に関する次の記述のうち、適切でないものはどれか。

1　大規模修繕工事の工事請負契約は、工事を発注する管理組合、工事を請け負う施工会社、工事監理者の三者間で締結されるものである。

2　大規模修繕工事のコンサルタントには、マンションの建物の調査・診断や修繕設計等だけでなく、施工会社選定への助言及び協力、長期修繕計画の見直し、資金計画に関する助言等ができることが望まれる。

3　窓のアルミサッシの交換工事において、工期を短縮するためにかぶせ工法を採用したことは適切である。

4　修繕工事の実施にあたっては、床の積載荷重が大きくなる場合、構造上の安全性を確認することが必要である。

【問　38】　マンションの劣化の種類とその現象に関する次の記述のうち、適切でないものはどれか。

1　コンクリートの中性化が生じても、タイルや表面コンクリートが剥落を起こすことはない。

2　ポップアウトとは、コンクリート表面の小部分が円錐形のくぼみ状に破壊された状態で、凍害、アルカリシリカ反応等が原因で発生する。

3　外壁塗装の白亜化（チョーキング）は、熱、紫外線、風、雨等のために外壁塗膜が劣化し、塗膜表面が次第に粉状になって消耗していく現象をいう。

4　エフロレッセンスとは、硬化したコンクリートの表面に出た白色の物質をいい、セメント中の石灰等が水に溶けて表面に染み出し、空気中の炭酸ガスと化合してできたものが主成分であり、コンクリート中への水の浸透等が原因で発生する。

【問　39】　マンションの構造上の安全等に関する次の記述のうち、適切でないものはどれか。

1　現行の耐震基準（新耐震基準）は、昭和56年6月1日以降に建築確認を受けた場合に適用されている。

2　ピロティとは、建物の1階などにおいて、主に柱のみで構成されている壁の少ない部分をいうが、空間の有効利用が主な目的であり、耐震性を高めるように計画されたものではない。

3　建築物の地上部分に作用する地震力を計算する際に使われる地震層せん断力係数は、同じ建築物であれば上階ほど小さい。

4　枠付き鉄骨ブレースにより柱及び梁の補強をする耐震改修工事は、地震力の低減ではなく、構造耐力の向上を目的とするものである。

【問　40】　マンションの各部の計画に関する次の記述のうち、下線部の数値が適切でないものはどれか。

1　直上階の居室の床面積の合計が200㎡を超える地上階に設ける階段のけあげを20㎝以下、踏面を24㎝以上とした。

2　移動等円滑化経路を構成する高低差が100㎜ある共用部分の傾斜路の勾配を、1／8とした。

3　住戸の床面積の合計が200㎡の階において、両側に居室がある共用廊下の幅を、1.6mとした。

4　階数が3以下で延べ面積が200㎡未満の共同住宅の敷地内に設けなければならない、屋外への出口から道に通ずる通路の幅員を80㎝とした。

【問　41】　マンションの防水に関する次の記述のうち、適切なものはどれか。

1　トップライトのガラス回りのシーリング材には、耐久性に優れたシリコーン系シーリング材を使用するのが適切である。

2　ウレタン系シーリング材は、耐候性が高いので屋外の金属と金属との接合部の目地に適したシーリング材である。

3　アスファルト防水コンクリート押え工法では、押えコンクリート部分も防水機能を持っているので、その部分に目地を設けてはならない。

4　露出アスファルト防水工法は、ルーフバルコニー等の日常的に歩行する場所に採用される。

【問　42】　バリアフリー法によれば、誤っているものはどれか。

1　バリアフリー法に基づく措置は、高齢者、障害者等にとって日常生活又は社会生活を営む上で障壁となるような社会における事物、制度、慣行、観念その他一切のものの除去に資すること及び全ての国民が年齢、障害の有無その他の事情によって分け隔てられることなく共生する社会の実現に資することを旨として、行われなければならない。

2　車椅子使用者が円滑に利用することができる駐車施設の幅は、350cm以上とする。

3　不特定かつ多数の者が利用し、又は主として高齢者、障害者等が利用する主たる階段は、回り階段以外の階段を設ける空間を確保することが困難であるときでも、回り階段にすることができない。

4　不特定かつ多数の者が利用し、又は主として高齢者、障害者等が利用する階段は、踏面の端部とその周囲の部分との色の明度、色相又は彩度の差が大きいことにより段を容易に識別できるものとする。

【問　43】　マンションの排水設備に関する次の記述のうち、適切でないものはどれか。

1　上部から一時的に多量の排水が流れてくると、立て管と排水横枝管の接続部付近で管内の圧力が上昇又は低下し、横枝管に接続した器具のトラップが破封することがある。

2　一般に、排水用硬質塩化ビニルライニング鋼管の接続には、管端部にねじ式継手を用いる。

3　敷地雨水管の合流箇所、方向を変える箇所などに用いる雨水排水ますに設けなければならない泥だまりの深さは、15cm以上でなければならない。

4　敷地内において雨水排水管と生活排水用の排水横主管を接続する場合には、臭気が雨水系統へ逆流しないように、トラップ機能を有する排水ますを設置する。

【問　44】　マンションの給水設備に関する次の記述のうち、適切でないものはどれか。

1　高置水槽方式の給水方式では、一般的に、高置水槽の有効容量は、１日の使用水量の10分の１程度を目安に計画する。

2　飲料水用受水槽において、防虫網は、通気管及びオーバーフロー管の管端開口部には設ける必要があるが、水抜き管の管端開口部には不要である。

3　給水設備の計画において、居住者１人当たりの１日の使用水量を250ℓとしたことは適切である。

4　水道水の水質を確保するためには、給水栓における遊離残留塩素の濃度が、通常0.05㎎／ℓ以上必要である。

【問　45】　マンションの設備に関する次の記述のうち、適切でないものはどれか。

1　潜熱回収型ガス給湯機を設置する場合には、凝縮水を排出するための排水管が必要となる。

2　電気設備において、100Ｖ用の照明機器やコンセントのほか200Ｖ用の電磁誘導加熱式調理器（ＩＨクッキングヒーター）に対応するためには、住戸内配線を単相３線式とする必要がある。

3　高さ31ｍを超える共同住宅で、高さ31ｍを超える部分の各階の床面積の合計が600㎡のものについては、非常用の昇降機を設ける必要はない。

4　高さ20ｍを超えるマンションに設置する避雷設備を、受雷部システム、引下げ導線システム及び接地システムからなるシステムに適合する構造とした。

【問　46】　マンション管理士の登録に関する次の記述のうち、マンション管理適正化法の規定によれば、誤っているものはいくつあるか。ただし、マンション管理士の登録に必要な他の要件は満たしているものとする。

ア　マンション管理士Aが刑法第204条（傷害）の罪により懲役１年執行猶予２年の刑に処された場合、刑の執行猶予の言渡しを取り消されることなく猶予期間を満了していても、当該マンション管理士は、その満了の日から２年を経過していなければ、新たな登録を受けることはできない。

イ　心身の故障によりマンション管理士の業務を適正に行うことができない者として国土交通省令で定めるものは、マンション管理士の登録を受けることができない。

ウ　マンション管理士となる資格を有する者は、国土交通大臣の登録を一定期間以内に受けなければならないという義務はなく、登録は任意である。

エ　マンション管理士となる資格を有する者が、偽りその他不正の手段により管理業務主任者証の交付を受け、その登録を取り消された場合には、当該取消しの日から２年を経過しなければ、マンション管理士の登録を受けることはできない。

1　一つ
2　二つ
3　三つ
4　四つ

【問　47】「マンションの管理の適正化の推進を図るための基本的な方針」（令和３年国土交通省告示第1286号）に関する次の記述のうち、適切でないものはいくつあるか。

ア　管理委託契約先が選定された場合には、管理組合の管理者等は、説明会等を通じてマンションの区分所有者等に対し、必ず、当該契約内容を周知するとともに、マンション管理業者の行う管理事務の報告等を活用し、管理事務の適正化を図らなければならない。

イ　マンションが団地を構成する場合には、各棟固有の事情を踏まえつつ、全棟の連携をとって、全体としての適切な管理がなされるように配慮することが重要である。

ウ　防災・減災、防犯に加え、日常的なトラブルの防止などの観点からも、マンションにおけるコミュニティ形成は重要なものであり、マンションの区分所有者等においても、区分所有法に則り、良好なコミュニティの形成に積極的に取り組むことが重要である。

エ　管理規約は、マンション管理の最高自治規範であることから、その作成にあたっては、管理組合は、区分所有法に則り、必ずマンション標準管理規約に従い、当該マンションの実態及びマンションの区分所有者等の意向を踏まえ、適切なものを作成し、必要に応じてその改正を行うこと、これらを十分周知することが重要である。

1　一つ
2　二つ
3　三つ
4　四つ

【問　48】　マンション管理適正化法に関する次の記述のうち、誤っているものはいくつあるか。なお、電子情報処理組織を使用する方法等については考慮しないものとする。

ア　都道府県（市の区域内にあっては当該市、町村であってマンション管理適正化推進行政事務を処理する町村の区域内にあっては当該町村。以下「都道府県等」という。）は、国土交通大臣が定めたマンションの管理の適正化の推進を図るための基本的な方針に基づき、当該都道府県等の区域内におけるマンション管理適正化推進計画を作成しなければならない。

イ　マンション管理業者に求められる管理業務主任者の設置義務において、当該マンション管理業者（法人である場合は、その役員）が管理業務主任者であり、その者が自ら主として業務に従事する事務所である場合でも、その者がその事務所に置かれる成年者である専任の管理業務主任者とみなされることはない。

ウ　マンション管理業者は、管理者等が設置されているマンション管理組合の管理者等に対し、管理事務の報告を行うときは、報告の対象となる期間、管理組合の会計の収入及び支出の状況に限り、これらを記載した管理事務報告書を作成し、管理業務主任者をして、これを管理者等に交付して説明をさせなければならない。

エ　マンション管理業者は、管理組合から委託を受けた管理事務のうち基幹事務については、これを一括して他人に委託してはならず、マンション管理業者がこれに違反したときは、国土交通大臣は、当該マンション管理業者に対し、２年以内の期間を定めて、その業務の全部又は一部の停止を命ずることができる。

1　一つ
2　二つ
3　三つ
4　四つ

【問　49】 **マンション管理業者Ａの業務に関する次の記述のうち、マンション管理適正化法（この問いにおいて「法」という。）によれば、正しいものはどれか。**

1　法人であるＡについて、破産手続開始の決定があった場合は、当該法人の代表役員は、その日から30日以内に、その旨を国土交通大臣に届け出なければならない。

2　Ａは、管理者等が設置されていない管理組合から委託を受けた管理事務に関する報告の説明会を開催することになった場合、その開催日の10日前に、開催日時とその場所を、当該管理組合を構成するマンションの区分所有者等の見やすい場所に掲示しても、法には違反しない。

3　Ａは、法第45条第１項に掲げるその商号に変更があったときは、遅滞なく、その旨を国土交通大臣に届け出なければならないが、当該届出をせず、又は虚偽の届出をしたときは、30万円以下の罰金に処される。

4　Ａは、管理事務について、帳簿を作成し、これを閉鎖した後10年間保存しなければならない。

【問　50】　次の記述のうち、マンション管理適正化法（この問いにおいて「法」という。）の規定によれば、誤っているものはいくつあるか。

ア　マンション管理業者の従業者である管理業務主任者は、マンションの管理に関する事務を行うに際し、マンションの区分所有者等その他の関係者から従業者であることを証する書面の提示を求められたときは、当該証明書の代わりに管理業務主任者証を提示することで足りる。

イ　マンション管理業者の使用人その他の従業者は、当該従業者でなくなった後2年を経過するまでは、正当な理由がなく、マンションの管理に関する事務を行ったことに関して知り得た秘密を漏らしてはならない。

ウ　管理事務とは、マンションの管理に関する事務であって、基幹事務（管理組合の会計の収入及び支出の調定及び出納並びにマンション（専有部分を除く。）の維持又は修繕に関する企画又は実施の調整をいう。）を含むものをいい、管理事務の一部を行う場合も該当するので、業として行うものは、マンション管理業といえる。

エ　国土交通大臣は、マンション管理業者登録簿閲覧所を設け、マンション管理業者登録簿並びに法第45条の規定による登録の申請及び法第48条第1項の規定による登録事項の変更の届出に係る書類を、マンションの管理に関する利害関係人だけではなく、一般の閲覧にも供しなければならない。

1　一つ
2　二つ
3　三つ
4　四つ

【問題冊子ご利用時の注意】

「問題冊子」は、この**色紙を残したまま、ていねいに抜き取り**、ご利用ください。

- 抜き取り時のケガには、十分お気をつけください。
- 抜き取りの際の損傷についてのお取替えはご遠慮願います。

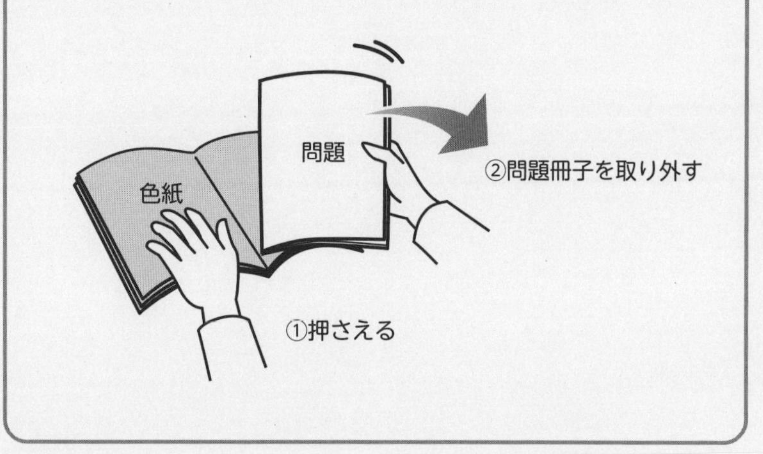

令和6年度マンション管理士模擬試験

問 題

合格ライン　37点

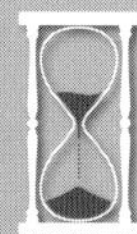

制限時間　2時間

❶問題は、2-1ページから2-35ページまでの50問です。

❷問題の中の法令に関する部分は、令和6年4月1日現在施行されている規定に基づいて出題されています。

問題の中で使用している主な法律等の略称及び用語の定義については、次のとおりである。

「マンション」………………………

「マンション管理適正化法第２条第１号イに規定するマンション」をいう。

「マンション管理適正化法」………

マンションの管理の適正化の推進に関する法律（平成12年法律第149号）

「区分所有法」…建物の区分所有等に関する法律（昭和37年法律第69号）

「管理者」………「区分所有法第25条第１項の規定により選任された管理者」をいう。

「管理組合」……「区分所有法第３条に規定する区分所有者の団体」をいう。

「管理組合法人」………「区分所有法第47条第１項に規定する法人」をいう。

「団地管理組合」………「区分所有法第65条に規定する団地建物所有者の団体」をいう。

「被災マンション法」………………

被災区分所有建物の再建等に関する特別措置法（平成７年法律第43号）

「マンション建替え等円滑化法」…

マンションの建替え等の円滑化に関する法律（平成14年法律第78号）

「標準管理規約」……………………

マンション標準管理規約（単棟型）及びマンション標準管理規約（単棟型）コメント（令和３年６月22日 国住マ第33号）

「マンション管理業者」……………

「マンション管理適正化法第２条第８号に規定する者」をいう。

「管理事務」…………………………

「マンション管理適正化法第２条第６号に規定する管理事務」をいう。

「管理業務主任者」…「マンション管理適正化法第２条第９号に規定する者」をいう。

【問　1】　マンションの専有部分に関する次の記述のうち、区分所有法の規定及び判例によれば、誤っているものはどれか。

1　専有部分は、構造上区分され、独立して建物としての用途に供することができる建物の部分のことをいい、その用途は住居に限定されない。

2　構造上区分され、用途上独立性を有する建物の部分であっても、その一部に共用設備が設置されている場合には、専有部分として区分所有権の目的となり得ない。

3　専有部分としての利用上の独立性が認められるためには、独立の出入口を有して直接に外部に通じていることが必要であり、他の専有部分を通らなければ外部に通じることができないものには、利用上の独立性は認められない。

4　壁・床・天井等によって他の部分と区分されている建物の各部分は、その範囲が明確であれば、周囲全てが完全に遮断されていなくても、専有部分としての構造上の独立性が認められることがある。

【問　2】　一部の区分所有者のみの共用に供されるべきことが明らかな共用部分（この問いにおいて「一部共用部分」という。）に関する次の記述のうち、区分所有法の規定によれば、誤っているものはどれか。

1　一部共用部分には、法律上当然に共用部分とされる部分と規約により共用部分とされるものがあるが、いずれについても床面積を有しないものがある。

2　構造上一部の区分所有者の共用に供されるべき建物の部分は、その旨の登記がなくても第三者に対抗することができる。

3　一部共用部分の管理のうち、区分所有者全員の利害に関係するもの又は区分所有者全員の規約に定めがあるものは区分所有者全員で、その他のものはこれを共用すべき区分所有者のみで行う。

4　一部共用部分に関する事項で区分所有者全員の利害に関係しないものについて、区分所有者全員の規約を設定する場合、当該一部共用部分を共用すべき区分所有者の全員の承諾を得る必要がある。

【問　3】 集会の決議における電磁的方法の利用に関する次の記述のうち、区分所有法の規定によれば、誤っているものはどれか。

1　区分所有者は、規約又は集会の決議により、書面による議決権の行使に代えて、電磁的方法によって議決権を行使することができる。

2　区分所有法又は規約により集会において決議すべきものとされた事項についての電磁的方法による決議は、集会の決議と同一の効力を有する。

3　区分所有法又は規約により集会において決議をすべき場合において、電磁的方法による決議をするためには、区分所有者の4分の3以上の承諾がなければならない。

4　区分所有法又は規約により集会において決議すべきものとされた事項については、区分所有者全員の電磁的方法による合意があったときは、電磁的方法による決議があったものとみなされる。

【問　4】 管理組合の規約の保管及び閲覧に関する次の記述のうち、区分所有法の規定によれば、正しいものはいくつあるか。

ア　管理者は、規約を建物内に保管しなければならず、その保管場所を建物内の見やすい場所に掲示しなければならない。

イ　規約を保管する者は、利害関係人からの規約の閲覧又は謄写に関する請求を拒むことはできない。

ウ　規約で定めることにより、規約を管理者が指名した管理者以外の区分所有者に保管させることができる。

エ　管理者が置かれていない管理組合は、集会の決議により、区分所有者の代理人で建物を使用している者に規約を保管させることができる。

1　一つ
2　二つ
3　三つ
4　四つ

【問　5】 甲マンションの管理組合Aが、区分所有者Bを管理者としている場合に関する次の記述のうち、区分所有法及び民法（明治29年法律第89号）の規定によれば、誤っているものはいくつあるか。

ア　Bは、その職務を行うについて善良な管理者としての注意義務を負う。

イ　BがAに対して報酬を請求できる旨の特約がある場合において、Aの責めに帰することができない事由によって委任事務の履行をすることができなくなったときは、Bは、Aに対して、既にした履行の割合に応じた報酬を請求することはできない。

ウ　Bは、その職務上受け取った金銭その他の物を、Aに引き渡す義務を負う。

エ　Bは、委任事務を処理するのに必要と認められる費用を支出したときは、Aに対し、その費用及び支出の日以後におけるその利息の償還を請求することができる。

1　一つ
2　二つ
3　三つ
4　四つ

【問　6】 管理組合法人の監事に関する次の記述のうち、区分所有法の規定によれば、誤っているものはいくつあるか。

ア　監事は、規約又は集会の決議により、理事又は管理組合法人の使用人と兼ねることができる。

イ　監事は、理事の業務執行に不正があると認めるときは、集会を招集することができ、その集会において、理事の解任の議案を提出しなければならない。

ウ　監事は、規約に別段の定めがないときは、集会の決議によって選任又は解任される。

エ　監事が欠けたときは、任期の満了又は辞任により退任した監事は、新たに選任された監事が就任するまで、なおその職務を行う。

1　一つ
2　二つ
3　三つ
4　四つ

【問　7】 敷地及び共用部分の共有持分に関する次の記述のうち、民法、区分所有法及び標準管理規約によれば、不適切なものはいくつあるか。

ア　共用部分の共有持分の割合を算定する基準となる専有部分の床面積は、標準管理規約によれば、壁その他の区画の内側線で囲まれた部分の水平投影面積による。

イ　敷地の共有持分の割合については、公正証書によりその共有持分の割合が定まっている場合でも、民法の規定に従い、各自の持分を平等としなければならない。

ウ　共用部分の共有持分の割合を算定する場合、一部共用部分の床面積は、これを共用すべき各区分所有者の数に応じて均等に配分して、それぞれその区分所有者の専有部分の床面積に算入される。

エ　建物が所在する土地が建物の一部の滅失により建物が所在する土地以外の土地となった場合には、一次的に民法の規定が適用されるので、各区分所有者は、その土地の共有持分を自由に処分することができる。

1　一つ
2　二つ
3　三つ
4　四つ

【問　8】　区分所有法第59条に規定する、共同の利益に反する行為をしている区分所有者（この問いにおいて「当該区分所有者」という。）に対する区分所有権及び敷地利用権の競売請求訴訟（この問いにおいて「本訴訟」という。）に関する次の記述のうち、区分所有法の規定によれば、正しいものはどれか。なお、当該マンションの管理組合は法人化されていないものとする。

1　本訴訟の提起を決定する集会の決議においては、当該区分所有者は議決権を行使することはできない。

2　本訴訟の提起を決定する集会の決議をするには、当該区分所有者に対し、必要に応じて、弁明する機会を与えれば足りる。

3　本訴訟の訴えの提起及び訴訟の追行は、集会の決議によって、管理者又はそのために指定された区分所有者に委ねることができる。

4　本訴訟の判決に基づく競売において、当該区分所有者は、競売の対象となった区分所有権及び敷地利用権について、買受けの申出をすることができる。

【問　9】 マンションの建替えに関する次の記述のうち、区分所有法の規定によれば、誤っているものはどれか。

1　正当な理由なく建替え決議の日から２年以内に建物の取壊しの工事の着手がない場合、売渡請求権の行使により区分所有権を売り渡した者は、この期間満了の日から６月以内に、買主が支払った代金に相当する金銭をその区分所有権を現在有する者に提供して、その権利を売り渡すべきことを請求することができる。

2　建替え決議をする場合、建替え後の建物の敷地は、必ずしも、建替えをする建物の敷地と同一の土地である必要はなく、その土地の一部の土地、又はその土地の全部又は一部を含む土地であってもよい。

3　建替え決議のための集会の招集通知は、当該集会の会日より少なくとも２ヵ月前までに発しなければならず、また、当該集会の会日より少なくとも１ヵ月前までに区分所有者に対する説明会を開催しなければならないが、これらの期間は規約により伸長することができる。

4　区分所有法第63条第５項に規定する買受指定者は、建替えに参加しない区分所有者に対する売渡請求権を行使した場合において、区分所有権等の代金を直ちに支払うことができない特段の事情があるときは、裁判所からその支払について相当の期限の許与を受けることができる。

【問　10】　A、B、C及びDの４棟のマンションで構成されている甲団地の団地管理組合の団地総会（区分所有法65条に規定する集会をいう。）の議案にすることができるものは、区分所有法の規定によれば、次のア～エの記述のうち、いくつあるか。

ア　A棟において、専有部分を暴力団事務所として使用している者に対して使用の禁止を請求する決議に関する件

イ　B棟の101号室を、B棟の居住者のための集会室として規約共用部分にする件

ウ　C棟の共用部分を、C棟の管理者が所有することができる旨の規約を定める件

エ　老朽化したD棟のみの建替え承認決議をする件

1　一つ
2　二つ
3　三つ
4　四つ

【問　11】　大規模な火災、震災その他の災害で政令で定めるもの（この問いにおいて「政令指定災害」という。）により、区分所有建物の全部が滅失した場合における、被災区分所有建物の敷地共有者等の集会に関する次の記述のうち、被災マンション法の規定によれば、誤っているものはどれか。

1　政令指定災害により大規模一部滅失が生じた後、建物が取り壊された場合には、敷地共有者等の議決権の５分の４以上の多数で、敷地共有持分等に係る土地を売却する旨の決議をすることはできない。

2　敷地共有者等の集会の開催については、会日より少なくとも１週間前に、その開催の通知をしなければならないが、規約によって、通知を発しなければならない日を会日の５日前とすることはできない。

3　敷地共有者等の集会の招集通知は、区分所有者が災害前に管理者に対して通知を受けるべき場所を通知していた場合には、その場所に宛ててすることができる。

4　敷地共有者等のうち５分の１を超える議決権を有する者は、政令施行の日から起算して１月を経過する日の翌日以後当該施行の日から起算して３年を経過する日までの間に、敷地の共有物分割の請求をすることができる。

【問　12】　甲マンションの管理組合Ａが区分所有者Ｂに対して有する管理費債権の消滅時効に関する次の記述のうち、民法の規定によれば、正しいものはどれか。

1　ＡのＢに対する管理費債権については、Ａが権利を行使することができることを知った時から10年間、又は、Ａが権利を行使することができる時から20年間、権利を行使しないときに、時効によって消滅する。

2　ＡがＢに対して内容証明郵便で支払の催告をしたときは、その時から６ヵ月を経過するまでは時効が完成しないが、催告によって時効の完成が猶予されている間にされた再度の催告により、さらに時効の完成を遅らせることができる。

3　Ａは、Ｂに対して、管理費の支払を求める訴えを提起したが、その訴えを取り下げた場合には、その時から６ヵ月を経過するまでの間、時効の完成が猶予される。

4　ＡとＢの間で、管理費債権についての協議を行う旨の合意が書面又は電磁的記録でされたときは、一定の期間、時効の完成が猶予されるが、この期間中に、再度の管理費債権についての協議を行う旨の合意が書面又は電磁的記録でされても、さらに一定の期間、時効の完成が猶予されることはない。

【問　13】　Ａが甲マンションの101号室を購入するに際してＢ銀行から融資を受け、ＡがＢのために同室に抵当権を設定しその登記がなされた場合に関する次の記述のうち、民法の規定によれば、正しいものはどれか。

1　Ａが101号室をＣに売却する場合、Ｃは、Ｂの承諾を得なければ、同室の所有権を取得することができない。

2　Ａが101号室をＤに賃貸した場合、Ｂは、ＡがＤに対して有する賃料債権について、抵当権を行使することはできない。

3　ＡがＥ銀行から融資を受ける場合、Ａは、Ｂの承諾を得なければ、Ｅのために101号室に抵当権を設定することができない。

4　Ｂは、抵当権を実行しようとする場合には、あらかじめＡに通知をする必要はない。

【問　14】　Aが、自己が所有し、居住する甲マンションの202号室を1,500万円で売却した場合における次の記述のうち、民法の規定及び判例によれば、最も適切なものはどれか。ただし、当事者間において連帯債務に関する別段の意思表示はないものとする。

1　202号室をBが購入し、Bの代金1,500万円の債務をC及びDが連帯保証した場合に、AがBに対する代金債権をEに譲渡したとき、AがBに対して確定日付のない債権譲渡の通知をしただけでは、Eは、C及びDに対して、連帯保証債務の履行を請求できない。

2　202号室をF、G及びHが共同で購入し、代金1,500万円の債務をF、G及びHが負担部分平等で連帯して支払うこととした場合に、FがAに対して1,500万円の債権を有するとき、Fが相殺を援用しない間は、Fの負担部分について、G及びHは履行を拒絶できない。

3　202号室をF、G及びHが共同で購入し、代金1,500万円の債務をF、G及びHが負担部分平等で連帯して支払うこととした場合に、Fに対して履行の請求がされたとき、G及びHの債務の時効の完成は猶予されない。

4　202号室をBが購入し、Bの代金1,500万円の債務をC及びDが連帯保証した場合に、AとCとの間で連帯保証債務につき更改がなされたとき、AのBに対する代金債権は消滅しない。

【問　15】　ＡとＢが共有する甲マンション707号室を、Ｃに代金2,000万円で売却する旨の契約（この問いにおいて「本件売買契約」という。）が締結された場合に関する次の記述のうち、民法の規定によれば、誤っているものはどれか。

1　ＡとＢが債務を履行しないため、Ｃが本件契約を解除する旨の意思表示をした場合、その意思表示は、撤回することができない。

2　ＡとＢが本件契約の解除権を有する場合において、Ａが自己の行為によって707号室を著しく損傷したときは、解除権は消滅する。

3　ＡとＢが本件契約の解除権を有する場合において、解除権が、Ａについて消滅したときは、Ｂについても当然に消滅する。

4　ＡとＢの債務の一部の履行が不能である場合において、残存する部分のみでは契約をした目的を達することができないときにおいても、Ｃは、相当の期間を定めて催告をしなければ、契約の解除をすることができない。

【問　16】　甲マンション707号室を所有しているＡは、Ｂとの間で、707号室を第三者に売却するために委任契約を締結した。この場合に関する次の記述のうち、民法の規定及び判例によれば、誤っているものはどれか。

1　Ｂは、Ａに対して、委任事務を処理するために支出した費用の償還を請求ができるが、費用の前払もその旨の特約がない場合でも請求することができる。

2　Ａは、Ｂに対する金銭債権と、Ｂが委任事務処理のために第三者に対して負担した金銭債務をＡが弁済するよう求める請求権とを相殺することができる。

3　Ｂは、Ａに引き渡すべき金額を自己のために消費した場合、適切に引き渡さなかったことによりＡに法定利息分を超える損害が生じたときは、その損害の賠償責任を負う。

4　ＡＢ間の委任契約が有償である場合、Ｂは、Ａから委任終了の通知を受けず、またその事実も知らなかったときは、委任終了後の事務処理に対する報酬を請求することができる。

【問　17】　マンションの101号室を所有しているＡが死亡し、その相続人が配偶者Ｂと子Ｃの２人である場合に関する次の記述のうち、民法の規定によれば、正しいものはどれか。

1　Ａが死亡する前にＣがすでに死亡していた場合、Ｃの子は、Ａの相続人とならない。

2　Ａが「Ａの財産はすべてＤに遺贈する」旨の遺言をしていた場合、Ｂには遺留分があるが、Ｃには遺留分はない。

3　Ａが101号室の管理費を滞納したまま死亡した場合、Ｂ及びＣが、自己に相続の開始があったことを知ったときから３ヵ月以内に、限定承認又は相続の放棄をしなかったときは、当該滞納管理費に係る債務は、Ｂ及びＣに承継される。

4　Ａが死亡する前にＡが101号室をＥに賃貸していた場合、Ａの死亡によってＥとの賃貸借契約は当然に終了する。

【問　18】 区分建物の登記に関する次の記述のうち、不動産登記法（平成16年法律第123号）によれば、正しいものはどれか。

1　表題登記がある区分建物でない建物に接続して区分建物が新築された場合における当該区分建物についての表題登記の申請は、当該表題登記がある建物についての表題部の変更の登記の申請と併せてしなければならないが、この場合に当該建物の区分所有者は、当該表題登記がある建物の表題部所有者に代わって、当該表題登記がある建物についての表題部の変更の登記を申請することはできない。

2　区分建物の表題部所有者の氏名又は住所の変更登記をする場合、表題部所有者について一般承継があったときは、それらの一般承継人はその登記申請をすることができる。

3　共用部分である旨を定めた規約を廃止した場合には、当該区分建物の所有者は、当該規約の廃止の日から１ヵ月以内に、当該区分建物の表題部の変更登記を申請しなければならない。

4　抵当権が設定された区分建物に附属建物がある場合、その附属建物を当該区分建物から分割して登記記録上一戸の建物とする建物分割登記は、当該区分建物の抵当権者も申請することができる。

【問　19】　マンション建替組合（この問いにおいて「建替組合」という。）に関する次の記述のうち、マンション建替え等円滑化法の規定によれば、誤っているものはどれか。

1　建替組合の設立の認可を申請しようとする者は、建替組合の設立について、建替え合意者の４分の３以上の同意を得なければならない。

2　建替え合意者は、５人以上共同して、定款及び事業計画を定め、都道府県知事（市の区域内においては当該市の長をいう。）の認可を受けて建替組合を設立することができる。

3　建替組合は、総会の議決によって解散することができるが、この議決は権利変換期日後であっても行うことができる。

4　建替組合は、その事業に要する経費に充てるため、賦課金として参加組合員以外の組合員に対して金銭を賦課徴収することができる。

【問　20】　都市計画法（昭和43年法律第100号）に関する次の記述のうち、誤っているものはどれか。

1　市街化調整区域については、都市計画に、特定用途制限地域を定めることができる。

2　市街化区域については、少なくとも用途地域を定めるものとし、市街化調整区域については、原則として用途地域を定めないものとされている。

3　用途地域においては、建築物の容積率を定めなければならない。

4　第一種中高層住居専用地域及び第二種中高層住居専用地域においては、特例容積率適用地区を定めることができる。

【問　21】 建築基準法（昭和25年法律第201号）に関する次の記述のうち、正しいものはどれか。

1　防火地域又は準防火地域内において共同住宅を改築しようとする場合、その改築に係る部分の床面積の合計が10㎡以内であれば、建築確認を受ける必要はない。

2　主要構造部が準耐火構造である共同住宅の３階（避難階以外の階）については、その階における居室の床面積の合計が200㎡である場合、その階から避難階又は地上に通ずる２以上の直通階段を設けなければならない。

3　建築物が防火地域及び準防火地域にわたる場合において、当該建築物が防火地域外において防火壁で区画されているときは、その防火壁外の部分については、準防火地域内の建築物に関する規定を適用する。

4　延べ面積が1,000㎡を超える耐火建築物は、防火上有効な構造の防火壁又は防火床によって有効に区画し、かつ、各区画の床面積の合計をそれぞれ1,000㎡以内としなければならない。

【問　22】 専用水道、簡易専用水道及び貯水槽水道に関する次の記述のうち、水道法（昭和32年法律第177号）の規定によれば、誤っているものはどれか。

1　簡易専用水道の設置者は、水道の管理について技術上の業務を担当させるための水道技術管理者を置く義務はない。

2　水道事業者は、供給規程において、貯水槽水道の設置者の責任に関する事項として、必要に応じて、貯水槽水道の管理責任及び管理の基準を定めなければならない。

3　水道事業者から供給を受ける水のみを水源としている貯水槽水道の設置者は、その水槽の有効容量の合計が10㎥以下でも、当該水道事業者の定める供給規程に基づき、水槽の管理責任を負う。

4　専用水道とは、80人を超える者にその居住に必要な水を供給するもの又はその水道施設の一日最大給水量が政令で定める基準を超えるもののいずれかに該当するものをいう。

【問　23】　共同住宅における消防用設備等に関する次の記述のうち、消防法（昭和23年法律第186号）の規定によれば、誤っているものはどれか。

1　消防長又は消防署長は、防火対象物における消防用設備等が設備等技術基準に従って設置され、又は維持されていないと認めるときは、当該防火対象物の関係者で権原を有するものに対し、当該設備等技術基準に従ってこれを設置すべきこと、又はその維持のため必要な措置をなすべきことを命ずることができる。

2　耐火建築物及び準耐火建築物ではない２階建ての共同住宅で、延べ面積が1,500㎡以上のものには、屋外消火栓設備を設置しなければならない。

3　延べ面積300㎡の共同住宅には、消火器又は簡易消火用具を、階ごとに、当該共同住宅の各部分からの歩行距離が20m以下となるように設置しなければならない。

4　マンションには、携帯用拡声器、手動式サイレンその他の非常警報器具を設置する必要がない。

【問　24】　警備業に関する次の記述のうち、警備業法（昭和47年法律第117号）の規定によれば、正しいものはどれか。

1　警備業者は、自己の名義をもって、他人に警備業を営ませてはならないが、これは認定を受けていない者に名義を貸すことを禁止するものであり、認定を受けている者に名義を貸すことは禁止されない。

2　警備業者は、常に、その行う警備業務について、依頼者等からの苦情の適切な解決に努めなければならないが、この依頼者には警備業務実施場所の周辺住民、通行者等は含まれない。

3　警備業務の依頼者に対して交付する契約の概要について記載した書面（契約前書面）及び警備業務の依頼者に対して交付する契約の内容を明らかにする書面（契約後書面）は、それぞれ一の書面であることを要せず、契約書、警備計画書、パンフレット等複数の書面によることは差し支えない。

4　貸ビル業者が通常必要とされる範囲で自己の所有建物においてその建物自体の保全管理を行う業務及び賃借人との契約に基づいて事故の発生を警戒し、防止する業務は、警備業務に該当しない。

【問　25】　区分所有建物の管理等について、標準管理規約によれば、適切でないものはどれか。ただし、電磁的方法が利用可能でない場合とする。

1　管理組合が火災保険等の契約を締結した場合には、当該契約に基づく保険金額の請求・受領については、管理組合が区分所有者を代理する。

2　管理組合が管理費等について有する債権は、区分所有者の特定承継人に対しても行使可能である。

3　住宅宿泊事業を行う場合、区分所有者はその専有部分を専ら住宅として使用するものとし、他の用途に供することはできない。

4　ＷＥＢ会議システムで理事会を開催する場合、理事全員分の機材一括購入費用は、備品費として管理費から充当する。

【問　26】　管理組合に関する次の記述のうち、標準管理規約によれば、適切なものはどれか。

1　甲マンションの区分所有者であるＡは、甲マンションに居住していなくても、甲マンションの管理組合の組合員となることができる。

2　管理組合における代理に関して、外部専門家を理事に選任している場合には、当該外部専門家に事故があったときは、理事会への代理出席を認めるべきである。

3　管理組合に設置すべき役員の種類は、理事長・副理事長・会計担当理事・理事の４種類である。

4　管理組合は、未納の管理費等及び使用料への請求に係る遅延損害金及び違約金としての弁護士費用並びに督促及び徴収の諸費用に相当する収納金については、修繕積立金として積み立てる。

【問　27】　ＷＥＢ会議システム等を用いて開催する総会に関する次の記述のうち、標準管理規約によれば、適切でないものはどれか。

1　ＷＥＢ会議システム等を用いて総会を開催する場合には、なりすまし防止のため、ＷＥＢ会議システム等を用いて出席を予定する組合員に対して、個別にＩＤ及びパスワードを送付する。

2　第三者が組合員になりすました場合やサイバー攻撃や大規模障害等による通信手段の不具合が発生した場合等には、総会の決議が無効となるおそれがある。

3　議決権を行使することができる組合員がＷＥＢ会議システム等を用いて出席した場合については、定足数の算出において出席組合員に含まれると考えられるが、議決権を行使することができない傍聴人としてＷＥＢ会議システム等を用いて議事を傍聴する組合員については、出席組合員には含まれない。

4　ＷＥＢ会議システム等を用いて総会に出席している組合員が議決権を行使する場合には、あらかじめ規約の定めや集会の決議により、その取扱い方法等を定めておかなければならない。

【問　28】 総会の決議に関する次の記述のうち、標準管理規約によれば、適切なものはいくつあるか。

ア　区分所有者の承諾を得て専有部分を占有する者は、会議の目的につき利害関係を有する場合には、あらかじめ理事長に通知することで、総会に出席して意見を述べ、議決権を行使することができる。

イ　総会の決議に際して代理人が議決権を行使する場合には、組合員本人が、理事長に委任状を提出しておかなければならない。

ウ　総会において出席組合員の過半数の同意がある場合であっても、あらかじめ通知した事項以外については、決議することができない。

エ　バリアフリー化を目的とした場合には、階段室部分を改造して、車いすで利用できるエレベーターを新たに設置する工事については、普通決議により実施可能である。

1　一つ
2　二つ
3　三つ
4　四つ

【問　29】　理事会に関する次の記述のうち、標準管理規約によれば、適切なものはどれか。

1　理事会は、専門委員会を設置して特定の課題を調査・検討させることができ、専門委員会の構成員は、その特定の課題については理事会決議に加わることもできる。
2　理事会の招集通知について、理事会の１週間前までに理事長が発する旨を規定することはできない。
3　理事会の開催に際しては、適法な招集手続の下に理事の半数以上が出席していれば足り、監事が欠席しても理事会の決議の有効性には影響しない。
4　理事会のすべての決議事項について、理事の全員の承諾があるときは、書面又は電磁的方法による決議によることができる。

【問　30】　理事長に関する次の記述のうち、標準管理規約によれば、適切なものはどれか。ただし、電磁的方法が利用可能でない場合とする。

1　理事長は、理事会の決議を経ることで、未納の管理費や使用料の請求において、管理組合を代表して訴訟を追行することができる。
2　理事長は、監事の承認を受けて、他の理事に、その職務の一部を委任することができる。
3　理事長は、通常総会において、組合員に対し、前会計年度における管理組合の業務の執行に関する報告を、監事をしてさせなければならない。
4　理事長は、組合員や利害関係人からの書面又は口頭による請求があったときは、議事録を閲覧させなければならない。

【問　31】 監事に関する次の記述のうち、標準管理規約によれば、適切なものはどれか。

1　監事は、総会又は理事会の決議に違反する事実若しくは著しく不当な事実があると認めるときは、遅滞なく理事会にその旨を報告しなければならず、必要があると認める場合には、直ちに理事会の招集をすることができる。
2　監事は、当該会計年度の収支決算案の会計監査をしたうえで、その結果を通常総会に報告し、承認を得る義務がある。
3　区分所有者が法令や規約に違反する行為を行った場合において、監事は、理事会の決議を経たうえで、当該区分所有者に対して勧告又は指示・警告ができる。
4　監事は、管理組合の業務執行・財産状況を監査し、これらの点に不正があると認めるときは、自ら臨時総会を招集することができる。

【問　32】 管理組合の会計に関する次の記述のうち、標準管理規約によれば、適切なものはどれか。

1　管理組合は、管理費等及び使用料について、組合員が振込みの方法により管理組合の預金口座に受け入れ、当月分は別に定める徴収日までに一括して徴収する。
2　理事長は、管理組合の会計年度の開始後、通常総会において収支予算案の承認を得るまでの間に、総会の承認を得て実施している長期の施工期間を要する工事に係る経費であって、通常総会の承認を得る前に支出することがやむを得ないと認められるものの支出が必要となった場合、理事長独自の判断で支出することができる。
3　規約に遅延損害金を定める場合には、民法の法定利率よりも高い利率を設定することができるが、さらには、消費者契約法における利率よりも高い利率を設定することもできる。
4　管理組合は、会計業務を遂行するため、管理組合の預金口座を開設するものとし、預金口座に係る印鑑等の保管にあたっては、施錠の可能な場所（金庫等）に保管し、印鑑の保管と鍵の保管を理事長が一括して行うことを、総会の承認を得て細則等に定めなければならない。

【問　33】　複合用途型マンションの管理組合に関する次の記述のうち、「マンション標準管理規約（複合用途型）及びマンション標準管理規約（複合用途型）コメント」（令和３年６月22日 国住マ第33号）によれば、適切なものはどれか。

1　店舗の前面の敷地について、当該店舗の区分所有者に専用使用権を設定している場合、その使用料は、当該敷地の管理に要する費用に充てるほか、店舗一部修繕積立金として積み立てられる。

2　店舗共用部分の修繕については、店舗部会の決議を経ることで、店舗一部修繕積立金を取り崩して費用を拠出することが可能である。

3　住宅一部共用部分の修繕積立金の取り崩しに際しては、総会の決議において全区分所有者の過半数の賛成があれば足り、住宅部分の区分所有者の過半数は別途必要ない。

4　収支決算を行った結果、全体管理費、住宅一部管理費、店舗一部管理費に余剰が生じた場合には、その余剰は翌年度におけるそれぞれの修繕積立金に充当する。

【問　34】　甲マンション管理組合の令和５年度（令和５年４月１日～令和６年３月31日まで）の会計に係る仕訳のうち、適切なものはどれか。ただし、会計処理は、発生主義の原則によるものとする。

1　甲マンション管理組合の組合員Ａは、令和６年２月分の管理費（月額２万円）を未納としたが、同年３月にまとめて６万円を支払った。この場合の同年３月分の仕訳は、下記の通りである。

（単位：円）

（借　方）		（貸　方）	
現金預金	40,000	管理費収入	40,000
未収金	20,000	前受金	20,000

2　令和６年３月末の帳簿上の乙銀行預金残高より乙銀行発行の預金残高証明書の金額が２万円少なかったため調査したところ、同年３月に組合員Ｂから入金された３月分の管理費２万円が誤って未収金として計上されていたためであることが判明した。このため、必要な仕訳を行った。

（単位：円）

（借　方）		（貸　方）	
現金預金	20,000	管理費収入	20,000

3　令和４年度の総会で承認され令和４年９月に工事が開始された総額300万円の大規模修繕工事が令和５年９月１日に完了したため、前年度に前払した工事費の残額200万円を令和５年10月１日に支払った。

（単位：円）

（借　方）		（貸　方）	
修繕費	3,000,000	現金預金	2,000,000
		前払金	1,000,000

4　令和６年２月１日に、外壁の塗装工事を代金50万円で発注した。この塗装工事は同年４月10日に完了予定であり、工事費50万円は、同年５月末日に振込により支払う予定である。

（単位：円）

（借　方）		（貸　方）	
修繕費	500,000	未払金	500,000

【問　35】　管理組合の税務に関する次の記述のうち、消費税法（昭和63年法律第108号）及び法人税法（昭和40年法律第34号）の規定によれば、適切でないものはいくつあるか。

ア　管理費収入及び修繕積立金収入については、管理組合法人には消費税の納税義務が生じるが、法人化していない管理組合には消費税の納税義務が生じない。

イ　管理組合の令和３年度、令和４年度、令和５年度の各１年間の課税売上高を算定したところ、それぞれ、1,500万円、900万円、800万円であった場合、令和５年度は消費税の納税義務が生じる。

ウ　管理組合がマンション敷地内の駐車場を当該管理組合の組合員以外の第三者に使用させ、当該第三者から毎年100万円の駐車場使用料収入があり、他に消費税課税対象収入がない場合でも、第三者に対する駐車場使用料収入は消費税の課税対象であるので、消費税の納税義務が生じる。

エ　管理組合がマンション敷地内で行う駐車場業については、当該管理組合の組合員以外の第三者が駐車場を有償で使用する場合でも非収益事業とみなされるため、法人税の納税義務は生じない。

1　一つ
2　二つ
3　三つ
4　四つ

【問　36】「長期修繕計画作成ガイドライン及び同コメント」（令和３年９月国土交通省公表）に関する次の記述のうち、適切でないものはどれか。

1　修繕積立金の積立ては、計画期間に積み立てる修繕積立金の額を均等にする積立方式（均等積立方式）を基本とする。

2　長期修繕計画の見直しは、大規模修繕工事と大規模修繕工事の中間の時期に単独で行う場合、大規模修繕工事の直前に基本計画の検討に併せて行う場合、又は、大規模修繕工事の実施の直後に修繕工事の結果を踏まえて行う場合がある。

3　長期修繕計画の作成（見直しを含む。）の推定修繕工事項目の設定は、建物及び設備の機能を新築時と同等水準に維持回復させる修繕工事を対象とし、免震工法等の耐震改修工事は対象としない。

4　管理組合は、分譲会社から交付された設計図書、数量計算書等のほか、計画修繕工事の設計図書、点検報告書等の修繕等の履歴情報を整理し、区分所有者等の求めがあれば閲覧できる状態で保管することが必要である。

【問　37】「長期修繕計画作成ガイドライン及び同コメント」に関する次の記述のうち、適切でないものはどれか。

1　築古のマンションでは、大規模修繕工事の機会にマンションの省エネ性能を向上させる改修工事を実施することは脱炭素社会の実現のみならず、各区分所有者の光熱費負担を低下させる観点からも有意義と考えられる。

2　計画修繕工事における修繕工事には、補修工事（経常的に行う補修工事を除く。）が含まれる。

3　大規模修繕工事とは、建物の全体又は複数の部位について行う大規模な計画修繕工事（全面的な外壁塗装等を伴う工事）をいう。

4　ガイドラインは、区分所有者が自ら居住するマンションを対象としており、いわゆるリゾートマンションや、一部に賃貸住宅を併設するマンション及び賃貸を目的としたマンション（投資用マンション等）には使用できない。

【問　38】 マンションの診断に関する次の記述のうち、適切でないものはどれか。

1　モルタル塗り壁面の接着強度の診断には、壁面のモルタルに接着剤でアタッチメントを接着させ、測定機器を取り付けて引き抜くことにより測定する方法がある。

2　コンクリートの中性化は、外壁のコンクリートを一部円筒状にコア抜きし、取り出したサンプルにフェノールフタレイン溶液を噴霧する等して、赤色に変色した部分を中性化が進行している部分と評価する。

3　パールハンマーは、タイル等の浮きの有無や程度を診断するための器具である。

4　分光測色計は、抽象的な色を数値化して、正確に判別する機器であり、仕上塗材の劣化現象である汚れの付着、光沢度低下、変退色等の調査をする機器である。

【問　39】 マンションの大規模修繕工事に関する次の記述のうち、適切でないものはどれか。

1　ＣＭ（コンストラクションマネジメント）方式とは、専門家が発注者の立場に立って、発注・設計・施工の各段階におけるマネジメント業務を行うことで、全体を見通して効率的に工事を進める方式をいい、工事の品質確保が見込めるが、コストは削減することができない。

2　大規模修繕工事では、コンクリートのひび割れ長さやタイルの浮きの枚数などは、足場が掛かっていない段階で数量を確定することが困難であるため、実費精算方式を採用することが多い。

3　大規模修繕工事の設計監理方式とは、調査診断、修繕設計及び工事監理と、設計に基づく工事施工とを別の業者に委ねる方式を指すのが一般的である。

4　大規模修繕工事前に実施する調査・診断の一環として、竣工図書、過去に行った調査・診断結果、修繕履歴等の資料調査を行う。

【問　40】　マンションの構造に関する次の記述のうち、適切でないものはどれか。

1　柱には地震力を受けた場合にせん断力によるひび割れの拡がりを防ぐための帯筋を配置するが、たれ壁と腰壁が上下についた短柱の場合はせん断破壊が生じやすくなる。

2　枠付き鉄骨ブレースによる柱・梁の補強は、構造耐力の向上を目的とする。

3　構造耐力上主要な部分とは、壁、柱、床、梁、屋根又は階段をいい、建築物の構造上重要でない間仕切壁、間柱、附け柱、揚げ床、最下階の床、廻り舞台の床、小梁、ひさし、局部的な小階段、屋外階段その他これらに類する建築物の部分を除くものをいう。

4　鉄筋コンクリート構造は、圧縮強度は高いが引張強度が低いコンクリートを、引張強度が高い鉄筋によって補った構造形式である。

【問　41】　マンションの各部の計画に関する次の記述のうち、建築基準法の規定によれば、誤っているものはどれか。

1　屋外に設ける避難階段は、耐火構造とし、地上まで直通とする必要がある。

2　屋内に設ける避難階段の階段室は、窓その他の採光上有効な開口部又は予備電源を有する照明設備を設置しなければならない。

3　共同住宅において、その階の住戸面積の合計が100㎡を超える場合の共用の廊下の幅は、廊下の両側に居室がある場合には1.6m以上、その他の場合には1.2m以上としなければならない。

4　高さ70㎝を超える階段の部分には手すりを設けなければならず、手すりが設けられていない側には、側壁又はこれに代わるものを設けなければならない。

【問　42】 マンションの室内環境に関する次の記述のうち、誤っているものはどれか。

1　住宅の居室のシックハウス対策として、原則として、換気回数が1時間あたり0.5回以上となる機械換気設備を設置しなければならない。

2　建築材料にクロルピリホスを添加してはならず、クロルピリホスをあらかじめ添加した建築材料も、添加時からの時間の経過を問わず、使用してはならない。

3　住宅の居室には、政令で定める技術的基準に従って換気設備を設けた場合を除き、換気に有効な部分の面積として、その居室の床面積に対して、20分の1以上の開口部を設けなければならない。

4　住宅の居室の天井の高さは、居室の床面から測り、一室で天井の高さが異なる部分がある場合、その平均の高さが2.1m以上でなければならない。

【問　43】 マンションの給水設備に関する次の記述のうち、適切なものはどれか。

1　圧力水槽（タンク）方式は、水道本管から分岐して引き込んだ水を一度受水槽に貯水した後、加圧（給水）ポンプで圧力水槽に給水し、圧力水槽内の空気を加圧することにより各住戸に供給する方式である。

2　受水槽を屋内に設置する場合に、受水槽の天井、底及び周壁と建築物との間に、保守点検ができるように、全ての躯体面で60㎝の空間を設けた。

3　水栓を閉める際に生じるウォーターハンマーを防止するためには、給水管内の流速を2.5～3.0m/sとすることが有効である。

4　水道用硬質塩化ビニル管は、住戸内に使用されるさや管ヘッダー方式の給水配管として用いられる。

【問　44】　マンションの排水設備に関する次の記述のうち、適切でないものはどれか。

1　高層や超高層のマンションで採用されることが多い特殊継手排水システムは、伸頂通気管と通気立て管を設置することなく、汚水や雑排水を排水できる。

2　管径75㎜の排水横引管の最小勾配は、100分の１とする。

3　排水トラップの封水深は、原則として、５㎝以上10㎝以下とする。

4　雨水排水立て管は、汚水排水管若しくは通気管と兼用し、又はこれらの管に連結してはならない。

【問　45】　マンションの設備に関する次の記述のうち、適切でないものはどれか。

1　家庭用燃料電池は、都市ガス等から水素を作り、それと空気中の酸素を反応させて電気を作るとともに、その反応時の排熱を利用して給湯用の温水を作る設備機器である。

2　地震時のエレベーター内への閉じ込めの防止策の一つとして、Ｓ波を検知して運転を制御する地震時等管制運転装置を設置する必要がある。

3　パットマウント方式とは、敷地内の屋外に集合住宅用変圧器を設置して電力を供給するもので、トランス容量に制限がある。

4　自然冷媒ヒートポンプ式給湯器は、二酸化炭素の冷媒を圧縮し高熱にして熱源としており、加熱効率が高い。

【問　46】 マンション管理士に関する次の記述のうち、マンション管理適正化法の規定によれば、正しいものはいくつあるか。なお、マンション管理士の登録に必要な他の要件は満たしているものとする。

ア　マンション管理士は、その事務所ごとに、公衆の見やすい場所に、国土交通省令で定める標識を掲げなければならない。

イ　マンション管理士でない者は、マンション管理士又はこれに紛らわしい名称を使用してはならず、これに違反したときに30万円以下の罰金に処されるという規定は、マンション管理士の登録をしていない試験合格者にも適用される。

ウ　マンション管理士は、本籍（日本の国籍を有しない者にあっては、その者の有する国籍）を変更したときは、遅滞なく、その旨を国土交通大臣に届けなければならず、その場合においては、当該変更届出にマンション管理士登録証（この問いにおいて「登録証」という。）を添えて提出し、その訂正を受けなければならない。

エ　マンション管理士は、登録証の亡失によりその再交付を受けた後において、亡失した登録証を発見したときは、速やかに、再交付を受けた登録証を国土交通大臣に返納する必要がある。

1　一つ
2　二つ
3　三つ
4　四つ

【問　47】「マンションの管理の適正化の推進を図るための基本的な方針」（令和３年国土交通省告示第1286号）に関する次の記述のうち、適切なものはいくつあるか。

ア　国は、マンションの管理水準の維持向上と管理状況が市場において評価される環境整備を図るためにマンションの管理の適正化の推進に関する施策を講じていくよう努める必要があるため、マンション管理士制度及びマンション管理業の登録制度の適切な運用を図るほか、マンションの実態調査の実施、「マンション標準管理規約」及び各種ガイドライン・マニュアルの策定や適時適切な見直しとその周知、マンションの管理の適正化の推進に係る財政上の措置、リバースモーゲージの活用等による大規模修繕等のための資金調達手段の確保、マンション管理士等の専門家の育成等によって、管理組合や地方公共団体のマンションの管理の適正化及びその推進に係る取組を支援していく必要がある。

イ　マンション管理業者の団体においては、関係機関及び関係団体との連携を密にし、管理組合等に対する積極的な情報提供を行う等、管理適正化業務を適正かつ確実に実施する必要がある。

ウ　マンションが建設後相当の期間が経過した場合等に、修繕等のほか、これらの特例を活用した建替え等を含め、どのような措置をとるべきか、様々な区分所有者等間の意向を調整し、合意形成を図っておくことが重要である。

エ　マンションを購入しようとする者は、マンションの管理の重要性を十分認識し、売買契約だけでなく、管理規約、使用細則、管理委託契約、長期修繕計画等管理に関する事項に十分に留意することが重要である。

1　一つ
2　二つ
3　三つ
4　四つ

【問　48】　マンションに関する次の記述のうち、マンション管理適正化法の規定によれば、正しいものはどれか。

1　マンション管理業とは、管理組合から委託を受けて管理事務を行う行為で業として行うもの（マンションの区分所有者が、報酬を得て、自ら当該マンションについて行うものを除く。）をいう。

2　管理組合とは、マンションの管理を行う区分所有法第３条若しくは第65条に規定する団体又は区分所有法第47条第１項（一定の準用規定を含む。）に規定する法人をいうが、現に居住している者がすべて賃借人である建物には、管理組合は存在しない。

3　区分所有者が30人で、そのうちの28人が専有部分を建築計画概要書上の主要用途を事務所用として賃貸し、残りの２人が居住用として賃貸している場合に、当該建物はマンションに該当しない。

4　区分所有者が50人で、人の居住の用に供する専有部分が１戸のみの建物もマンションに該当するが、その建物の敷地や附属施設はマンションに該当しない。

【問　49】 マンション管理業に関する次の記述のうち、マンション管理適正化法（この問いにおいて「法」という。）の規定によれば、誤っているものはいくつあるか。

ア　マンション管理業者は、管理組合から委託を受けた管理組合の消防計画の届出の補助業務について、これを一括して他人に再委託してすることはできない。

イ　マンション管理業者は、当該マンション管理業者の業務及び財産の状況を記載した書類をその事務所ごとに備え置き、その業務に係る関係者の求めに応じ、これを閲覧させると同時に、一定の期間、掲示しなければならない。

ウ　マンション管理業者は、管理者等が置かれている管理組合甲を構成するマンションの区分所有者等及び甲の管理者等を対象に、管理業務主任者をして、「免責に関する事項」については説明させたが、「契約の更新に関する事項」については説明させなかった場合には、法に違反する。

エ　マンション管理業者は、管理者等が置かれている管理組合甲を構成するマンションの区分所有者等及び甲の管理者等を対象に、管理業務主任者をして、「保証契約に関する事項」については説明させたが、「管理事務として行う管理事務に要する費用の収納に関する事項」については説明させなかった場合には、法に違反する。

1　一つ
2　二つ
3　三つ
4　四つ

【問　50】　マンション管理適正化法（この問いにおいて「法」という。）に関する次の記述のうち、正しいものはいくつあるか。

ア　国土交通大臣は、マンション管理業の登録申請者が登録申請書やその添付書類のうちに重要な事項について虚偽の記載があり、又は重要な事実の記載が欠けているときは、その登録を拒否しなければならない。

イ　計画作成知事等は、認定をしたときは、速やかに、その旨を、当該認定を受けた者に通知しなければならない。

ウ　マンション管理適正化推進センターが行う法第92条に規定された業務に、「マンションの管理の適正化に関し、管理組合の管理者等その他の関係者に対し技術的な支援を行うこと」は含まれているが、「マンションの管理に関して必要な紛争解決のためのあっせん、調停及び仲裁を行うこと」は含まれていない。

エ　マンション管理業を営もうとする者は、国土交通省に備えるマンション管理業者登録簿に登録を受けなければならない。

1　一つ
2　二つ
3　三つ
4　四つ

【問題冊子ご利用時の注意】

「問題冊子」は、この**色紙を残したまま**、**ていねいに抜き取り**、ご利用ください。

- 抜き取り時のケガには、十分お気をつけください。
- 抜き取りの際の損傷についてのお取替えはご遠慮願います。

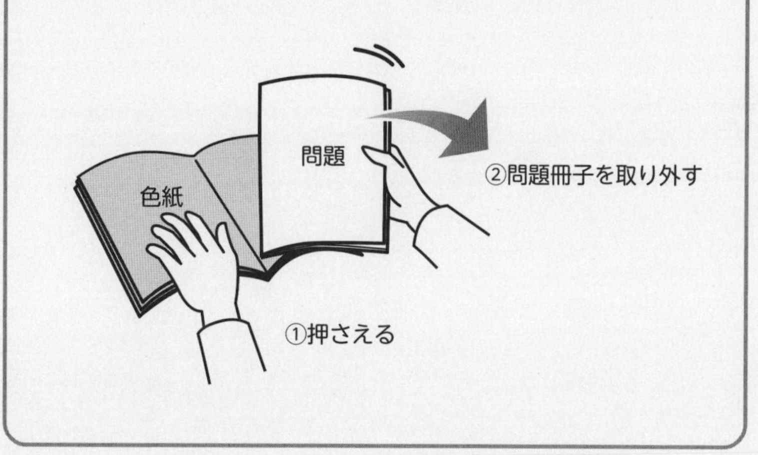

令和6年度マンション管理士模擬試験

問題

合格ライン　36点

レベル　

制限時間　2時間

❶問題は、3-1ページから3-40ページまでの50問です。
❷問題の中の法令に関する部分は、令和6年4月1日現在施行されている規定に基づいて出題されています。

問題の中で使用している主な法律等の略称及び用語の定義については、次のとおりである。

「マンション」…………………………
　　「マンション管理適正化法第２条第１号イに規定するマンション」をいう。
「マンション管理適正化法」………
　　マンションの管理の適正化の推進に関する法律（平成12年法律第149号）
「区分所有法」…建物の区分所有等に関する法律（昭和37年法律第69号）
「管理者」………「区分所有法第25条第１項の規定により選任された管理者」をいう。
「管理組合」……「区分所有法第３条に規定する区分所有者の団体」をいう。
「管理組合法人」………「区分所有法第47条第１項に規定する法人」をいう。
「団地管理組合」………「区分所有法第65条に規定する団地建物所有者の団体」をいう。
「被災マンション法」………………
　　被災区分所有建物の再建等に関する特別措置法（平成７年法律第43号）
「品確法」………住宅の品質確保の促進等に関する法律（平成11年法律第81号）
「マンション建替え等円滑化法」…
　　マンションの建替え等の円滑化に関する法律（平成14年法律第78号）
「標準管理規約」……………………
　　マンション標準管理規約（単棟型）及びマンション標準管理規約（単棟型）コメント（令和３年６月22日 国住マ第33号）
「標準管理委託契約書」……………
　　マンション標準管理委託契約書及びマンション標準管理委託契約書コメント（平成30年３月９日 国土動指第97号）
「マンション管理業者」……………
　　「マンション管理適正化法第２条第８号に規定する者」をいう。
「管理事務」…「マンション管理適正化法第２条第６号に規定する管理事務」をいう。
「管理業務主任者」…「マンション管理適正化法第２条第９号に規定する者」をいう。

【問　1】 **甲マンションには、４つの専有部分があり、101号室と102号室はＡが、201号室はＢが、202号室はＣがそれぞれ所有している。甲の敷地は、Ａ及びＢが敷地利用権（Ａの持分が３分の２、Ｂの持分が３分の１の共有）を有しているが、Ｃは敷地利用権を有していない。この場合に関する次の記述のうち、区分所有法及び民法（明治29年法律第89号）の規定によれば、正しいものはどれか。ただし、甲については、不動産登記法（平成16年法律第123号）の定めるところにより分離して処分することができない専有部分及び敷地利用権であることが登記され、また、規約に専有部分と敷地利用権とを分離して処分することができない旨が定められているものとする。**

1　Ｂが死亡して相続人がないときは、Ｂの敷地利用権は、敷地に関し他の共有者であるＡに帰属する。

2　Ａ及びＢが、Ｃに対し、区分所有権を時価で売り渡すべきことを請求したときは、その意思表示によって、一方的に時価による売買契約成立の効果が生じる。

3　Ａの所有する101号室に係る敷地利用権と102号室に係る敷地利用権の割合は、その割合が規約に定められているときはその割合によるが、規約に定められていないときは等しい割合による。

4　ＡとＢが、Ｄとの間で甲の敷地の一部を駐車場として使用する賃貸借契約を締結した場合、Ｄがその賃貸借契約締結の時に、分離処分を禁止する規約が設定されていることを知らなかったときでも、Ｂは、当該賃貸借契約の無効をＤに対して主張することができる。

【問　2】 区分所有法第32条の規定に基づく公正証書による規約の設定に関する次の記述のうち、区分所有法の規定によれば、正しいものはどれか。

1　建物が完成する前に公正証書により規約が設定された場合には、建物の完成前で所有権が取得されていなくても、規約の効力が生じるのは公正証書を作成した時である。

2　建物が所在する土地以外の土地が、建物及び建物が所在する土地と一体として管理又は使用されるものでなくても、公正証書による規約の設定をするのであれば、建物の敷地とすることができる。

3　公正証書による規約を設定した者は、専有部分の全部を所有している間は、公正証書による規約の設定と同様の手続により、その規約を廃止することができる。

4　等価交換方式によって、分譲業者が、地主の土地上にマンションを建築し、建築したマンションの一部を地主に譲渡した場合、分譲業者が一般の者に販売を行う前であれば、分譲業者と地主が共同で公正証書による規約を設定することができる。

【問　3】 共用部分に関する次の記述のうち、区分所有法の規定によれば、誤っているものはいくつあるか。

ア　法定共用部分について、規約で定めることにより、特定の区分所有者や区分所有者以外の者の排他的使用権を設定することができる。

イ　区分所有法上当然に共用部分とされる部分は、規約で定めることにより、管理者以外の区分所有者でない者が所有することができる。

ウ　共用部分の変更（その形状又は効用の著しい変更を伴わないものを除く。）を行う場合の集会における議決権の割合は、規約により、その過半数まで減ずることができる。

エ　一部共用部分は、その構造及び機能によって決定されるものであり、規約により一部共用部分とすることはできない。

1　一つ
2　二つ
3　三つ
4　四つ

【問　4】　甲マンションの管理者Aに関する次の記述のうち、区分所有法の規定によれば、正しいものはいくつあるか。

ア　Aが区分所有権を有していない場合でも、規約に特別の定めがあるときは、共用部分を所有することができる。

イ　Aは、少なくとも毎年一回集会を招集し、事務報告をしなければならないが、区分所有者全員の同意を得れば、これを省略することができる。

ウ　Aは、その職務に関し、区分所有者を代理するが、区分所有者のために、原告又は被告となるためには、規約又は集会の決議が必要となる。

エ　規約に別段の定めがない場合、Aに、不正な行為その他その職務を行うに適しない事情がないときでも、集会の決議によって、Aを解任することができる。

1　一つ
2　二つ
3　三つ
4　四つ

【問　5】 管理組合法人に関する次の記述のうち、区分所有法の規定によれば、正しいものはどれか。

1　管理組合法人の財産をもって管理組合法人が負担する債務を完済することができない場合、各区分所有者が弁済しなければならないが、その負担割合は、規約で建物並びにその敷地及び附属施設の管理に関する経費について負担の割合が定められているときは、その割合による。

2　管理組合法人の事務は、すべて集会の決議によって行うが、建物の管理又は使用に関し区分所有者の共同の利益に反する区分所有者の行為について、その停止等を請求する訴訟を提起するには、規約の定めによらなければならない。

3　理事は、管理組合法人の事務を行う場合、特定の行為の代理を他人に委任することができるが、その委任は、規約の定め又は集会の決議によらなければならない。

4　理事が欠けた場合又は規約で定めた理事の員数が欠けた場合には、任期の満了又は解任により退任した理事は、新たに選任された理事が就任するまでは、なおその職務を行う。

【問　6】 集会の招集に関する次の記述のうち、区分所有法の規定によれば、正しいものはどれか。

1　区分所有者の５分の１以上で議決権の５分の１以上を有するものは、管理者に対し、会議の目的たる事項を示して、集会の招集を請求することができるが、規約により、この定数を区分所有者の６分の１以上で議決権の５分の１以上を有するものとすることはできない。

2　集会の招集通知は、会日より少なくとも１週間前に、会議の目的たる事項を示して、各区分所有者に発しなければならないが、集会の決議により、次回の集会の招集通知は、少なくとも会日の５日前に発しなければならないとすることができる。

3　集会の目的たる決議事項が、区分所有法の規定により議案の要領をも通知しなければならないとされているものを除き、規約で定めることによって集会の招集手続を省略することができる。

4　管理者は、事務の報告のため、毎年一定の時期に集会を招集しなければならない。

【問　7】 甲マンションの区分所有者と占有者（区分所有者以外の専有部分の占有者をいうものとする。）の両者についてあてはまるものの組合せとして正しいものは、区分所有法の規定によれば、次のうちどれか。

ア　建物又はその敷地若しくは附属施設の使用方法につき、規約又は集会の決議に基づいて義務を負う。

イ　共同の利益に反する行為をしたときは、集会の決議により当該行為の停止を請求する訴訟を提起されることがある。

ウ　規約で定めることにより、管理者以外の者であっても、共用部分の所有者とすることができる。

エ　管理者に対し、会議の目的たる事項を示して、集会の招集を請求することができる。

1　アとイ
2　アとエ
3　イとエ
4　ウとエ

【問 8】 甲マンションの区分所有者であるAは、甲マンションの管理組合の役員らをひぼう中傷する内容の文書を配布し、甲マンションの防音工事等を受注した業者の業務を妨害する行為を行っていた。このAの行為が区分所有法第6条に規定する区分所有者の共同の利益に反する行為（以下、本問において「共同利益皆違反行為」という。）に該当するとして、区分所有法第57条第1項に基づき、Aの行為の差止めを求める訴訟を提起する場合に関する次の記述のうち、判例によれば、正しいものはどれか。

1　共同利益背反行為を禁止する区分所有法第6条1項は、規約により、その適用を排除することができる。

2　Aの行為により甲マンションの管理組合の業務遂行や運営に支障が生ずるなどして、その正常な管理又は使用が阻害される場合には、Aの行為は、共同利益背反行為に該当する。

3　Aの行為は、建物の不当毀損行為又は建物の不当使用行為ではないので、共同利益背反行為に該当しない。

4　甲マンションの役員は、その有する区分所有権に基づいて、個別にAの行為の差止めを請求することができ、この請求がなされた場合には、区分所有法第57条第1項に基づく差止請求はすることができない。

【問　9】 地震によってマンションの一部が大規模滅失（建物の価格の2分の1を超える部分の滅失をいう。この問いにおいて同じ。）した場合の復旧等に関する次の記述のうち、区分所有法（この問いにおいて「法」という。）の規定によれば、正しいものはいくつあるか。ただし、規約に別段の定めはないものとする。

ア　滅失が生じた後において、復旧及び建替えのいずれの決議も集会においてなされないまま滅失から6ヵ月が経過したときは、各区分所有者は、他の区分所有者に対し、その有する建物及び敷地に関する権利を時価で売り渡すべきことを請求することができる。

イ　滅失が生じたことにより、建物の部分である専有部分が失われている区分所有者も、その共用部分の共有持分や敷地利用権について、法第61条第7項の規定による買取請求権を行使することができる。

ウ　滅失した共用部分の復旧は、区分所有者及び議決権の各過半数の多数による集会の決議で決する。

エ　集会の決議に基づいて滅失した共用部分を復旧する場合、滅失前の状態に回復することはできるが、建物の用途や構造を変えることはできない。

1　一つ
2　二つ
3　三つ
4　四つ

【問　10】　一団地内にＡ棟、Ｂ棟及びＣ棟の３棟のマンションがあり、Ａ棟、Ｂ棟及びＣ棟の３棟が所在する土地は、団地建物所有者の共有に属しており、その共有者全員で団地管理組合を構成している場合におけるこの団地内のマンションの建替えに関する次の記述のうち、区分所有法の規定によれば、誤っているものはどれか。

1　Ａ棟及びＣ棟のそれぞれの建替えを会議の目的とする各集会において、当該建物の区分所有者及び議決権の各４分の３以上の多数でＡ棟及びＣ棟を一括して建替え承認決議に付する旨の決議をすることができる。

2　Ａ棟を建替えるときは、Ａ棟の管理組合の集会における建替え決議、又はその区分所有者全員の同意が必要であり、さらに団地管理組合の集会において議決権の４分の３以上の多数による建替え承認決議を経なければならない。

3　Ａ棟、Ｂ棟及びＣ棟の一括建替えを決議するには、Ａ棟、Ｂ棟及びＣ棟の３棟を団地管理組合が管理する旨の規約の定めがなければならない。

4　Ａ棟の建替えがＢ棟の建替えに特別の影響を及ぼすべきときは、団地管理組合のＡ棟の建替え承認決議において、Ｂ棟の区分所有者全員の議決権の４分の３以上の議決権を有する区分所有者の賛成を得なければならない。

【問　11】 大規模な火災、震災その他の災害で政令で定めるものにより、区分所有建物の一部が滅失（区分所有法第61条第１項本文に規定する場合（小規模滅失）を除く。）した場合に関する次の記述のうち、被災マンション法及び民法の規定によれば、誤っているものはどれか。ただし、区分所有建物の敷地利用権は、数人で有する所有権その他の権利とする。

1　当該区分所有建物の敷地利用権が賃借権である場合、区分所有者は、当該区分所有建物及びその敷地の賃借権を売却するには、借地権設定者の承諾を得なければならない。

2　当該区分所有建物及びその敷地（これに関する権利を含む。）を売却する旨の決議をするための被災マンション法及び区分所有法の定めるところにより開催される区分所有法第34条の規定による集会（この問いにおいて「区分所有者集会」という。）は、政令施行の日から起算して１年を経過する日までの間を会日としなければならない。

3　当該区分所有建物を取り壊し、かつ、これに係る建物の敷地（これに関する権利を含む。）を売却する旨の決議をするためには、区分所有建物の取壊しに要する費用の概算額及びその費用の分担に関する事項、建物の敷地の売却の相手方となるべき者の氏名又は名称及び建物の敷地の売却による代金の見込額を決議で定めなければならない。

4　当該区分所有建物を取り壊すには、区分所有者集会において区分所有者、議決権及び敷地利用権の持分の価格の各５分の４以上の多数による決議が必要となる。

【問　12】　Ａは、Ｂとの間で、Ａの所有する甲マンションの201号室の売買契約を締結した。この場合に関する次の記述のうち、民法の規定及び判例によれば、誤っているものはどれか。

1　被保佐人であるＡが、保佐人の同意を得ずに、Ｂとの間で201号室の売買契約を締結した場合、保佐人はＡＢ間の売買契約を取り消すことができ、Ａ自身もＢとの売買契約を取り消すことができる。

2　成年被後見人であるＡが所有する居住の用に供するマンションの区分所有権をその成年後見人がＡに代わって売却するには、家庭裁判所の許可を得なければならない。

3　成年被後見人であるＡが、成年後見人の同意を得た上で、Ｂとの間で201号室の売買契約を締結した場合、Ａ本人は、ＡＢ間の売買契約を取り消すことができない。

4　未成年者であるＡが、法定代理人の同意を得ないで、単に自らが未成年者であることを黙秘した上で、Ｂとの間で201号室の売買契約を締結した場合、Ａは、ＡＢ間の売買契約を取り消すことができる。

【問　13】　各区分所有者が敷地を共有する甲マンションの管理組合Ａに関する次の記述のうち、民法の規定によれば、誤っているものはどれか。

1　Ａは、Ｂ所有の土地に設備を設置しなければ電気の継続的給付を受けることができないときは、そのために必要な範囲内で、Ｂの土地にその設備を設置することができる。

2　甲マンションの敷地上に、Ｃ所有の土地にある木の枝が張り出している場合、Ａは、Ｃに通知した上で、直ちに当該枝を切除することができる。

3　Ａは、甲マンションの敷地に隣接する土地の所有者であるＤと、費用を２分の１ずつ負担して、境界標を設置することができる。

4　Ａは、甲マンションの敷地の境界付近にフェンスを設置しようとする場合、隣接するＥ所有の駐車場として使用している土地を必要な範囲内で使用することができる。

【問　14】 **令和６年11月13日にＡＢ間で、甲マンションのＢ所有の201号室の売買契約が締結され、同年11月19日にＡはＢに売買代金を支払い、ＢはＡに同室を引き渡すこととした。この場合に関する次の記述のうち、民法の規定によれば、正しいものはどれか。**

1　令和６年11月19日にＡがＢに201号室の売買代金を支払ったが、ＢがＡに201号室を引き渡さない場合、ＡはＢに催告することなくＢとの売買契約を解除することができる。

2　令和６年11月19日にＡがＢに201号室の売買代金を支払わない場合、Ｂは、売買代金の支払があるまで201号室の引渡しを拒否することができる。

3　令和６年11月14日に201号室がＢの過失による火災によって滅失した場合、Ａは、売買契約を解除しなければ、Ｂに対して損害賠償の請求をすることができない。

4　令和６年11月15日に201号室が地震により滅失した場合、Ａは、売買契約を解除しない限り、Ｂに201号室の売買代金を支払わなければならない。

【問　15】 **甲マンションの管理組合Ａは、Ｂ工務店との間で甲マンションの外壁タイルの改修を内容とする請負契約を締結したが、改修工事の施工中にＢ工務店の従業員Ｃの不注意によりタイルが落下し、甲マンションの区分所有者Ｄが負傷した。この場合に関する次の記述のうち、民法の規定によれば、正しいものはどれか。**

1　Ｃは、Ｄに対して不法行為責任を負うときでも、ＣがＤに対して有している金銭債権を自働債権、ＤがＣに対して有している不法行為に基づく損害賠償請求権を受働債権として、両債権を相殺することができる。

2　Ｂ及びＣがＤに対して不法行為責任を負うときは、Ａは、Ｄに対して不法行為責任を負うことはない。

3　Ｂは、Ｃの使用者として、Ｄに損害の全部を賠償したときでも、Ｃに対して求償することはできない。

4　Ｂは、Ｃの選任及び改修工事の監督について相当の注意をしていたときは、Ｃの使用者として、Ｄに対して不法行為責任を負わない。

【問　16】 区分所有者Ａ（以下、本問においてＡという。）が、その所有する専有部分をＢに月額10万で賃貸している場合における、Ｂの賃料債務に関する次の記述のうち、民法の規定及び判例によれば、誤っているものはどれか。なお、ＡＢ間に相殺禁止の特約はないものとし、遅延利息については考慮しないものとする。

1　ＢがＡに対して負担する債務と同一の内容の債務を、Ｂと連帯して負担する併存的債務引受は、Ａと引受人となるＣとの契約によってすることができる。

2　ＢがＡに対して負担する債務と同一の内容の債務をＣが負担し、Ｂは自己の債務を免れる免責的債務引受は、Ｂと引受人となるＣが契約をし、ＡがＣに対して承諾をすることによってすることができる。

3　ＡがＢに対して悪意による不法行為を行った結果、ＢがＡに50万円の損害賠償請求権を有している場合でも、Ｂは、当月分の賃料債務の10万円と損害賠償請求権のうちの10万円とを相殺することはできない。

4　ＢがＡに対し弁済期が到来した20万円の貸金債権を有している場合、Ｂは、当月分の賃料債務の10万円及び支払期限の到来していない翌月分の賃料債務の10万円について、貸金債権との相殺をすることができる。

【問　17】　新築マンションの一住戸甲の売買における瑕疵担保（この問いにおいて「契約不適合」という。）責任に関する次の記述のうち、民法、品確法及び宅地建物取引業法（昭和27年法律第76号）の規定によれば、正しいものはいくつあるか。

ア　買主が甲の引渡しを受けたのち、第三者に転売した場合、元の売主はその第三者に対して直接に担保責任を負う。

イ　品確法が適用される売買契約については、宅地建物取引業法第40条（契約不適合責任についての特約の制限）の規定の適用はない。

ウ　甲が請負人から売主に引き渡されたものである場合、買主は売主に対して品確法による契約不適合責任を追及することができるが、売主は請負人に対して、当該責任を追及することができない。

エ　甲が、令和５年６月１日に建築工事が完了したものである場合、令和６年７月１日に買主に引き渡されたときは、品確法による売主の契約不適合責任を追及することはできない。

1　一つ
2　二つ
3　三つ
4　四つ

【問　18】　敷地権付き区分建物の登記に関する次の記述のうち、不動産登記法（平成16年法律第123号）の規定によれば、正しいものはどれか。

1　敷地権付き区分建物についての所有権に係る仮登記であって、区分建物に関する敷地権の登記をした後に登記されたものであり、かつ、その登記原因が当該建物の当該敷地権が生ずる前に生じたものは、建物についてのみ効力を有する登記として登記することができる。

2　敷地権付き区分建物のみを目的として、質権又は抵当権に係る権利に関する登記をすることは一切できない。

3　敷敷地権付き区分建物において、表題部所有者から所有権を承継した者が所有権の保存登記を申請する場合には、当該敷地権の登記名義人の承諾を得る必要はない。

4　敷地権付き区分建物の所有権の登記名義人の相続人は、区分建物と敷地権とをそれぞれ別の相続人とする相続を原因とする所有権の移転登記をすることができる。

【問　19】　敷地分割組合（この問いにおいて「組合」という。）が施行する敷地分割事業に関する次の記述のうち、マンション建替え等円滑化法の規定によれば、正しいものはどれか。

1　組合は、敷地権利変換計画を変更しようとするとき（国土交通省令で定める軽微な変更をしようとする場合を除く。）は、審査委員全員の同意を得なければならない。

2　組合の設立の認可を申請しようとする敷地分割合意者は、組合の設立について、敷地分割合意者の４分の３以上の同意を得なければならないが、この同意は、同意した者の当該団地内建物の敷地又はその借地権の共有持分の割合による議決権の合計が敷地分割合意者の議決権の合計の４分の３以上となるものでなければならない。

3　組合の事業に要する経費の分担に関する事項、総代会の新設又は廃止及び事業計画の変更については、組合員の議決権及び分割実施敷地持分の割合の４分の３以上で決する。

4　組合員は、書面又は代理人をもって、議決権及び選挙権を行使することができるが、代理人は、同時に他の組合員を代理することはできない。

【問　20】　都市計画法（昭和43年法律第100号）に関する次の記述のうち、誤っているものはどれか。

1　市街化区域及び区域区分が定められていない都市計画区域については、少なくとも道路、公園及び下水道を定める。

2　都市計画区域については、用途地域が定められていない土地の区域であっても、一定の場合には、都市計画に、地区計画を定めることができる。

3　都市計画区域は、市町村が、市町村都市計画審議会の意見を聴くとともに、都道府県知事に協議し、その同意を得て指定する。

4　第二種住居地域、準住居地域若しくは工業地域が定められている土地の区域又は用途地域が定められていない土地の区域（市街化調整区域を除く。）には、開発整備促進区を都市計画に定めることができる。

【問　21】 建築基準法（昭和25年法律第201号）に関する次の記述のうち、誤っているものはどれか。

1　給水管、配電管その他の管が共同住宅の各戸の界壁を貫通する場合においては、当該管と界壁のすき間をモルタルその他の不燃材料で埋めなければならない。

2　特定行政庁は、一定の建築物について、損傷、腐食その他の劣化が進み、そのまま放置すれば著しく保安上の危険となるおそれがあると認める場合、当該建築物の所有者等に対して、直ちに、保安上必要な措置をとることを勧告することができる。

3　共同住宅に設ける昇降機の所有者（所有者と管理者が異なる場合においては、管理者。）は、定期に、一級建築士若しくは二級建築士又は昇降機等検査員資格者証の交付を受けている者に検査をさせて、その結果を特定行政庁に報告しなければならない。

4　防火地域にある共同住宅で、外壁が耐火構造のものについては、その外壁を隣地境界線に接して設けることができるが、準防火地域にある共同住宅で、外壁が耐火構造のものについても、その外壁を隣地境界線に接して設けることができる。

【問　22】 水道法（昭和32年法律第177号）の規定によれば、簡易専用水道の設置者が１年以内ごとに１回受けなければならない検査に関する次の記述のうち、誤っているものはどれか。

1　簡易専用水道に係る施設及びその管理の状態に関する検査では、水槽だけでなく、その周辺の清潔の保持についての検査も行う。

2　簡易専用水道の検査の登録を受けた検査機関は、検査を行うことを求められた場合は、正当な理由がある場合を除き、遅滞なく、検査を行わなければならない。

3　給水栓における、臭気、味、色、色度、濁度、残留塩素に関する検査は、あらかじめ給水管内に停滞していた水が新しい水に入れ替わるまで放流してから採水して行う。

4　簡易専用水道に係る施設及びその管理の状態に関する検査は、水槽の水を抜いた上で実施する。

【問　23】　共同住宅における消防用設備等に関する次の記述のうち、消防法（昭和23年法律第186号）の規定によれば、正しいものはどれか。

1　マンションの11階以上の階には、総務省令で定める部分を除き、スプリンクラー設備を設置しなければならない。

2　共同住宅に設置された消防用設備等の点検結果は、１年に１回消防長（消防本部を置かない市町村においては、市町村長。）又は消防署長に報告しなければならない。

3　延べ面積が500㎡の共同住宅の消防用設備等に係る点検は、消防設備士免状の交付を受けている者又は総務省令で定める資格を有する者に行わせなければならない。

4　地上３階建、延べ面積500㎡の共同住宅においては、屋内消火栓を階ごとに設けなければならない。

【問　24】　警備業に関する次の記述のうち、警備業法（昭和47年法律第117号）の規定によれば、正しいものはどれか。

ア　警備業者及び警備員は、警備業務を行うに当たっては、内閣府令で定める公務員の法令に基づいて定められた制服と、色、型式又は標章により、明確に識別することができる服装を用いなければならない。

イ　警備業者は、警備業務を行おうとする都道府県の区域を管轄する公安委員会に、当該公安委員会の管轄区域内において警備業務を行うに当たって携帯しようとする護身用具の種類、規格その他内閣府令で定める事項を記載した届出書を提出しなければならない。

ウ　警備業務対象施設に各種のセンサー等を設置し、それらの端末機器が感知した情報をその施設内に設けた受信機で受信することで、警備員が対応するシステムは、機械警備業務に該当しない。

エ　機械警備業者は、機械警備業務の依頼者と機械警備業務を行う契約を締結しようとするときは、当該契約を締結するまでに、内閣府令で定めるところにより、当該契約の概要について記載した書面をその者に交付して、機械警備業務管理者をして説明をさせなければならない。

1　一つ
2　二つ
3　三つ
4　四つ

【問　25】　区分所有建物の保存行為に関する次の記述のうち、標準管理規約によれば、適切でないものはどれか。ただし、電磁的方法が利用可能でない場合とする。

1　理事長が、区分所有者から共用部分等の保存行為について承認の申請があった場合、理事長は、申請について、理事会の決議により、その承認又は不承認を決定しなければならない。

2　理事長の承認を受けた工事を実施後に、共用部分又は他の専有部分に事後的な影響が発生した場合、管理組合の責任と負担により必要な措置を採る必要がある。

3　共用部分の配管の取替えと専有部分の配管の取替えを同時に行うことにより、専有部分の配管の取替えを単独で行うよりも費用が軽減される場合には、これらについて一体的に工事を行うことができる。

4　区分所有者が不注意によって窓ガラスを損傷させたので、より強度の高い窓ガラスに交換したいが管理組合が速やかに交換を実施できない場合には、理事会の承認を経ることで、区分所有者の責任と負担の下に交換を実施できる。

【問　26】 管理組合における緊急時の対応に関する次の記述のうち、標準管理規約によれば、適切なものはいくつあるか。

ア　災害等の緊急時において、保存行為を超える応急的な修繕工事の実施が必要であって総会の開催が困難である場合は、理事会においてその実施を決定することができる。

イ　大規模な災害や突発的な被災により理事会の開催も困難な場合には、保存行為に限らず、応急的な修繕行為の実施まで理事長単独で判断し実施可能な旨を、規約に定めることができる。

ウ　大規模な災害や突発的な被災により理事長をはじめとする役員が対応できない事態に備え、あらかじめ定められた方法により選任された区分所有者等の判断により保存行為や応急的な修繕行為を実施することができる旨を、規約に定めることができる。

エ　理事長は、災害、事故等が発生した場合であって、緊急に立ち入らないと共用部分等又は他の専有部分に対して物理的に又は機能上重大な影響を与えるおそれがあるとき、専有部分又は専用使用部分に自ら立ち入り、又は委任した者に立ち入らせることができる。

1　一つ
2　二つ
3　三つ
4　四つ

【問　27】　総会の運営・招集に関する次の記述のうち、標準管理規約によれば、適切でないものはどれか。ただし、電磁的方法が利用可能ではない場合とする。

1　総会の招集通知は、原則として、管理組合に対し組合員が届出をしたあて先に発する。

2　総会の招集通知を受けるべき場所の届出がない組合員に対しては、規約により、通知内容を所定の掲示場所に掲示することをもって、通知に代えることができる。

3　総会が開催された場合、議長は議事録を作成し、理事長は、所定の掲示場所に議事録の保管場所を掲示しなければならない。

4　監事は、管理組合の業務執行や財産状況について不正があると認めるときは、臨時総会を招集でき、この臨時総会では、監事が議長を務める。

【問　28】　管理組合・理事会に関する次の記述のうち、標準管理規約によれば、適切なものはどれか。

1　理事長が利益相反取引を行うに際して理事会の承認を得る場合は、理事の過半数の承諾があったとしても、書面又は電磁的記録による決議を行うことはできない。

2　200戸を超え、役員数が20名を超えるような大規模マンションでは、理事会の中に部会を設け、各部会の決議によって、理事会の決議事項を決定することができる。

3　マンションやその周辺における防災・防犯活動のうち、その経費に見合ったマンションの資産価値の向上がもたらされるものであって、建物並びにその敷地及び付属施設の管理の範囲内で行われる活動であれば、理事会の承認を得て実施することができる。

4　一部の者のみに対象が限定されるクラブやサークル活動経費、主として親睦を目的とする飲食の経費などは、マンション全体の資産価値向上等に資するため、管理費をそれらの費用に充てることができる。

【問　29】　管理組合の適切な運営に関する次の記述のうち、標準管理規約及び外部専門家の活用ガイドライン（国土交通省平成29年６月公表）によれば、適切なものはいくつあるか。ただし、当該管理組合の管理規約には、標準管理規約に沿って外部専門家を役員として選任できる旨が規定されているものとする。

ア　災害又は感染症の感染拡大等への対応として、ＷＥＢ会議システム等を用いて会議を開催することも考えられ、やむを得ない場合においては、通常総会を必ずしも新会計年度開始以後２か月以内に招集する必要はなく、これらの状況が解消された後、遅滞なく招集すれば足りる。

イ　外部専門家役員を正式に導入するには、役員の選任、細則、契約書、報酬等に係る予算などについて総会決議を経る必要があるが、これらの事項は、組合員総数の４分の３以上及び議決権総数の４分の３以上の決議によることが必要である。

ウ　外部専門家には、区分所有者である役員よりも高度な善管注意義務が課されるため、外部専門家が役員に加わった場合には、他の区分所有者である役員の善管注意義務は軽減される。

エ　外部専門家の活用パターンとして、理事長を外部専門家とすることも可能であり、さらに管理組合は、専門的知識を有する者に対し、管理組合の運営その他マンションの管理に関し、相談・助言・指導その他の援助を求めたりすることができるが、この専門的知識を有する者は国家資格取得者に限られる。

1　一つ
2　二つ
3　三つ
4　四つ

【問　30】 雑則等に関する次の記述のうち、標準管理規約によれば、適切でないものはどれか。ただし、電磁的方法が利用可能ではない場合とする。

1　区分所有者の同居人が、マンション内における共同生活の秩序を乱す行為を行ったときは、理事長は、理事会の決議を経てその同居人に対し、その是正のため必要な指示を行うことができる。

2　理事長は、総会議事録・理事会議事録・会計帳簿を保管しなければならず、この場合には、総会議事録と会計帳簿の保管場所を掲示しなければならない。

3　規約原本について区分所有者又は利害関係人から請求があった場合、理事長は閲覧について、相当の日時・場所等を指定することができる。

4　規約が総会決議を経て変更された場合には、理事長は、１通の書面に、現に有効な規約の内容と、その内容が規約原本及び規約変更を決議した総会の議事録の内容と相違ないことを記載し、署名した上で当該書面を保管しなければならない。

【問　31】 個人情報に関する次の記述のうち、標準管理規約及び個人情報の保護に関する法律（平成15年法律第57号）によれば、適切でないものはどれか。ただし、電磁的方法が利用可能でない場合とする。

1　管理組合は、組合員名簿の作成を管理会社に委託する場合、管理会社に対して、氏名等の情報提供について同意を得ていない区分所有者の氏名についても、管理会社に提供することができる。

2　組合員の氏名は個人情報保護法で保護されるため、新たに区分所有権を取得して組合員となった場合には、管理組合に氏名を届け出ることを拒むことができる。

3　区分所有者の親族から組合員名簿の閲覧請求があった場合、その者が親族であることを確認できたときでも、理事長は組合員名簿を閲覧させる必要はない。

4　大規模災害が発生した場合は、組合員の生命等の保護のため必要があるといえるのであれば、管理組合は組合員の同意を得ることなく、組合員名簿を自治体等に提供することができる。

【問　32】 **住居専用の専有部分からなる数棟で構成される団地型マンション（この問いにおいて「団地型」という。）と住居・店舗併用の単棟型マンション（この問いにおいて「複合用途型」という。）に関する次の記述のうち、「マンション標準管理規約（団地型）及びマンション標準管理規約（団地型）コメント」（令和３年６月22日 国住マ第33号）及び「マンション標準管理規約（複合用途型）及びマンション標準管理規約（複合用途型）コメント」（令和３年６月22日 国住マ第33号）によれば、適切なものはどれか。**

1　団地型において、建替え等円滑化法第108条第１項に基づき、マンション敷地売却をしようとする場合には、団地総会の決議を経なければならない。

2　複合用途型において、管理組合は、住宅用廊下の不測の事故その他特別の事由により必要となる修繕経費に充てるため借入れをしたときは、全体修繕積立金をもってその償還に充てることができる。

3　複合用途型において、建物のうち店舗部分の屋上を店舗の来客用駐車場として使用する場合、店舗部分の区分所有者から管理組合に対し支払われる駐車場使用料は、当該駐車場の管理費に充てるほか、全体修繕積立金として積み立てる。

4　団地型において、マンション管理適正化法第５条の３第１項に基づく管理計画の認定申請を行う場合には、各棟の決議を経なければならない。

【問　33】 甲管理組合と乙管理会社との間の管理委託契約に関する次の記述のうち、「標準管理委託契約書」によれば、適切なものはどれか。

1　乙について破産手続、会社更生手続、民事再生手続その他法的倒産手続開始の申立て、若しくは私的整理の開始があったときは、甲は無催告で本契約を解除することができる。

2　乙は、災害又は事故等の発生に備え、甲と乙の役割分担やどちらが負担すべきか判断が難しい場合の費用負担のあり方について、あらかじめ必ず甲と協議しておくことを要する。

3　管理費滞納者が、複数回の督促に対して明確な返答をしない状態であれば、乙は、甲の代理人として支払督促等の法的措置を講ずることができる。

4　乙は、管理事務を行うため必要なときは、甲の組合員に対し、管理事務の適正な遂行に著しく有害な行為の中止を求めることができるが、なお組合員がその行為を中止しないときは、甲は、その是正のために必要な措置を講じなければならない。

【問　34】 甲管理組合の総会において、会計担当理事が令和５年度（令和５年４月１日～令和６年３月31日）決算の管理費会計の収支報告書又は貸借対照表に関して行った次の説明のうち、適切でないものはどれか。ただし、会計処理は発生主義の原則によるものとし、資金の範囲は、現金預金、未収金、未払金、前受金及び前払金とする。

1　現金預金が増加しているのは、管理費の前受金が増加していることが原因ですが、前受金の増加は、次期繰越収支差額の増減に影響しません。

2　令和６年３月に発注した防犯カメラ取付工事は同年４月中に実施し完了する予定ですが、代金50万円は工事完了後10日以内に振込により支払う予定とされていますので、今期の決算においては会計処理を行っておりません。

3　令和６年３月に開始された総額300万円の大規模修繕工事は、同年９月中に完了予定ですが、この工事代金のうち、同年３月中に支払った100万円については、貸借対照表において資産の部に計上しております。

4　令和６年３月分の管理費の未納分について、会計上は、未収金として計上し、入金が確認された時点において、収支報告書の収入の部に計上することになります。

【問　35】 甲マンション管理組合の令和５年度（令和５年４月１日～令和６年３月31日まで）の会計に係る仕訳のうち、適切なものはどれか。ただし、会計処理は、発生主義の原則によるものとする。

1　令和４年度の貸借対照表に計上されていた清掃料の未払分10万円のうち、８万円が令和５年度に支払われたが、２万円はまだ支払われていない。

（単位：円）

（借　方）		（貸　方）	
清掃料	100,000	現金預金	80,000
		未払金	20,000

2　令和６年３月１日以降、管理組合以外の第三者に、駐車場の一部である４台分を１台当たり月額３万円、敷金１ヵ月分にて貸し付けることとし、令和６年３月１日に３月分として４台分の使用料12万円と敷金12万円を現金で受け取った。この場合の同年３月分の仕訳は、下記の通りである。

（単位：円）

（借　方）		（貸　方）	
現金預金	240,000	駐車場使用料収入	120,000
		前受金	120,000

3　令和６年２月に実施された外壁修繕工事の費用32万円については、令和６年４月に支払う予定であり、未払金32万円を計上していたが、令和６年３月末に工事代金の一部として現金12万円が支払われていたことが判明した。そのため、必要な会計処理を行った。

（単位：円）

（借　方）		（貸　方）	
未払金	120,000	現金預金	120,000

4　令和５年４月に、建物の事故等に備え、保険期間３年の積立型マンション保険に加入し、３年分の保険料総額60万円を管理組合の普通預金口座より支払った。なお、１年間の掛捨保険料は12万円、３年後の満期返戻金は24万円である。

（単位：円）

（借　方）		（貸　方）	
支払保険料	360,000	現金預金	600,000
積立保険料	240,000		

【問　36】「長期修繕計画作成ガイドライン及び同コメント」（令和３年９月国土交通省公表）に関する次の記述のうち、適切でないものはいくつあるか。

ア　新築マンションにおいて、長期修繕計画の作成及び修繕積立金の額の設定は、引渡し後速やかに開催する管理組合設立総会において、長期修繕計画及び修繕積立金の額の承認に関して決議する必要があり、分譲事業者が提示した長期修繕計画（案）と修繕積立金の額について、購入契約時の書面合意により決議したものとすることはできない。

イ　組合管理部分の修繕工事には、経常的な補修工事、計画修繕工事及び災害や不測の事故に伴う特別修繕工事があり、長期修繕計画は、これらの全てを対象としている。

ウ　長期修繕計画には、その作成の目的、計画の前提等、計画期間の設定、推定修繕工事項目の設定、修繕周期の設定、推定修繕工事費の算定、収支計画の検討、計画の見直し及び修繕積立金の額の設定に関する考え方を示すことが必要である。

エ　推定修繕工事の内容の設定や概算の費用の算出は、新築マンションの場合、設計図書のほか、工事請負契約書により施工会社から提出された請負代金内訳書、数量計算書などを参考にして、長期修繕計画用に設定する。

1　一つ
2　二つ
3　三つ
4　四つ

【問　37】「マンションの修繕積立金に関するガイドライン」（令和３年９月国土交通省公表）に関する次の記述のうち、適切でないものはどれか。

1　新築マンションの場合は、段階増額積立方式を採用している場合がほとんどで、あわせて、分譲時に修繕積立基金を徴収している場合も多くなっている。

2　20階以上の超高層マンションは、外壁等の修繕のために建物周りに設置する仮設足場やゴンドラ等の設置費用が高くなるほか、施工期間が長引く等、修繕工事費が高くなる傾向がある。

3　大規模修繕時に各区分所有者が行う専有部分のリフォーム工事に要する費用に対して、修繕積立金は充当されない。

4　建物に比べて屋外部分の広いマンションでは、修繕工事費が低くなる傾向がある。

【問　38】 マンションの外壁の修繕工事に関する次の記述のうち、適切でないものはどれか。

1　マンションの打放しコンクリートの外壁のひび割れを樹脂注入工法により補修する場合、エポキシ樹脂を低圧で注入する工法が一般的である。

2　注入口付アンカーピンニングエポキシ樹脂注入工法とは、タイルやモルタル等の仕上げ層の浮き部分に、注入口付アンカーピンによりエポキシ樹脂を注入する工法である。

3　塗り仕上げ外壁の改修工法における既存塗膜の除去方法の一つに、塗膜剥離剤工法があり、上塗りのみの塗り替えを行う場合などに適した工法である。

4　外壁パネル等の目地のシーリング材の補修は、既存のシーリング材を除去して新規のシーリング材を施工するシーリング再充填工法（打替え工法）が一般的である。

【問　39】　マンションの調査・診断に関する次の記述のうち、適切なものはどれか。

1　X線法は、コンクリートの外壁タイルの浮きを診断する方法である。

2　ひび割れの調査は、ひび割れの幅だけでなくその形状や分布状態（パターン）についても調べることが必要である。

3　超音波法は、コンクリートの中性化を診断する方法である。

4　自然電位法は、鉄筋の位置やかぶり厚さを調査する方法である。

【問　40】　マンションの構造に関する次の記述のうち、適切でないものはどれか。

1　建築物に作用する積載荷重は、人、家具、調度物品等、移動が比較的簡単にできるものの重量をいい、住宅の居室、事務室、自動車車庫等、室の種類別に定められた数値により計算することができる。

2　剛心とは、構造物の床位置に水平力が作用するとき、ある層の床の水平面内における回転中心をいう。

3　建築物の構造耐力上主要な部分についての耐震診断の結果、各階の保有水平耐力に係る指標が0.5未満の場合は、地震の震動及び衝撃に対して倒壊し、又は崩壊する危険性が高いとされる。

4　摩擦杭は、地盤の土と杭周面の摩擦力及び強固な支持層による杭先端の支持力によって建築物の重量を支えるものである。

【問　41】　マンションの住棟型式に関する次の記述のうち、適切でないものはどれか。

1　コア型とは、20階以上の超高層住宅で多く用いられ、エレベーター・階段室などを中央に置き、その周辺に多くの住戸を配置する型式である。

2　スキップフロア型とは、2階おき程度にエレベーターの停止階及び共用廊下を設け、エレベーターの停止階以外の階には階段によって各住戸へ達する型式である。

3　タウンハウス型とは、階段室から直接各住戸に入る型式で、廊下型に比べ各住戸の独立性が高いものである。

4　廊下型とは、各住戸に共用廊下を通じて入る形式で、片廊下型、中廊下型などに分類される。

【問　42】　マンションの防犯に配慮した改修計画・設計に関する次の記述のうち、適切でないものはいくつあるか。

ア　エレベーターのかご内の照明設備は、床面においておおむね20ルクス以上の平均水平面照度を確保することが望ましい。

イ　敷地内の屋外各部及び住棟内の共用部分等は、周囲からの見通しが確保されるように、敷地内の配置計画、動線計画、住棟計画、各部位の設計等を工夫するとともに、必要に応じて防犯カメラの設置等の措置を講じたものとする。

ウ　片廊下型の住棟を計画する場合には、共用廊下は、その各部分及びエレベーターホールからの見通しが確保され、死角を有しない配置又は構造とすることが望ましい。

エ　共用メールコーナーは、共用玄関、エレベーターホール又は管理人室等からの見通しが確保された位置に配置し、見通しが確保されない場合には、防犯カメラの設置等の見通しを補完する対策を実施する。

1　一つ
2　二つ
3　三つ
4　四つ

【問　43】　給水設備に関する次の記述のうち、適切でないものはどれか。

1　専有部分の一般給水栓において、給水に支障が生じないようにするため、給水圧力は30kPa以上とされている。

2　水道直結増圧方式では、給水立て管の頂部に、逆流防止のための吸気機能とともに、空気抜き弁の機能をもつ吸排気弁を設ける。

3　クロスコネクションとは、給水系統の配管と、雑排水、汚水、雨水系統などの配管が直接又は間接に連結されることをいい、衛生上の問題が生じるため禁止されている。

4　水道直結増圧方式及びポンプ直送方式は、高置水槽が不要な給水方式であり、高層マンションで採用することはできない。

【問　44】　マンションの排水設備に関する次の記述のうち、適切でないものはどれか。

1　台所に設置された食器洗い乾燥機の排水管には、高温の排水にも耐えうるように耐熱性硬質塩化ビニル管（ＨＴＶＰ）を用いる。

2　敷地内排水方式における合流式とは、汚水、雑排水及び雨水を合流させて排水する方式である。

3　ディスポーザ排水処理システムにおいては、破砕された生ごみを含む排水を処理槽で一定のＢＯＤ（生物化学的酸素要求量）濃度まで処理した後に、下水道へ放流する。

4　敷地内に埋設する排水横管の管径が150㎜の場合、延長が18ｍを超えない範囲に、保守点検及び清掃を容易にするための排水ますを設置する。

【問　45】　マンションの室内環境等に関する次の記述のうち、誤っているものはどれか。

1　外壁の室内側に生じる表面結露は、防湿層を設けることにより防ぐことができる。

2　熱交換型換気扇は、室内から排気する空気の熱を回収し、屋外から給気する空気に熱を伝えることで熱損失を少なくさせた第一種機械換気設備である。

3　窓サッシを二重化すると、窓の熱貫流率が小さくなり、室内の温度を安定させることができる。

4　浴室等で使用する第三種機械換気方式は、必要換気量を確保するため、換気扇の運転時に十分に給気を確保できるように給気口を設置する必要がある。

【問　46】　マンション管理士に関する次の記述のうち、マンション管理適正化法の規定によれば、誤っているものはいくつあるか。

ア　国土交通大臣は、マンション管理士の登録をしたときは、申請者に一定事項を記載した登録証を交付するが、この登録を受けた者が登録証を紛失した場合には、マンション管理士の名称を使用して業務を行うことはできない。

イ　国土交通大臣は、マンション管理士の登録がその効力を失ったときは、その登録を消除しなければならない。

ウ　道路交通法に違反して、懲役の刑に処せられ、その刑の執行を猶予された者は、その執行猶予期間が満了するまで、マンション管理士試験を受験することはできない。

エ　マンション管理士は、登録証を亡失し、滅失し、汚損し、又は破損したときは、速やかに、国土交通大臣に登録証の再交付を申請しなければならない。

1　一つ
2　二つ
3　三つ
4　四つ

【問　47】「マンションの管理の適正化の推進を図るための基本的な方針」（令和３年国土交通省告示第1286号）に関する次の記述のうち、適切でないものはいくつあるか。

ア　管理業務の委託や工事の発注等については、事業者の選定に係る意思決定の透明性確保や利益相反等に注意して、適正に行われる必要があるが、とりわけ外部の専門家が管理組合の管理者等又は役員に就任する場合においては、マンションの区分所有者等から信頼されるような発注等に係るルールの整備が必要である。

イ　複合用途型マンションにあっては、住宅部分と非住宅部分との利害の調整を図り、その管理、費用負担等について適切な配慮をすることが重要である。

ウ　マンションにおけるコミュニティ形成については、自治会及び町内会等（以下「自治会」という。）は、管理組合と同様、各居住者が当然加入すべきものであることに留意するとともに、特に管理費の使途については、マンションの管理と自治会活動の範囲・相互関係を整理し、管理費と自治会費の徴収、支出を分けて適切に運用する必要がある。

エ　マンションの管理には専門的知識を要することが多いため、マンション管理士には、管理組合等からの相談に応じ、助言等の支援を適切に行うことが求められており、誠実にその業務を行う必要がある。また、マンション管理業者においても、管理組合から管理事務の委託を受けた場合には、誠実にその業務を行う必要がある。

1　一つ
2　二つ
3　三つ
4　四つ

【問　48】　管理業務主任者Ａとマンション管理業者Ｂに関する次の記述のうち、マンション管理適正化法の規定によれば、誤っているものはいくつあるか。

ア　Ａは、管理事務に関する報告の説明の時に、管理業務主任者証を提示しなかったときは、罰金に処せられることがある。

イ　国土交通大臣は、Ａの事務の適正な遂行を確保するため必要があると認めるときでも、Ａに対して、報告をさせることはできない。

ウ　Ｂに関するマンション管理業の更新の登録の申請があった場合において、当該有効期間の満了の日までにその申請の処分がなされないときは、有効期間満了後、当該処分がなされるまでの間、Ｂはマンション管理業の業務を行ってはならない。

エ　Ｂは、その事務所ごとに、公衆の見やすい場所に、専任であるＡの氏名等が記載された一定の標識を掲げなければならない。

1　一つ
2　二つ
3　三つ
4　四つ

【問　49】　マンション管理業者Aが、管理業務主任者Bをして行わせた「重要事項の説明」及び「管理事務の報告」に関する次の記述のうち、マンション管理適正化法の規定によれば、正しいものはどれか。なお、電子情報処理組織を使用する方法等については考慮しないものとする。

1　Aは、甲マンション管理組合（この問いにおいて「甲」という。）から管理事務の委託を受けることを内容とする契約を締結しようとする場合には、あらかじめ、一定の説明会を開催し、当該甲を構成するマンションの区分所有者等及び当該甲の管理者等に対して、B（不在の場合はマンション管理士資格者）をして、重要事項について説明をさせなければならない。

2　Aは、管理者等が不設置の甲を構成するマンションの区分所有者等に対し、当該甲の事業年度終了後、遅滞なく、管理事務報告書を作成し、説明会を開催する必要があるが、当該管理事務報告書については、Bをして記名させる必要はない。

3　Aが、重要事項を記載した書面を作成するときは、Bをして（管理者等が不設置の場合はマンションの区分所有者等全員にも要求して）当該書面に記名させなければならないが、国土交通大臣は、これに違反したAに対して、1年以内の期間を定めて、その業務の全部又は一部の停止を命ずることができる。

4　Aは、重要事項の説明会を開催する場合には、当該説明会の日の1週間前までに、マンションの区分所有者等及び当該甲の管理者等の相当数に対し、一定の場合を除き、重要事項並びに説明会の日時及び場所を記載した書面を交付しなければならない。

【問　50】　マンション管理適正化法（この問いにおいて「法」という。）に関する次の記述のうち、正しいものはいくつあるか。

ア　自ら売主として一定の新築マンションを分譲した宅地建物取引業者は、分譲後１年以内に当該マンションの管理組合の管理者等が選任された場合は、速やかに、当該管理者等に、法第103条第１項に規定するマンションの設計に関する図書（法103条１項の設計図書）を交付しなければならない。

イ　マンション管理業者は、自己の名義をもって、管理業務主任者である他人にマンション管理業を営ませてはならない。

ウ　法第92条の規定により国土交通大臣の指定を受けた「マンション管理適正化推進センター」が行う業務に、「マンションの管理に関する情報及び資料の収集及び整理をし、並びにこれらを管理組合の管理者等その他の関係者に対し提供すること」は、含まれる。

エ　管理業務主任者証の有効期間は５年間であるが、マンション管理士登録証に有効期間の定めはない。

1　一つ
2　二つ
3　三つ
4　四つ